Le Rêve de Confucius

Du même auteur
aux Éditions Albin Michel

LE GRAND EMPEREUR
ET SES AUTOMATES
roman, 1985

Jean Levi

Le Rêve de Confucius

ROMAN

Albin Michel

ISBN 2-226-03640-7

Pour Célia et Myrto

Celui qui, voyageant loin de son territoire,
Voit des choses qu'avant il n'eût pas voulu croire,
Puis les conte, n'est point cru par son auditeur,
Et reste convaincu d'avoir été menteur,
Car le vulgaire sot ne veut donner créance
Qu'à ce qu'il touche et voit avec pleine évidence,
C'est pourquoi je sais bien que les gens ignorants
Croiront peu ce que dit le chant que j'entreprends.

Que j'aie un peu d'esprit ou n'en possède guère,
Je n'ai pas à penser à l'inepte vulgaire,
A vous seuls qui savez lire intelligemment,
Je ne paraîtrai pas menteur assurément ;
C'est vous seuls qu'ardemment j'aspire à satisfaire,
Que puisse donc le fruit de mes veilles vous plaire.

Arioste, Roland furieux, chant 7

CIEL ET TERRE

Le Ciel a créé les Dix Mille Êtres
auxquels il apporte bonheur et richesse.
Par la course du soleil il fixe les Six Emplacements,
il chevauche Six Dragons qui régissent la norme universelle.
Grande et belle est la Terre !
Bénéfique comme une jument qui ne dévierait pas de sa route.
On trouve un allié au sud-ouest pour en perdre un au nord-est.

Ils étaient huit convives dans la salle, huit personnages énigmatiques, portant des masques d'exorciste et revêtus de la robe à larges manches des devins. Ils avaient pris place sur les nattes de banquet, chacun assis à l'orient qu'imposait le trigramme brodé sur sa poitrine.

Ils étaient Ciel, Terre, Vent, Tonnerre, Étang, Eau, Feu et Montagne. Ciel, qui devait être le plus âgé, à en juger par la maigre coulée de barbe neigeuse qui émergeait de son masque, trônait au nord-ouest, au point *ying-hai* du cycle sexagésimal, lieu de tous les commencements. Au nord, Eau portait un vêtement noir orné de cochons et d'oreilles, auxquels faisaient pendant la bouche et les moutons de la robe d'Étang, flanquant le patriarche à l'ouest. Le sud-ouest était réservé à Terre ; celui-ci arborait un ventre de femme enceinte — la terre n'est-elle pas Celle-qui-porte ? Au sud, Feu se signalait par la flamme rouge de sa veste de soie dont la moire dessinait des milliers d'yeux, signe de la clarté qu'il apporte. A l'est, au point *mao* du cycle dénaire, identifiable à sa houppelande bleu-vert qu'égayaient des zébrures en forme

11

de dragon, se tenait Tonnerre. Il avait pour voisin de droite un colosse dont l'immobilité contrastait avec les gesticulations du tourbillonnant personnage qui s'agitait dans l'angle sud-est : c'étaient Montagne et Vent.

Une fois qu'ils se furent distribués aux huit coins de l'espace, Ciel, ainsi que l'en autorisait le privilège de l'âge, ouvrit la séance :

— Je suis le père, le cercle, le souverain, le jade, le froid métal, la glace, tout objet dur, ma couleur est la pourpre royale ; cheval, je serais un cheval maigre, un cheval bai ; je suis fruit ou dragon, je suis la ligne droite...

Terre enchaîna :

— Je suis la mère, le carré, de la toile de chanvre, ustensiles de cuisine, génisse, grand char à caisse rectangulaire, la foule, le noir mêlé au jaune.

Tonnerre poursuivit :

— Je suis le fils aîné, le dragon vert, les fleurs, la rapidité, le mouvement et le pied, son organe ; je suis bambou, jonc ou roseau. Cheval, je serais un cheval au hennissement sonore, un cheval blanc à boulets noirs, un cheval à longues jambes, un alezan à front crème. Plante, je serais tout ce qui pousse tête en bas : oignon, ail ou navet, car mon diagramme est un trait plein que surmontent deux lignes tendres.

Puis ce fut au tour d'Eau :

— Je suis le second fils, je suis rigoles et fossés, je suis ce qui vit tapi ; je suis les formes qui redressent ou qui courbent, la dure loi à laquelle on se plie, les geôles sombres, les menottes et les fers ; je suis le sang vermillon, le sang rouge qui coule à flots ; cheval, je serais un cheval au cœur violent, un cheval à tête penchée, un cheval à sabots minces, une bête qui contourne l'obstacle tel un ruisseau ; je suis ce qui porte et qui guide, mais aussi la lune, les embuscades, les voleurs ; je suis un arbre au cœur dur et épais, palais, poutre, buisson épineux, renard ou palissade...

Et chacun à la suite énonça la formule cryptique qui le caractérisait.

L'accoutrement cocasse des participants, le sérieux avec lequel ils exécutaient ce rituel qui tenait le milieu entre la pantomime et la célébration religieuse eussent prêté à rire s'ils ne les avaient désignés clairement comme les huit chefs suprêmes de la terrible et mystérieuse secte des Hexa-grammes.

Cette société secrète qui faisait aujourd'hui trembler tous les princes de l'Empire avait été fondée par Confucius au soir de sa vie, quand un signe du destin lui avait révélé l'inanité de ses efforts pour restaurer la gloire des Tcheou en revenant aux rites.

C'était à Lou, dans la quatorzième année du duc Ngai. Le cocher du potentat local ramassait du bois dans la campagne. Soudain il aperçut dans les fourrés une créature étrange. Il se lança à sa poursuite et la captura. L'animal portait sur le front une corne unique qui se terminait par un bulbe charnu. Le chasseur exhiba sa prise devant les villageois du hameau jouxtant la forêt. Ceux-ci n'avaient jamais rien vu de semblable. Ils jugèrent que la bête était de mauvais augure et la lapidèrent. Elle se traîna dans un buisson et expira. Un disciple de Confucius assistait à la scène. Il courut prévenir le Maître :

— Il y a près d'ici une drôle de chose avec une seule corne. C'est à n'en pas douter un présage calamiteux !

— Où cela exactement ?

— A dix lieues, au bourg des Cinq-Vieillards !

Confucius se leva précipitamment de sa natte et demanda à son cocher de l'y conduire.

— Je suis prêt à parier que c'est une licorne ! ne cessait-il de s'exclamer tandis qu'ils galopaient ventre à terre vers le bourg des Cinq-Vieillards.

Quand ils arrivèrent, la bête avait rendu l'âme. Ils furent bientôt rejoints par la meute des soixante-dix disciples qui ne décollaient jamais des semelles du Maître. Et quand le philosophe, penché sur la dépouille, laissa échapper : « Une licorne ! C'est bien cela, les imbéciles ! » Yen Yen qui se tenait près de lui, tout émoustillé, vit une occasion de se faire valoir :

— Le phénix est le prodige des oiseaux, la licorne celui

13

des quadrupèdes. On prétend que ces bêtes fabuleuses ne se manifestent que lorsque règne la Vertu. Maître, avez-vous idée de ce qui a pu l'attirer ici ? demanda-t-il d'un ton où l'obséquiosité le disputait à la roublardise.

Confucius lui jeta un regard torve.

— Quand le Fils du Ciel répand la Vertu et instaure une ère de paix, dragons, licornes, phénix et autres bêtes accourent pour s'ébattre dans la campagne. A quoi rime, en effet, la présence d'un tel prodige aux abords de ce village de culs-terreux, alors que la dynastie est sur le point de s'effondrer sans que l'on voie paraître un sage capable de prendre la relève ?

Et il soupira :

— Ne suis-je pas aux hommes ce que la licorne est aux animaux ? Elle est apparue, et loin de la reconnaître et de la fêter, on s'est acharné sur elle ! N'est-ce pas un symbole ? Le Ciel ne me fait-il pas comprendre que mon sort à moi aussi est de mourir méconnu ? Ah, ma fin serait-elle proche ?

Il se mit à fredonner, moitié riant moitié pleurant :

> *Au beau temps jadis*
> *la licorne et le phénix*
> *bras-d'ssus bras-d'ssous*
> *venaient danser chez nous.*
> *Mais à présent les temps sont durs.*
> *Ah, licorne, licorne pure,*
> *que viens-tu chercher*
> *dans ce grand merdier !*

Pensif, il regagna l'école avec la suite de ses élèves. La nuit, il rêva de licornes.

Une vapeur, une émanation rouge orangé, s'élevait d'un village du pays de Tch'ou. Il appelait Yen Houei et Tseu-hsia et s'y précipitait avec eux. Arrivés aux abords d'un bourg nommé Fan, ils rencontraient un jeune bûcheron qui avait blessé une licorne à la patte antérieure gauche et l'avait cachée sous un tas de fagots. Il se penchait du haut de son char et demandait au garçon :

— Comment t'appelles-tu ?

14

— Hymne Rouge !
— Tu n'as rien vu ?
— Si, une bête un peu comme un chevreau, avec une seule corne...
— Et où est-elle ?
— Elle est partie.

Il souriait, descendait de son char, caressait la tête de l'enfant et s'exclamait :

— L'Empire a enfin trouvé un maître !

Il s'approchait du tas de bois et découvrait la licorne. Elle se relevait, allait vers lui en boitillant et tendait l'oreille droite, il la tirait et elle vomissait un livre : le *Livre de la Piété filiale*, puis elle tendait l'oreille gauche, il la tirait, et elle crachait un autre livre : le *Commentaire ésotérique du Livre des Mutations*.

Il retournait chez lui, à Lou, convoquait ses soixante-dix disciples et, leur demandant de se tenir face au nord, les leur produisait. Puis il les remettait à Tseng-tseu qui se prosternait, les précieux écrits tenus bien haut au-dessus de sa tête, ainsi que l'on fait quand on présente une supplique à l'Empereur ou au Ciel. Lui-même, revêtu d'une veste non ouatée de couleur rouge franc avec des genouillères garance, saluait le Dieu Suprême.

Le ciel s'agita. Une vapeur se cristallisa, un nuage blanc se posa sur la terre et se transforma en un morceau de jade pâle, tandis qu'un arc-en-ciel rouge descendait de la voûte céleste, s'abattait sur la pierre précieuse et y formait un texte :

Le Sage issu de l'eau disparaît, les arbres perdent leurs vertes frondaisons ; une comète traverse l'espace, annonçant l'avènement du Dragon Noir que détruira le Barbare. Les livres consumés par le Feu, le Rouge reçoit le mandat, le Vert printanier perd les rênes, car le ramasseur de bois a capturé la licorne. Un des Dragons Noirs qui font le lit du Rouge, bien que n'ayant pu régner, dirige les hommes par l'intelligence des signes annonciateurs, afin que s'accomplisse la volonté du Ciel ; les soixante-quatre signes lui font escorte et les Six Dragons sont les montures que guident en secret les mouvements du Ciel et de la Terre.

Au fur et à mesure qu'il lisait, les lettres se détachaient de

15

leur support pour se regrouper en une boule incandescente qui, lorsqu'il eut achevé, se métamorphosa en un corbeau rouge. Et, cependant que le jade s'enfonçait dans le sol, l'oiseau s'envolait en croassant *Orient Taille-Fer ! Orient Taille-Fer !*

Confucius s'éveilla oppressé. Il sortit dans la nuit froide et claire et leva la tête. La portion ouest du ciel semblait briller d'un vif éclat ; l'est, en revanche, était obscur. Puis cela changea. Il demeura un instant pensif, se dirigea vers son char, attela ses chevaux, et sa haute silhouette se fondit dans les ténèbres.

Durant six mois, il fit retraite. S'il ne s'était libéré de ses disciples, dont les questions importunes chassaient ses pensées comme le vent d'automne balaie les feuilles mortes, il n'eût fait qu'effleurer la lisse surface des mots sans percer le mystère enfoui derrière le mystère ; jamais il ne fût remonté à l'image inscrite dans l'image.

Il avait tout de suite saisi, à son réveil, la signification première du rêve, banal avertissement prémonitoire : lui mort, la dynastie des Tcheou sombrerait et un roturier s'emparerait de l'Empire par la violence après qu'un souverain implacable eut fait régner l'effroyable rigueur des châtiments. Les symboles étaient transparents. « Le Sage issu de l'eau », c'était lui : il s'appelait de son petit nom « Boue » et la boue en est le produit. Les vertes frondaisons désignaient les Tcheou qui ont le printemps pour blason. La chute des feuilles indiquait la fin de leur règne. Un ramasseur de bois est de basse extraction ; la licorne symbolise l'Empire ; la blessure suggère la violence, violence contenue dans le nom même croassé par le corbeau. Le noir est la couleur de l'hiver, saison des châtiments, le dragon l'emblème de la royauté : un souverain ferait régner la terreur. Rouge est le feu et il naît du bois : au vert des Tcheou succéderait le rouge du feu, telle est la règle de l'engendrement des éléments à laquelle l'Histoire obéit. La nature ignée de ce règne transparaissait d'ailleurs dans le nom du garçon « Hymne Rouge » et son occupation : les fagots servent à allumer le feu.

16

« Taille-Fer » donnait sous forme de rébus le nom du Fondateur, déjà annoncé dans le toponyme du bourg. Confucius, pour l'avoir étudiée dès l'âge de quatre ans, n'ignorait rien de la généalogie des clans. Fan était l'apanage des descendants de Lieou Lei. Tout d'abord cette redondance l'agaça ; le Maître aimait la concision et il lui déplut que son esprit, même dans l'état de moindre vigilance du rêve, s'abandonnât au bavardage. Sa déception ne dura qu'un instant ; très vite il comprit que le détail renvoyait moins à l'identité du garçon qu'à sa carrière.

K'ong-kia, souverain dégénéré de la dynastie des Hsia, se livrait à la débauche et adorait les démons. Le Ciel l'avait mis en garde en lui envoyant un couple de dragons, mâle et femelle. Le souverain, ne sachant comment les nourrir, fit venir auprès de lui son cousin Lieou Lei, qui se disait dresseur de dragons, pour qu'il s'occupât de ces deux bêtes. Au bout de deux mois à peine la femelle était morte. Lieou Lei avait pris peur et s'était enfui au Lou. Par la suite, sa postérité avait trouvé refuge chez le prince de Tsin. Celui-ci lui avait fait don de l'apanage de Fan. La famille Lieou était maintenant en déclin ; mais pouvait-on imaginer qu'elle tomberait si bas ?

Le titre porté par l'ancêtre des Lieou s'interprétait comme un signe prémonitoire. Les mots *éleveur* et « dragon » impliquaient une ascension vertigineuse, celle d'un bûcheron, par exemple, *s'élevant* jusqu'au trône du dragon ; ils servaient aussi de justification généalogique, l'Histoire cautionnant l'avenir en l'annonçant : Lieou Lei pouvait être qualifié d' « éleveur de dragons », parce que sa lignée donnerait naissance à un prodige.

La barbarie engendre la barbarie qui s'anéantit dans sa propre fureur. Le Maître savait, pour s'être penché sur la théorie de la propriété du discours, que les désignations ne sont jamais innocentes parce que la réalité, dans ses mystérieux cheminements, s'impose aux hommes dans les noms qui en retour lui dictent leur loi. Ainsi « Barbare » serait le nom du descendant du Dragon Noir. Sa folie meurtrière causerait la ruine de sa lignée. Les soixante-quatre signes se

référaient aux hexagrammes divinatoires : leur enchaînement manifeste le cours spontané des choses mises en branle
par l'alternance du yin et du yang dans les trois ordres du
Ciel, de la Terre et de l'Homme (représentés par les six
lignes hexagrammatiques qui sont comme six dragons)
faisant et défaisant les rois dont le char est tiré par six
coursiers appelés des dragons.

Cependant, au-delà du déchiffrement métaphorique, il
découvrit d'autres implications, comme ces coffres à secrets
emboîtés. Il était lui aussi le Dragon Noir. L'eau dont il était
issu l'y appariait. Et certains de ses admirateurs lui donnaient le nom de Roi-sans-Royaume. Tout comme l'*autre*, son
double et son contraire, bien qu'incapable d'incarner un
moment de l'Histoire, il concourait néanmoins à sa marche
parce que la Loi n'était que la face obscure du Rite. Aussi la
référence au rouge prenait-elle une autre dimension. Le feu
est celui des éléments qui, combiné aux autres, les modifie et
en altère la substance. Le bois, ligneux, devient poudreux, le
métal de solide passe à l'état liquide, l'eau, de nature froide,
s'échauffe, la terre, malléable, durcit. Ainsi, opérateur d'une
transmutation, il sublimerait la dure réalité des supplices par
l'apaisante justification de la morale et la forme harmonieuse
du rite. Mais le feu est aussi par son éclat parure ; toute
parure est un voile jeté sur la réalité, il s'identifie au
mensonge ; c'est pourquoi le jeune garçon cherchait à
l'abuser.

Il s'émerveilla de l'agencement subtil de son rêve et,
revenant sur son premier mouvement qui les lui avait fait
nier, admit les redondances, les admira même comme une
richesse supplémentaire. Il saisit enfin que la répétition, dans
sa superfluité même, constituait un indice, qu'elle tissait un
réseau de correspondances occultes. Ces mots en trop, qui
doublaient d'autres expressions à elles seules suffisantes,
étaient en réalité des carrefours de significations, des points
où se rencontraient et s'entrechoquaient des acceptions
multiples et contradictoires, du heurt desquels jaillissait le
message ultime. Ces doublets ne recueillaient pas un seul
signe, mais des myriades de symboles, qu'ils fondaient pour

les sublimer, tel un creuset d'alchimiste, en une seule matière plus précieuse et plus rare.

Ainsi ce simple toponyme de Fan, condensant tout le message du texte, doublait effectivement le nom de Taille-Fer, dont il fournissait la recomposition par déplacement métonymique. Toutefois, cette répétition du nom sous l'espèce de l'évocation d'une lignée se muait en une réitération du thème de la duperie, égrené concurremment à celui de l'envol des dragons. Tout fondateur dynastique concentre en lui les vertus et les vices de sa race, en même temps qu'il rejoue dans sa seule existence la succession des épisodes vécus par des générations d'ancêtres. Cela parce que, ainsi que le manifeste la disposition des trigrammes dans l'ordre antérieur au monde, qu'il avait particulièrement approfondie, la marche du temps suscite un mouvement inverse de contraction, provoqué par le repliement des germes inaccomplis du devenir. C'est donc toujours dans le passé que se lisait l'avenir. Lieou Lei était un fourbe et un menteur. Non content de s'être vanté de maîtriser un art qu'il ne possédait qu'à moitié (l'une des deux bêtes était morte), il avait cherché à abuser son maître. Pour faire disparaître la preuve gênante de son incapacité, il avait tronçonné le cadavre du dragon, en avait jeté les morceaux à la casserole et les avait servis à K'ong-kia en les faisant passer pour du ragoût de serpent.

La nature ignée du règne de Taille-Fer était confirmée elle aussi par l'histoire des Fan ; ceux-ci, avant d'hériter de la terre dont ils avaient tiré leur nom, avaient été apanagés dans l'antique fief des princes de Che-wei, descendants des Invocateurs du Feu. De ce nom de lieu émanait en même temps un léger relent d'usurpation, une usurpation légitime, comme toutes celles que magnifie l'Histoire, puisque c'était une constante chez les Lieou de s'installer, tels les coucous, dans des domaines qui appartenaient à d'autres. Ainsi se tissait une trame cohérente entre le mensonge, le feu, l'élévation et les dragons. Si, comme il le soupçonnait, rien n'était anodin, on pouvait en inférer — les événements passés se répétant à l'envers, de même que le développement

19

des plantes déroule en sens contraire le processus qui conduit de l'arbre à la graine — qu'un serpent coupé en morceaux, présenté mensongèrement comme un dragon, marquerait le début de la suprême ascension de Taille-Fer sur un trône auquel d'autres que lui pouvaient légitimement prétendre.

En creusant plus loin encore dans l'étagement des significations, il lui apparut que cette désignation du mensonge par l'utilisation d'un clan visait en sus et avant tout à souligner l'ambiguïté fondamentale contenue dans le nom même de Taille-Fer.

Au-delà de l'interprétation des signes ténus et superfétatoires qui forment la matière des songes, Confucius reconnut dans la mention du toponyme un plan d'action — ou plutôt la première étape d'un plan. Le rêve lui indiquait, par le détour de l'exemple, la manière dont il devait procéder pour composer ses livres afin qu'ils ne révélassent ses prophéties qu'aux élus. C'est la profusion aride et triviale des noms propres, la sèche mention de détails sans importance qui livreraient la clef de ses écrits dont le sens mystérieux et profond ne serait accessible qu'à ceux qui détiendraient le secret du déchiffrement des allusions indirectes.

Il lui faudrait donc écrire une œuvre. Pourtant, il fallait aussi que tous ses livres fussent brûlés pour que sa doctrine, promouvant souterrainement le règne de la Loi, dont il était lui-même l'expression positive, pût s'imposer comme fondement d'un nouvel ordre, version séduisante, parce que fallacieuse, de l'ancien. Il était convaincu que dans ce mensonge résiderait toute la grandeur de l'ère qui s'annonçait.

Toutefois, de même que la parure ne peut exister sans ce qu'elle cache, la morale ne pouvait subsister indépendamment de la pratique dont elle se donnait pour la négation. Elle appartenait au domaine du verbe, alors que les lois de l'Histoire, tout en agissant par-delà la conscience des hommes, se réalisent à travers leur volonté et leur action. Il comprit la nécessité d'une organisation efficace et structurée pour imposer la doctrine inscrite dans le Ciel.

Les linéaments en étaient déjà tracés par le rêve : soixante-quatre plus six font soixante-dix, soit le nombre exact de ses disciples. Si l'on y ajoutait le Ciel et la Terre on obtenait un total de soixante-douze, somme des jours d'une saison, produit du yin et du yang, d'où émerge le mouvement du cosmos.

Le Maître revint chez lui, et, à l'hiver, saison du repli et de la mort, sentant sa fin imminente, il rassembla ses disciples et leur dicta ses dernières volontés. Il leur demanda de se plonger dans l'étude de la divination et d'approfondir le sens du *Livre des Mutations* dont il venait d'achever un commentaire succinct. Il leur suggéra que les deux ouvrages, compilés durant sa retraite, recelaient un sens cryptique. Le *Livre de la Piété filiale* prenait prétexte d'exhortations moralisatrices pour fournir des prédictions. Sous la forme rébarbative et futile d'une chronique de la principauté de Lou, *Les Printemps et les Automnes* livraient le secret de la connaissance du futur que tout événement préfigure, pour peu qu'on sût le mettre en regard avec les configurations astrales, car chaque instant contient en lui l'éternité inscrite dans le grand livre que le ciel étend au-dessus de nos têtes constellées d'étoiles et dans le grimoire que déroulent à nos pieds les plis fantasques du relief.

Et tandis qu'il parlait, croisant deux doigts de sa main gauche, il dessina dans l'air, à l'intention des six élèves les plus aptes à remplir le rôle qu'il voulait leur assigner, les signes du cerf, du cheval, du singe, du faisan, du chien et du porc. Le lendemain, entre l'heure du cerf et l'heure du porc, six disciples, en catimini, vinrent le trouver à tour de rôle. Lorsque le dernier eut regagné son logis, à l'heure du rat, deux ombres surgirent de l'épaisseur de la nuit, se glissèrent au chevet du philosophe expirant et ne ressortirent qu'au chant du coq dans les vapeurs blêmes de l'aube qui les happèrent comme des fantômes.

La société avait été organisée en cercles concentriques de plus en plus fermés. Les soixante-quatre disciples-hexagrammes formaient la masse de manœuvre. Ils étaient utiles par les liens qu'ils entretenaient avec le milieu des lettrés et des politiciens. Chargés de nouer des complicités et d'étendre des ramifications à la cour de tous les princes, ils diffusaient les mots d'ordre et passaient les consignes élaborées par le cercle des Trigrammes, en même temps qu'ils fournissaient au noyau dirigeant de la secte de précieux renseignements sur les intrigues et les renversements d'alliances.

Le second cercle des six enfants-trigrammes, choisis parmi les soixante-dix disciples, contrôlait la guilde des devins en raison de sa science du *Livre des Mutations*. Il pouvait ainsi peser sur la politique par des prédictions et des conseils. Toutefois, les enfants-trigrammes ne constituaient qu'un relais entre les membres ordinaires et les « parents ». Ils avaient beau être au fait des grands principes, être conviés à des réunions secrètes et informés périodiquement des mots de passe pour se faire reconnaître, ils ignoraient tout des objectifs concrets de l'organisation et l'identité de leurs pairs leur demeurait inconnue, sans parler naturellement de celle de leurs supérieurs, Ciel et Terre. Le véritable centre de décision était donc constitué par ce couple — les « parents-trigrammes », le troisième cercle. Par l'autorité sans partage qu'il exerçait sur l'association, il disposait d'un formidable pouvoir occulte.

L'action de la secte demeura durant presque un siècle si souterraine et si discrète qu'on eût pu douter de son existence si sa fondation n'avait coïncidé avec l'élimination progressive du mohisme, dont les thèses furent la cible du feu croisé de toutes les écoles ; puis ce fut au tour des rhéteurs et des sophistes d'être en butte à une insidieuse persécution, tandis que la majorité des lettrés et des clercs se ralliaient à la doctrine du Maître, vénéré bientôt à l'égal d'un dieu, sans qu'on pût faire état de pressions et de menaces pour expliquer ces conversions. Le nom de la secte commença à être chuchoté dans les milieux bien informés. Depuis une soixantaine d'années son orientation avait changé de façon radicale. Non seulement elle ne se contentait plus d'agir sur le terrain des idées, mais elle semblait s'employer à défaire tout ce qu'elle avait si patiemment tissé auparavant, en devenant un formidable instrument de répression des lettrés.

D'aucuns murmuraient depuis peu que, par le maillon de Tcheou Tch'ou, lequel avait succédé à K'an le Vaste à la quatrième génération des enfants-trigrammes (la relève s'effectuant par la transmission habituelle de maître à disciple), les politiciens du Ts'in, hostiles aux confucéens, avaient réussi à infiltrer le groupe et à le manipuler. Mais c'était ignorer que le second cercle n'avait qu'un rôle accessoire dans les orientations de la secte.

Quoi qu'il en soit, quelque chose s'était passé à l'intérieur de l'association ; non seulement les menées du Ts'in sem-blaient bénéficier d'appuis et de complicités qui s'étendaient à tout l'Empire et plongeaient dans tous les milieux, mais des indices concordants tendaient à prouver l'existence d'une association très puissante spécialisée dans l'assassinat politi-que et la vente d'informations stratégiques. Elle s'était vouée à la déstabilisation des États centraux, fomentant des troubles, attisant la sédition, ruinant l'économie. Seuls les Trigrammes possédaient l'infrastructure nécessaire pour opérer à une telle échelle. Naturellement, il ne s'agissait que de spéculations. Les activités de la secte demeuraient toujours aussi floues, et certains n'hésitaient pas à affirmer qu'elle se réduisait à un ramassis de vieux croûtons cérémo-nieux uniquement occupés à célébrer à date fixe les anniver-saires de la naissance et de la mort du Maître. Il faut croire cependant que les accusations étaient suffisamment étayées, puisque le prince de Tch'ou s'en émut et jugea bon de faire infiltrer l'association par ses meilleurs limiers. Il espérait la soustraire à l'influence du Ts'in, tout en caressant le rêve de la retourner à son profit en en faisant son instrument.

Il serait trop long de narrer par le menu les trésors de patience, d'intelligence et de ruse déployés par les membres de la diplomatie secrète de l'État méridional. Qu'il suffise de savoir qu'il leur fallut deux générations et trente ans d'efforts avant de parvenir à leurs fins. Mais lorsque l'agent, après s'être initié à tous les systèmes divinatoires et taillé une réputation dans les sphères cultivées en rédigeant un com-mentaire du *Livre des Mutations,* eut réussi à se glisser dans le cercle restreint et prestigieux des Trigrammes, il constata avec amertume qu'il n'avait pas avancé d'un pouce dans la connaissance de ses mécanismes réels et qu'il était illusoire de vouloir infléchir son action. Il n'avait même pas pu percer l'identité de ses complices, cachés sous les symboles trigrammatiques, tant étaient rigoureuses les précautions prises pour protéger l'anonymat des chefs. Quant à Ciel et Terre, il n'avait jamais pu les rencontrer et recevait leurs directives par les voies les plus étranges et les plus imprévisibles.

Il était sur le point de s'abandonner au découragement, lorsqu'il avait reçu, en la dixième année du roi Kao-lie de Tch'ou, d'un devin aveugle, mené par un enfant sourd-muet, la fiche en forme de licorne le convoquant à une réunion plénière, afin de fêter les cent vingt ans de Ciel, anniversaire qui devait avoir lieu en une conjonction astrale particulièrement propice. Son cœur s'était alors serré de joie et d'appréhension.

En regardant la salle à la dérobée, il se demandait maintenant pour quelle mystérieuse célébration, pour quel redoutable complot l'inquiétant chef d'orchestre qui tirait les ficelles avait réuni la confrérie au grand complet dans la salle du premier étage de cette minable taverne de Tchong-yang. Car ni la chère grasse et douceâtre qui collait aux dents, ni la pièce basse et sombre dont le plafond les écrasait sous ses solives mal équarries, ni la vue donnant sur une ruelle étroite, traversée par un ruisseau aux eaux putrides, n'expliquaient le choix de l'estaminet. La configuration tellurique ? Il avait assez étudié la géomancie pour savoir qu'elle ne présentait rien de particulier. La discrétion du lieu ? Mais tout se passait au vu et au su du quartier. En les voyant ainsi accoutrés, des gamins étaient accourus, la tête barbouillée de bouillie de mil avec de grands yeux noirs dans lesquels la curiosité allumait des flammes. Ils se pressaient dans l'embrasure des portes et des fenêtres, qu'ils avaient atteintes en escaladant l'auvent. De temps à autre le patron, un infirme répugnant, que sa bosse — à moins que ce ne fût le respect — tenait plié en deux, les repoussait avec des taloches ponctuées de grognements animaux. Mais, telles des mouches tenaces qu'attire un morceau de viande, ils revenaient à la charge sitôt qu'il avait le dos tourné.

Ciel, nullement troublé par la publicité qui entourait la réunion, fit un signe et l'on versa à boire. La conversation commença laborieusement. Aiguillé par Terre, on parla boutique. On compara les procédés divinatoires et leurs mérites respectifs. On énuméra les différents computs, des plus simples aux plus ésotériques — divination par les restes intercalaires, mantique des six lettres *kia* et des signes *ren* —, on s'extasia sur les merveilles de l'heure orpheline qui permet de s'immiscer dans les interstices du temps. Quelqu'un mentionna le calcul rétrocessif par lequel le passé se fond dans le futur, un autre fit état de la technique des signes vacants donnant loisir à qui sait les manipuler de s'affranchir de la chaîne du devenir et de modifier le destin en échappant pour un moment à la temporalité. Naturellement, l'astrologie fut elle aussi évoquée : on chercha à expliquer la différence de résultats suivant qu'on prît pour norme Jupiter ou Vénus. On aborda même les procédés annexes : physiognomonie, divination par la direction des vents, par le chant des criquets, les rides de l'eau, les traces des oiseaux, par les nuées, les vapeurs, les exhalaisons.

Pendant que sa langue fonctionnait, faisant rouler la conversation sur le thème le plus approprié à sa défroque, l'esprit de l'agent était à l'affût ; ses yeux vrillaient les masques pour percer l'individu qu'ils cachaient.

Tous buvaient immodérément. La conversation s'échauffa et prit un tour moins guindé. Les corps s'abandonnèrent, les tuniques s'ouvrirent, les chaussures se délacèrent, les masques, sous lesquels la sueur coulait abondamment glissèrent de guingois, et ces hommes habitués à se garder, à se fermer comme des sacs prirent leurs aises, à l'exception de trois participants, demeurés sur la réserve. Montagne, monumental, surplombait de sa masse l'assistance, impassible et taciturne comme l'entité qu'il figurait. Terre hochait la tête et couvait les convives d'un œil humide et bienveillant de mère poule, souriant souvent, parlant rarement. Quant à Ciel, qui lui avait semblé dès l'abord le dangereux maître d'œuvre de toutes les machinations, il planait dans les nuages d'un rêve incohérent. Après avoir bégayé quelques mots sur le cycle des heures cachées, il lâchait des séries de nombres sans prendre part à la conversation :

— Cinquante-cinq somme de trente et vingt-cinq — nombre du grand jeu qui fait quarante-neuf, car les lignes sont six : Ciel et Terre auxquels on ajoute un pour former le Trois que multiplie yin et yang — qui sont deux. Neuf, six, sept, huit, jeune et vieux yang, vieux et jeune yin qui vont et viennent de Un à Six jusqu'au néant qui mue...

Il continua à bredouiller ainsi quelque temps un chapelet de formules algorithmiques sans grande signification, avant que le murmure s'achève en un ronflement sonore.

Terre eut un petit rire indulgent :

— Ah, il fête ses cent vingt ans. Il est normal qu'il se fatigue vite.

Chacun leva alors une coupe pour souhaiter longue vie et bonne santé au patriarche. Maintenant, pensa l'espion du Tch'ou, peut-être les choses sérieuses allaient-elles commencer. A la vérité il se sentait dépité. Il était exclu que le vieux gâteux qui ânonnait, comme autant de formules mystérieuses et terrifiantes, les phases de la manipulation des bâtonnets divinatoires puisse être le chef de la puissante organisation qui avait fait échouer les efforts des princes pour monter une ligue contre le Ts'in, qui disposait du destin des hommes politiques, commandait des exécutions, fomentait des troubles dans les États. Son regard croisa celui de Terre. Étrangement il lui inspirait confiance. Il lui semblait à la fois familier et rassurant. Il crut y déceler une lueur complice. Il surprit à son intention un geste imperceptible en direction du nord-est, là où se tenait Montagne, formidable, inébranlable et quasiment muet. Le gaillard lui en imposait. Il eut un mouvement interrogateur. Terre posa ses doigts sur ses lèvres, inclina légèrement, très légèrement, la tête en signe d'acquiescement, puis se leva et gagna les latrines pour soulager un besoin pressant. Il avait un pas dansant et comme caracolant en dépit du ventre qui lui alourdissait la silhouette. L'agent pensa irrésistiblement à une pouliche...

Une pouliche ! Il reçut comme une fulguration : la Jument !!
C'était ainsi qu'on appelait la princesse de P'ing-yang, la
petite-nièce de la reine Hsiuan de Ts'in, une princesse du
Tch'ou mariée au roi du Royaume occidental — en raison de
sa démarche justement. Elle avait été envoyée avec la reine à
l'Ouest comme suivante au moment du mariage de cette
dernière. Depuis la mort de sa tante, la princesse de P'ing-
yang jouait un rôle de premier plan dans la diplomatie
secrète du Tch'ou. Le ventre était vrai, car la jeune femme
attendait un enfant. Bien qu'elle menât parfois un jeu
indépendant, ses sympathies allaient indéniablement à son
pays natal. Il se sentit rassuré. Il disposait d'un précieux
appui dans la rude partie qui allait s'engager. Car c'était
l'une des meilleures têtes politiques et l'un des négociateurs
les plus retors de l'Empire. Elle avait su tisser autour d'elle
un extraordinaire réseau d'alliances. Mais pourquoi ne lui
avait-on rien dit ? Il eût agi plus efficacement. C'était sans
doute un effet de la rivalité entre la princesse et son maître le
premier ministre, Éveil Printanier, à moins que leur précautionneux monarque n'ait cru plus prudent d'envoyer deux
agents pour une même mission, à l'insu l'un de l'autre, afin
qu'ils se surveillent mutuellement...

Une voix placide, rompant le fil de ses réflexions, lui
susurra dans le creux de l'oreille :

— Eh bien, Tcheou Houei, la formule de l'hexagramme
Terre ne s'applique-t-elle pas parfaitement à cette petite
sauterie : « *Bénéfique comme une Jument... au sud-ouest on trouve un
allié...* » Il eût été étonnant que notre chère princesse de
P'ing-yang ne fût point elle aussi de la fête !

L'interpellé sentit son cœur s'arrêter dans sa poitrine en se
voyant ainsi percer à jour. Il se retourna et dévisagea Étang
en qui il reconnut... Tchang Ye au mouvement languide et
reptiléen qu'il faisait en se penchant vers lui. Oui, c'était
bien cette voix douce et calme comme une eau dormante.
Comme elle lui sonnait familière, maintenant que la diction
des exorcistes ne la déformait plus. Tchang Ye ! son vieil ami
et rival, l'éminence grise de la politique extérieure du Tchao,
le chef occulte des services d'espionnage, l'homme des

missions difficiles, un redoutable négociateur et un fin stratège. Ah, il s'était lui aussi glissé dans la place. Avait-il été assez aveugle pour ne pas le reconnaître du premier coup d'œil en dépit de son masque ! Et dire qu'il portait dans la moire de sa robe des milliers d'yeux, en signe de clairvoyance ! Il pouvait alléguer comme excuse que leur dernière rencontre remontait à plus de quinze ans. Son ami s'était voûté et le temps avait imprimé sa marque griffue sur son cou et ses mains. Un sourire vint éclairer sa face de vieil homme, derrière le masque, au souvenir des circonstances de leur première rencontre, dans l'alcôve de la douairière de Yen, une goule lubrique et décatie (elle avait cinquante-cinq ans au bas mot) dont ils avaient besogné comme des forçats la vulve humide et les fesses ratatinées pour obtenir qu'elle parle en faveur de leurs princes respectifs à son fils qu'elle tenait sous sa coupe. Et il eut un frisson rétrospectif en pensant à toutes les façons dont un diplomate devait se servir de sa langue...

— N'as-tu pas remarqué que nous sommes entre collègues ? continua Étang, brisant l'élan de ses réminiscences.

Feu, comme libéré du voile que l'angoisse lui tendait sur les prunelles, reconnut en effet à un geste preste et zigzagant de Tonnerre pour porter une coupe à ses lèvres, Tch'en Yu, une créature du Ts'i à qui il s'était frotté bien des fois au cours d'ambassades et de réunions officieuses. Un limier de première force ! C'était lui qui avait percé les manigances de Sou Tai en découvrant que le ministre du Ts'i feignait de feindre de trahir le Ts'i. Ainsi donc le roi du Tch'ou n'était pas le seul monarque à avoir eu l'idée de noyauter la secte, et d'autres services — sans doute au prix des mêmes efforts — s'étaient introduits dans la place, songea-t-il avec amertume.

— Ne te souviens-tu pas de Tou Tsang de Wei, vieux gredin ? murmurait pendant ce temps Eau au tourbillonnant personnage qui incarnait Vent. Nous avons étudié ensemble la diplomatie auprès du maître des ligues, Val des Démons.

— Cela ne nous rajeunit guère ! Je constate que comme toujours notre bon prince de **Han** s'est fait damer le pion par le Wei ! Mais quels cachottiers vous faites ! Puisque nous sommes alliés — pour le moment — nous aurions dû collaborer pour ce genre d'opérations ou tout au moins échanger des informations!

Ce conciliabule n'avait pas échappé à leurs voisins :

— Ces deux-là qui chuchotent entre eux ne te disent-ils pas quelque chose?

— De vieilles connaissances en effet. Nous voici déjà cinq agents des Sept Puissances. Ma parole, nous pourrions presque tenir une conférence de la paix!

— Ce Montagne ne serait-il pas le meneur qui se cache derrière Ciel et qui agit pour le bénéfice du Ts'in? Il a la stature d'un chef...

— Ah! ah! s'esclaffa Eau, vraiment, tu prends des taupinières pour des... Montagnes! C'est ce lourdaud de général Fan Yi. Pour avoir acquis ses galons en maniant le couteau de sa poigne de boucher, il se croit une tête politique.

Il avait parlé un peu haut. Montagne darda sur lui des regards furibonds.

— Si j'ai gagné un allié au sud-ouest, « *tu viens de te faire un ennemi au nord-est* », pour te renvoyer ta citation!

— Qui peut bien être l'envoyé du Ts'in? Je ne vois personne à part Ciel; mais il me semble impossible que ce patriarche puisse être la tête de l'organisation, il faudrait d'abord qu'il eût la sienne!

— « *Troupe de dragons sans tête : hautement propice* », murmura Étang d'un ton méditatif, c'est la sixième ligne de l'hexagramme Ciel du *Livre des Mutations*. Ne trouves-tu pas qu'il y a quelque chose de maléfique dans tout cela? Nous sommes comme prisonniers d'un rôle.

— C'est que nous jouons la comédie.

— Pas dans le sens où tu l'entends. Nous faisons plus que nous conformer à une identité d'emprunt; nous ne sommes rien d'autre que celle-ci, comme si nous étions des caractères enfermés dans un texte. Ce n'est pas nous qui avons choisi, on nous a choisis. Nous nous coulons tous trop bien dans la peau des trigrammes. Jusqu'aux points cardinaux qui correspondent à la position géographique des pays que nous servons. Et ces formules qui s'appliquent à chacun de nos gestes. La princesse de P'ing-Yang surnommée la Jument et qui joue Terre, l'alliée du sud-ouest. Oui, il y a quelque diablerie !

— Tu sais aussi bien que moi que le *Livre des Mutations* est un manuel de sorciers et de charlatans écrit de façon que n'importe quelle sentence corresponde à toutes les situations. C'est là l'art des devins ! Ta naïveté m'étonne !

— Par tous les diables ! s'exclamait au même instant Vent, en saisissant le bras de Feu, nous avons été mandatés pour infiltrer la secte afin de faire échec au Ts'in, le seul pays qui n'a pas cru bon d'y dépêcher son représentant ! Et le beau résultat de tous ces efforts, c'est que l'organisation fonctionne au profit de l'absent.

— C'est justement parce qu'il est absent que la secte fonctionne à son profit, selon la loi bien connue de l'attraction du néant.

— C'est-à-dire ?

— L'absence est une présence en creux, la présence des autres la suscitant par l'épaisseur de leur être, et la force du négatif dominant celle du positif, l'être agit toujours au profit du non-être.

— En quelque sorte, nous avons la tête si pleine du Ts'in qu'il n'a pas besoin d'être là pour être en chacun de nous. Et nous-mêmes, sentant comme un vide à combler — son absence —, nous avons créé son existence pour justifier la nôtre en agissant comme s'il manipulait l'association...

— Cette réunion ne vous semble-t-elle pas incroyable ?... intervint Tonnerre.

Il laissa sa phrase en suspens, saisit sa cuiller, la plongea dans le liquide visqueux où nageaient trois jujubes véreux et deux graines de lotus centenaires, aspira goulûment, et lorsque tous furent suspendus à ses lèvres comme si leur mouvement de succion pouvait leur livrer la clef de l'énigme, il lâcha d'une voix forte et sentencieuse, qui roula dans le silence comme un grondement de tambour :

— Oui, incroyable ce qu'on ose y servir à manger !

Les autres gloussèrent et, fier de son effet, il se hâta de poursuivre :

— Terre représente le Ts'in par excès des seigneurs ; elle constitue la somme des Six États qu'elle embrasse dans ses vastes flancs. Elle est du Tch'ou par filiation, du Wei par alliance, du Han par sympathie, du Ts'i par amour, du Yen par intérêt, du Tchao par politique tout en appartenant au Ts'in par mariage et par résidence — d'où la place qu'elle occupe à l'orient imparti au Ts'in. Si Terre est le Ts'in par plénitude, Ciel l'est par défaut. Il est la case vacante, l'espace en creux que dessine sa non-participation. C'est d'ailleurs pourquoi le vieillard a la tête ailleurs.

— Oui, mais cette négativité de l'absence est chez Ciel positivité, s'exprimant sous la forme directe et immédiate de la négativité en soi, puisqu'il est vacuité. Tandis que la positivité de l'absence est négativité : elle se donne sous la forme indirecte d'une présence des autres. Et c'est pourquoi le premier est le Ciel yang et la seconde la Terre yin...

— On pourrait dire aussi qu'ils sont le noir et le blanc et que nous sommes les couleurs. Le blanc en est l'addition et le noir l'annulation. Ils forment les deux bornes, qui quoique antithétiques se rejoignent en ce qu'elles sont sous-jacentes à la totalité de la somme des autres...

— Tu ne crois pas si bien dire. L'emblème du Ts'in est le noir *ou* le blanc. Le blanc comme symbole de l'ouest et du métal, le noir comme blason de l'hiver et des lois répressives.

Montagne émit un grant rot et s'exclama :

— Tout ça, c'est de la philosophie d'après souper. Moi je ne vois qu'une chose, c'est que nous sommes tombés dans le piège du Ts'in qui a fait répandre le bruit qu'il avait infiltré la secte afin de nous y attirer tout en restant dehors, ne nous laissant qu'une coquille vide en sorte que nous nous manipulions nous-mêmes, en suscitant l'adversaire que nous voulions combattre, ou plutôt en le créant par la lutte même que nous lui livrions. C'est l'application politique du principe stratégique bien connu d'opposer le vide au plein. Au go, on appelle ça la technique du territoire vacant et au *lieou-po* c'est le coup du chaton qui joue avec sa queue !

— Ah ah ! oui, c'est bien cela ! six chats sautant après leur queue !

— A moins que nous ne soyons tous en réalité des agents doublcs à la solde du Ts'in. Après tout, cela s'est déjà vu : Sou Tai, qui se fit passer pour un faux agent double du Ts'i, ne travaillait-il pas en fait pour la puissance de l'Ouest qui lui avait donné mission de ruiner les deux États qui l'employaient ? lança d'un ton provocateur Vent.

— Quoi qu'il en soit, trancha Montagne d'un air buté, il n'y a là ni sorcellerie ni mystère !

— Dis-moi, Montagne, toi qui as les pieds sur terre, intervint la princesse de P'ing-yang, qui venait juste de regagner sa natte et avait surpris ces derniers mots, combien sommes-nous ?

— Mais huit voyons ! fit-il, étonné.

— Compte encore une fois !

— Que signifie ?

— Eh bien ?

— Euh..., par les démons je n'en compte que quatre ! mais je sais parfaitement que nous sommes huit !

— Alors compte encore une fois !

— Je dois avoir trop bu... nous sommes trois !

Il ruisselait de sueur.

— Essaie de recompter.

— Nous sommes deux !

— Essaie à nouveau.

— Je trouve un !

Et tous se levèrent comme un seul homme dans un mouvement de stupéfaction. Ciel, sortant de sa torpeur, eut un geste impérieux de la main qui les fit se rasseoir. Il exhala un profond soupir dont le souffle chassa de sa barbe un morceau de champignon noirâtre et gluant ainsi que deux crevettes séchées.

— Ah, mes pauvres enfants, un rien vous étonne ! Mais vous avez suffisamment potassé le *Livre des Mutations* pour savoir que soixante-quatre, huit, quatre ou un, c'est pareil : ce ne sont que les différentes modulations du Tao, lequel bien que sans substance et sans détermination engendre le

Un, qui par division produit le Deux, emblème du yin et du yang ; de leur union sont issues les quatre saisons et l'alternance de ces dernières se manifeste à son tour dans les huit trigrammes, symboles du temps et de l'espace, qui se résolvent dans l'Unité.

Et il proféra d'une voix qui s'enflait au fur et à mesure qu'il parlait :

— Pas de soleil, mais un arc-en-ciel aveuglant, pas de lune, mais la queue des comètes. Le caché se manifeste, le manifeste se cache. Les ministres corrompus pullulent et les princes se livrent à la débauche. L'Empire est dans l'affliction ; les montagnes s'effondrent, la terre se fend, tout est sombre et confus, le bas est en haut et le haut en bas. Le tonnerre gronde, le ciel s'ébranle, des étoiles brillent en plein jour, on marche sur une mince couche de glace, le peuple se couvre de nuées, le prince aspire la rosée. Il n'y a plus ni été ni hiver ; on ne connaît plus ni père ni mère. On regarde partout et on ne voit que du noir. Le sage se calfeutre et fredonne à voix basse. Il se tient sur sa natte. Dehors on hurle avec les loups, en cherchant à grimper sur le trône de jade.

« Huit et huit se percutent formant les soixante-quatre signes qui ponctuent les étapes. A la mort de l'Empereur Noir, deux soleils brillent, à la mort de l'Empereur Noir, l'œil du loup darde ses rayons, l'arbalète décoche sa flèche, l'étoile du feu retourne sa lumière et le serpent blanc expire.

« Confucius a rédigé les règles qui serviront lors du règne du rouge. C'est pourquoi il a composé *Les Printemps et les Automnes* qui donnent les lois de la succession cyclique et révèlent le futur dans les traces du passé.

Et il martela :

— Orient Taille-Fer ! Issu de la portion spatiale marquée par l'étoile Tchen, il recevra le mandat et transmettra la doctrine. Car le feu par les voies impénétrables du Ciel fera cracher sa perle au dragon !

— Galimatias ! ne put s'empêcher de s'écrier Montagne.

— Triple buse ! souffla Vent avec indignation. « Orient Taille-Fer », c'est sous forme de cryptogramme le nom de famille Lieou, formé des trois radicaux : Est-Taille-Fer. Tchen désigne le Tch'ou qui s'étend sous cette constellation. Le vieux donne une prédiction : un homme du nom de Lieou va s'élever de ce lieu même et deviendra empereur !

Ciel, négligeant l'interruption, se leva de sa natte et d'un pas incertain vint se poster devant la croisée. Comme attirée par une force magnétique, toute l'assistance le suivit et prit place à ses côtés.

Il faisait encore jour, et le soleil déclinant éclairait la fenêtre d'en face qui s'ouvrait dans une maison basse et lépreuse. Dans l'encadrement se dessinait en contrebas une silhouette de femme. Sa nuque se détachait sur le fond plus sombre de la pièce, une nuque un peu grasse, découverte par la coiffure tirée très haut sur le sommet de la tête en deux coques noires, à la façon des paysannes du Tch'ou. Elle était penchée et ses deux bras remuaient avec lenteur, s'employant paresseusement à une tâche mystérieuse. Un pâle rayon se glissa entre deux toits et éclaira une paire de pieds nus trempant dans une bassine. Il émanait de cette scène quelque chose d'intime, de reposant. Les masques regardaient, attendris et goguenards.

— C'est elle, murmura Terre à l'oreille de Ciel, Dame Lieou, réceptacle de l'Origine, porteuse de la perle du Dragon Rouge...

— Mais oui ! « *les pieds dans l'eau* » ! « *les pieds dans l'eau* » ! c'est la gestation : les pieds sont l'organe du mouvement, manifesté par le tonnerre — tonnerre et eau qui vont ensemble —, emblème hexagrammatique des débuts. En cette conjonction propice, avec le signe évident du commencement l'Histoire peut s'ouvrir !

Et d'un ton inspiré, les yeux mi-clos, Ciel murmura :

— Dans l'immuable origine tourbillonnait un chaos immense et vide ; ce corps tumultueux et unique était clos, refermé sur lui-même, rêve brumeux et humide dont il n'émanait nulle lumière. La ténuité du spirituel emplissait tout ; dans le calme quintessencié, l'éclair ne brillait pas. Avant le Ciel, avant la Terre, lui était déjà là, le Tao primordial, cause inactive de toutes les transformations. Une fois yin, une fois yang, il est la Voie, le Grand Faîte, qui en se scindant s'exprime et agit à travers les Deux Normes dont Ciel et Terre fournissent l'expression la plus accomplie. De ces deux modèles procèdent les quatre saisons d'où sont issus les huit trigrammes, qui donnent naissance à leur tour au faste et au néfaste, marquant le cours des entreprises humaines. Tel est l'ordre de succession des symboles auquel se plient les événements ; c'est par ces mêmes étapes que s'élèvera le Dragon Rouge dont le règne fut prophétisé par Confucius ! « C'est pourquoi il y aura... »

Et le vieillard, tout en énumérant les trente premières figures divinatoires dans l'ordre de succession du *Livre des Mutations,* calcula sur ses doigts les points vacants, trouva la fissure entre les branches terrestres et les troncs célestes, et ouvrit une brèche du temps. On vit se tordre comme six dragons, unis ou striés, qui formèrent la figure

Il y eut un ébranlement, pluie et tonnerre se déchaînèrent. La salle disparut pour faire place à une campagne grise sur laquelle le soleil couchant jetait de pâles rayons.

L'ENFANTEMENT

Le mouvement se trouve enserré dans un défilé :
de là naissent beauté et droiture.
Dur et mou s'unissent pour la première fois
non sans difficulté.

En regardant la diguette qui barrait la retenue d'eau, elle songea absurdement : « *Mur de pierre qui symbolise la droiture, bénéfique à l'établissement d'un royaume.* » Puis elle eut une impression de froid. Elle s'était assoupie près du môle qui longeait l'étang, à l'ouest du bourg. Depuis quelque temps elle aimait s'y reposer, car à chaque fois elle avait fait un rêve qui annonçait un destin miraculeux : tantôt un oiseau rouge lâchait une perle brillante dans sa bouche ; le bijou descendait dans son ventre et en sortait sous la forme d'un phénix couleur de flamme. Tantôt elle trouvait une gemme en lavant son linge — il y était gravé : « Joyau — qui l'avalera abritera un roi dans ses flancs » —, tantôt un animal fabuleux jouait avec elle. Elle avait appelé le plan d'eau « l'étang aux rêves de dragons ». Mais cette fois-ci le songe lui laissait un poids sur le cœur.

Il y avait d'abord une réunion de personnages masqués. Alors qu'elle se lavait les pieds, en s'abandonnant à la délicieuse détente procurée par l'eau tiède, elle avait senti comme une gêne sur sa nuque ; elle s'était retournée et avait aperçu, penchés à la croisée d'en face, les huit masques hideux qui la dévisageaient. L'une des figures avait pointé vers elle un doigt accusateur et elle avait vu six lignes, tels six dragons, se dérouler dans les airs et tout avait basculé. Le tonnerre avait retenti, la pluie s'était mise à tomber.

Des nuages couraient en masses sombres au-dessus de la campagne grise. Elle allait dans les champs nus, à peine mouchetés de vert tendre par les jeunes plants de riz. Elle avançait sur le talus qui serpentait entre les lopins. Le sentier s'élargissait devant un bois de mûriers. Il y avait au milieu une empreinte de pied, une marque gigantesque sur le sol détrempé. Elle éclatait de rire et se mettait à sautiller comme une petite fille à l'intérieur de la trace en une sorte de gigue. Mais bientôt le mouvement changeait. Ses pieds, devenus indépendants de sa volonté, exécutaient une série de mouvements compliqués et savants : d'abord le pied gauche, puis le droit devant le gauche ramené à nouveau à hauteur de l'autre ; puis le droit, le gauche ne dépassant pas. C'était une danse au pied traînant, qui dessinait dans l'espace creux délimité par la marque du pas la configuration de la Grande Ourse à la façon des exorcistes ou des sorciers.

Il y eut comme un ébranlement. Un halo vert et rose l'enveloppa : la foudre stria l'air. La terre se déroba sous elle, ondula. Une chose couleur chair mais tirant sur le rouge, squameuse, sortit tel un monstrueux serpent et, tandis que le tuyau s'élevait lentement, balançant à son extrémité un long museau avec des yeux à fleur de tête, encadré par une barbe d'écailles multicolores, deux ailes rouge vif se déployaient de chaque côté du corps du monstre. La bête la culbutait, l'enserrait entre ses quatre membres griffus, soulevait sa robe et s'introduisait en elle. Elle cherchait d'abord à résister, mais une formule lui venait à l'esprit : « *Un attroupement qui virevolte, il chevauche en tournoyant : si ce n'est pas pour piller c'est pour prendre femme.* » Et elle cessait alors de se débattre...

Bientôt elle ne sentait plus la blessure que l'animal lui avait faite, quand il s'était mû en elle comme à travers un défilé. Les nuages couraient dans le ciel, le tonnerre grondait au loin et une pluie fine avait déposé comme des perles d'argent sur les coques noires de ses chignons.

Quand elle rouvrit les yeux, elle vit son mari penché sur elle. Ses vêtements étaient souillés, son corps était entièrement recouvert d'une écume brillante, tout autour, le sol était jonché d'éclats roses et rouges qui brillaient de mille feux ainsi que des escarboucles et lui faisait un écrin de nacre et de pierres dures : c'étaient le sperme et les écailles du dragon. Son mari prenait un air pensif, posait sa houe, souriait et disait : « Tu seras mère d'un empereur. »

Elle eut une impression de froid et s'éveilla. Ses pieds trempaient dans la cuvette et le visage de son mari était penché sur elle. Il la regardait d'un air méchant :

— Ah ! paresseuse, tu penses que la toile se file toute seule et que la marmite cuit sans feu !

Elle s'ébroua. Elle avait fait le rêve d'un rêve... Il faudrait demander à un devin si c'était de bon augure. Il y avait de toute manière le signe auspicieux du dragon. Et, après s'être essuyé les pieds et avoir remis ses chaussons, elle se tourna vers le nord-ouest, lissa ses cheveux et récita mentalement : « Retournez, cauchemars, auprès du tigre Ts'iong-ts'i, afin qu'il se repaisse et se gave de votre chair et qu'il m'envoie en remerciement un grand bonheur. Si ce n'est pas monnaie sonnante, que ce soit bonne toile, si ce n'est pas bourre de soie, que ce soit bourre de saule ! »

La naissance du fils de Dame Lieou ne fut saluée par aucune manifestation extraordinaire. Il n'y eut ni étoile nouvelle, ni phénix, ni dragon dans la campagne. Néanmoins tout le village se réjouit, car le même jour et presque à la même heure, il naissait aussi un garçon aux Kouan, les meilleurs amis des Lieou. La coïncidence parut de bon augure. Et c'était assurément très propice qu'à deux familles si intimement liées échût un fils en même temps : le Ciel bénissait leur amitié. On apporta en procession deux moutons et du vin et on festoya chez les Kouan, dont la demeure était plus vaste que celle des Lieou, en prophétisant aux deux nouveau-nés un bel avenir de fonctionnaire, beaucoup d'argent et de longues années de vie.

On était alors au second mois de l'hiver, au jour *ki-mao ;* on alla voir le lettré du quartier. Il compulsa l'almanach et trouva à cette date : « Il quittera sa province » ; on lui donna alors pour nom Pang, qui veut dire « pays ». On consulta encore un devin pour qu'il tire l'achillée. Il tomba sur la ligne mutante de l'hexagramme Ciel : « *Dragon couché est sans emploi.* » Ses parents se réjouirent du mot « dragon » et s'inquiétèrent de « sans emploi ».

L'AVEUGLEMENT

Beau et propice l'aveuglement de la jeunesse !
Source sous la Montagne :
le sage cultive la vertu en perfectionnant sa conduite

Des signes inquiétants marquèrent l'enfance de Lieou-Taillefer. Des sauterelles s'abattirent sur l'Empire, le couvrant d'une taie grise, et ravagèrent les récoltes. Une éclipse obscurcit le soleil. Dans la vingt-troisième année du roi Kaolie de Tch'ou, une comète balaya de sa traîne la portion ouest et nord-ouest du ciel ; la reine douairière Hsia, grand-mère du roi Ordonnance de Ts'in, mourut peu après son passage. La comète réapparut deux ans plus tard, emplit l'espace d'une immense vapeur jaune et jeta un voile sulfureux sur la nuit froide et transparente du Ts'in. Cette fois-là, le faux eunuque Lao Ngai, avec la complicité de la mère du roi, qui était sa maîtresse, chercha à renverser le souverain.

Ceux qu'abuse toujours l'enchaînement immédiat des causes et des effets n'avaient pas manqué d'y voir le signe prémonitoire de ces deux événements. Mais les esprits profonds hochaient la tête silencieusement. Ils avaient compris qu'il s'agissait de bien autre chose.

Des bancs de poissons remontèrent par milliers les grands fleuves. Animaux froids, gainés de leurs corselets d'écailles qui les protègent comme des cottes de mailles, ils allaient à contre-courant, préfigurant les bandes armées qui déferleraient sur l'Empire pour y semer la mort et la confusion. Les étoiles du Loup et de l'Arbalète brillèrent d'un éclat

40

inhabituel. Les hivers s'allongèrent et emprisonnèrent la terre dans un linceul de glace. Des gelées tardives flétrirent les douces pousses du printemps. Des hommes se transformèrent en femmes. On signala une fille qui avait le sexe placé au sommet de la tête et une autre au milieu du nombril. Tous ces troubles dans la régularité du cycle naturel, loin de s'appliquer à une circonstance particulière, annonçaient l'instauration d'une ère de rigueur où le principe yin de l'hiver, froid, noir et souterrain, régnerait sans partage et plongerait le monde dans les ténèbres.

Déjà il rejaillissait sur le comportement des hommes. Les princes vivaient dans l'aveuglement. Soit qu'obnubilés par des rivalités et des querelles futiles ils complotassent les uns contre les autres, tels le Tchao, le Han, le Wei, le Ts'i, nouant et dénouant des ligues pour toujours se rallier au Ts'in qui les grignotait comme le ver à soie ronge la feuille du mûrier, soit que, tel le prince de Yen, égarés par l'humiliation infligée par un puissant voisin, ils cherchassent à assouvir leur haine par un assassinat au lieu de monter des plans à long terme. Et même le roi de Ts'in, qui se targuait de clairvoyance, était-il autre chose qu'un souverain abusé par le plaisir que procure l'usage immodéré de la force?

Les ministres étaient frappés de cécité. La crainte de perdre ses privilèges, la soif d'acquérir toujours plus de pouvoir, mêlées au sentiment contradictoire de l'invulnérabilité de sa position, avaient si bien offusqué l'esprit du ministre du Tch'ou, Eveil Printanier, qu'il tomba dans une machination grossière tendue par un rustre et un lâche. Liu Pou-wei, le marchand lucide et aventureux qui, faisant commerce de princes, était devenu l'homme le plus puissant de l'Empire en arrachant le titre de premier ministre au pâle souverain qui lui devait son trône, se laissa si bien griser par l'ivresse de la réussite qu'il se montra incapable de se prémunir contre le malheur, pourtant bien prévisible, qui allait s'abattre sur sa tête.

Et cet aveuglement des grands éteignait toute lumière sur la terre, soit qu'il précipitât les hommes par dizaines de milliers dans les sombres geôles, les noirs cachots dont les murs épais et humides ne laissent pénétrer aucun jour, les plongeant dans une obscurité aussi compacte, aussi infinie, aussi définitive que la nuit des aveugles, soit qu'il étendît sur leurs yeux le voile gris de la résignation, en sorte que n'apercevant nulle lueur, entouré des ténèbres sanglantes de la guerre, menacé du blanc couperet des lois, on avançait à tâtons sur le chemin désolé de l'existence.

Dans ce monde enténébré, Taillefer, le fils du Dragon Rouge, vivait le bon, le sain, le grand aveuglement de la jeunesse, qui n'est qu'un état transitoire dû à l'ignorance, riche de la promesse d'une belle floraison explosant aux doux rayons d'un soleil printanier, germe enfermé, enserré dans le brun de sa cosse, prêt à s'ouvrir à la lumière.

A l'âge de huit ans, quand le souffle des reins commençant à s'épandre rend les enfants réceptifs à l'enseignement en éveillant leur attention, les maîtres de l'école de quartier s'employèrent à dissiper les brumes de l'ignorance chez le jeune Taillefer ainsi que chez une centaine d'autres garnements. Dans la grande salle ouverte à tous les vents, ils ânonnaient par groupes de quatre caractères le *Manuel de lecture du Grand Historiographe des Tcheou*. Mais il faut croire que la graine était enfermée dans une enveloppe particulièrement dure, car lorsque Taillefer n'était pas obligé de se dénuder le torse devant ses camarades en marque de contrition pour son indiscipline, son manque d'application ou sa maladresse à former les lettres lui valait des coups de fouet. Il se montrait peu respectueux et préférait la compagnie des garnements à celle des gens de sens. Au lieu de se pencher sur le *Livre de la Piété filiale*, le *Livre des Odes* et le *Livre des Documents*, il courait les bois et les marais pour capturer des criquets, dénicher des oiseaux et attraper des libellules qu'il perçait d'une épingle et faisait voler autour d'une ficelle. Cependant, dans la famille et dans le voisinage, on était satisfait. Car il formait avec Cordon, le fils des Kouan, une paire d'amis inséparables. Et même si cette association n'avait eu jusqu'alors pour tout effet que de les pousser à faire des tours pendables, elle n'en demeurait pas moins une preuve de piété filiale, une promesse de continuité, puisqu'elle prolongeait l'amitié des parents et répondait à l'attente du Ciel qui l'avait bénie en les faisant naître le même jour.

Aussi quand les deux chenapans quittèrent l'école après y avoir fort peu appris, voisins et amis vinrent leur offrir un mouton et quelques jarres de vin. On festoya dans les deux maisons en se félicitant de ce que les deux enfants promettaient d'apporter beaucoup de bonheur à leurs parents.

A l'ignorance de l'enfance fit place l'insouciance de l'adolescence qui n'en est que le prolongement. Sous l'action vigoureuse de la liqueur du septentrion qui vient gonfler les reins à l'âge de seize ans, il se mit à courir les filles. Il était plus souvent couché sur le corps de quelque paysanne que penché sur les huit corps d'écriture. Néanmoins, il n'allait jamais sans son sac de livres, affichant du goût pour l'étude et l'ambition de devenir fonctionnaire — ce qui lui permettait de se soustraire à toutes les tâches domestiques et de refuser de participer aux travaux des champs.

Il n'attrapait plus les libellules, il assistait aux combats de coqs et aux courses de chiens. Il ne vagabondait plus dans les bois, il déambulait dans les foires et les marchés. Il ne gobait plus les œufs des oiseaux, il s'enfilait des rasades de vin aigre à la taverne de la mère Wang ou au troquet de la mère Wou, qui lui faisaient crédit sur sa belle mine. A son ami Cordon s'était jointe toute une troupe de joyeux drilles, buveurs, joueurs, toujours prêts à faire des paris, à se quereller ou à trousser les jupons. Ils s'invitaient en bande chez les uns et chez les autres, à l'improviste, quand ils n'étaient pas en fonds — ce qui était fréquent car aucun ne travaillait. Comme Taillefer était violent, rares étaient ceux qui leur refusaient la nourriture. Une fois, il avait tout cassé chez la femme de son frère aîné après lui avoir plongé la tête dans la marmite, parce qu'excédée de les voir s'empiffrer chez elle, qui était veuve et trimait dur, elle avait raclé bruyamment le fond du chaudron avec la cuiller pour leur signifier qu'il était vide alors qu'il était plein.

Pourtant, même si parfois la fureur lui brouillait l'esprit, même si on pouvait douter que les efforts de ses maîtres aient réussi à extraire le germe de sa gangue d'ignorance, Taillefer accumulait une foule de connaissances. A sa manière il « *cultivait la vertu et perfectionnait sa conduite* ». Par son assiduité aux combats de coqs, il se pénétrait des fondements de l'art de la guerre et s'initiait aux règles de la stratégie dont le grand maître Souen-tseu a dit qu'elle consiste à départager la poule du coq. Et l'on peut certifier que Taillefer, capable de distinguer entre deux coqs, était à même de faire la différence entre une poule et un coq. Par ses relations suivies avec le sexe faible, il assimilait le mouvement naturel du yin et du yang, dont l'alternance rythme le cours des saisons et préside aux renversements de l'Histoire. C'était sa façon à lui de s'initier aux lois qui permettent de conduire les peuples et de régler les nations. Ses fréquentations le mettaient en contact avec toutes sortes de gens, la lie de l'humanité principalement. Il se conformait ainsi à la règle qui régit le succès et l'échec, règle selon laquelle il faut s'abaisser pour s'élever, tout en acquérant cette facilité de contact, cette spontanéité dans les rapports qui désigne le Grand Homme.

Ainsi ces manifestations apparentes de folie, qui pouvaient passer pour une incurable insouciance, le faisaient-elles croître en expérience et en sagesse. Néanmoins, comme toute chose a son revers, à dix-neuf ans, étant loin de posséder les neuf mille caractères du *Manuel d'écriture*, il ne put se présenter à l'examen de recrutement des fonctionnaires qui donnait droit à une charge d'archiviste ou de scribe et ouvrait aux roturiers la voie à une carrière préfectorale.

L'ATTENTE

La gloire est au bout du chemin
pour peu qu'on se montre persévérant.
On se trouve devant un défilé mais on n'y tombera pas
si on reste ferme ;
on ne connaîtra pas réellement le malheur ou la détresse.

Le ciel immobile et muet ne laissait plus paraître aucun signe, comme s'il était dans l'expectative. Mais que peut bien guetter le ciel qu'il ne connaisse par avance ?

L'Empire que le Ts'in avait réuni sous sa poigne était lui aussi en suspens. Il espérait la fin du calvaire, retenant sa respiration, ne sachant où poser ses mains et ses pieds, car le moindre geste pouvait signifier l'esclavage. On se recroquevillait sur soi-même. On se faisait nuée, zéphyr, souffle ou buée afin de n'offrir aucune prise aux dénonciations des voisins, à la vigilance des autorités et au tranchant des réglementations.

A cette attente générale, quasi cosmique, du souffle tiède du renouveau qui lèverait le suaire dont les brumes des châtiments enveloppaient le monde, répondait la multitude des attentes individuelles.

Les pères, déportés aux confins, priaient pour que la flèche du Hun les transperce, pour que la morsure du gel pétrifie leurs os, mettant ainsi un terme à leurs souffrances. Les fils, exilés dans la touffeur des marches méridionales, appelaient le dernier accès de fièvre qui poserait le sceau d'un froid définitif sur leurs membres frisonnants. Et ceux dont les ancêtres à la seconde génération avaient été inscrits sur les registres du commerce patientaient, parqués dans des camps, avant qu'on les conduise aux marches de l'Empire pour prendre la relève de leurs parents dont les corps jonchaient les espaces désolés et n'attendaient plus rien.

Les gouverneurs étaient à l'affût des directives du gouvernement central pour en confier l'exécution aux préfets, lesquels transmettraient les circulaires aux sous-préfectures. Les sous-préfectures les feraient placarder dans les districts où elles justifieraient les pires craintes des administrés qui vivaient dans les affres de règlements toujours plus répressifs.

Les brigands eux, qui s'étaient réfugiés dans les forêts et les marais avant que leur nom soit inscrit sur les registres de la conscription, épiaient les voyageurs sur le bord des routes pour les détrousser.

La nuit était noire, l'endroit désert, et un épais brouillard montait de la rivière. Aussi aurait-on pu prendre la station de l'homme qui battait la semelle en ce lieu inhospitalier pour l'affût d'un voleur, avec qui il présentait bien des points communs : c'était un proscrit et il vivait à Hsia-p'i sous une identité d'emprunt. Il avait guetté trois ans auparavant un voyageur, non pour le dévaliser, il est vrai, mais pour lui réduire la tête en bouillie à l'aide d'une lourde masse de bronze.

La lune jetait des taches jaunâtres sur le linceul que le brouillard étendait sur les rives. Le froid de la nuit, aiguisé par l'humidité du fleuve, lui mordait les os. La rigidité de ses membres traduisait de façon physique, palpable, la pétrification du temps opérée par l'attente, cependant qu'elle conférait à sa faction la dimension sacrée d'une quête initiatique, lui rendant supportable, presque douce, l'ankylose des instants qui courbaturait douloureusement sa carcasse.

Il avait toujours su que l'exigence du vieillard était dictée par bien autre chose que par le simple désir de se venger en le faisant lanterner à son tour, que c'était une épreuve : on voulait mesurer sa patience. Il comprenait maintenant que l'expectative imposée comportait aussi une leçon, qu'elle l'obligeait à un retour sur lui-même. Étirant un moment infime de sa vie en une éternité, elle le contraignait, par la conscience aiguë, douloureuse, que cette dilatation de la durée — qui loin d'être plénitude du temps est son exténuation — allait déboucher sur un instant décisif, à admettre que ce moment de latence s'identifiait à sa vie tout entière qui n'avait jamais été qu'une longue attente.

Tchang le Bon — ainsi se nommait celui qui faisait le pied de grue sur les rives de la Tche — était un homme du passé, qui ne s'était pas résigné à sa disparition. Il ne vivait que pour la résurrection des temps anciens dont il épiait la venue dans les signes peu convaincants d'un présent pétrifié par l'improbable avènement d'un passé mort, dont chaque instant lui semblait porter la promesse. Il croyait aux présages et était attentif au moindre geste d'autrui, non qu'il s'intéressât aux âmes, mais il traquait le destin.

Descendant d'une noble famille du Han qui avait fourni aux princes de cette principauté ses premiers ministres des générations durant, il avait ressenti comme une mortelle offense l'annexion de sa patrie par le Ts'in et la destitution de ses princes par l'Auguste Empereur. Après l'échec d'un premier attentat perpétré par un spadassin à la solde du prince de Yen, Tchang le Bon avait résolu d'accomplir lui-même la vengeance de l'Empire. Le hasard l'avait mis en présence de Wou Hao, le forgeron de la tribu des Mo-souei. A la façon dont le colosse maniait le soufflet, il avait reconnu un brave ; il s'était lié d'amitié avec lui, lui avait demandé de lui forger une masse de deux cents livres et s'était posté avec lui sur le trajet du cortège impérial pour écraser sous le poids de métal le char du tyran. Ils avaient manqué leur cible, avaient dû s'enfuir et se séparer. Finalement, Tchang le Bon avait trouvé refuge à Hsia-p'i.

Soudain Tchang le Bon sursauta. Ses oreilles aux aguets avaient surpris un léger clapotis, comme des rames effleurant la surface de l'eau. Une ombre glissa à travers le brouillard, et une forme se matérialisa, telle une opacification de la brume, sur laquelle les rayons de la lune jouaient, lui prêtant une apparence humaine. L'aïeul aux cheveux de neige sauta

47

sans bruit de la barque et s'avança, coulée de vapeur un peu plus dense exhalée par la rivière.

Deux semaines auparavant, alors que Tchang le Bon flânait, désœuvré, le long du fleuve, il avait croisé en traversant le pont un vieillard dont la sandale s'était détachée et avait glissé dans le lit de la rivière. L'homme lui avait ordonné d'un air rogue d'aller la lui chercher. Tchang le Bon avait tout d'abord songé à le rosser, mais par égard pour son grand âge, il s'était contenu et s'était exécuté. Puis, lorsque le grincheux lui avait tendu son pied sale, il s'était agenouillé pour la lui remettre : puisqu'il s'était déjà humilié, il se serait couvert de ridicule s'il avait porté la main sur le vieillard, sans pour autant effacer l'outrage. Peut-être avait-il aussi senti, lui si avide de présages, l'appel du destin. L'inconnu avait repris son chemin et Tchang le Bon, intrigué par son attitude hautaine, lui avait emboîté le pas. En vue des portes de la ville, l'homme s'était retourné et lui avait dit : « Rendez-vous ici dans cinq jours au lever du soleil. »

Par deux fois congédié par le vieillard, furieux d'avoir dû l'attendre, Tchang s'était, cette fois-ci, mis en route avant minuit et patientait maintenant depuis deux bonnes veilles.

En apercevant Tchang le Bon debout sur la berge, en contrebas du pont, la face jaune du vieil homme s'éclaira et il dit :

— Nous t'avons choisi pour aider un roi. Une nouvelle dynastie doit s'élever d'ici treize ans !

— Qui êtes-vous ?

— Si tu ne nous connais pas ma réponse est inutile, si tu nous connais ta question est superflue.

— Les trigrammes ?

— On pourrait dire tout aussi bien la fatalité !

— Ainsi ils existent vraiment ! Le bruit a couru que c'était une pure invention. Mais il court tant de bruits. Certains prétendent qu'ils ont disparu après la victoire du Ts'in, dont ils étaient les créatures.

— Le Ts'in serait-il autre chose que l'exécuteur des volontés du Ciel. Il suffit, les voies du destin sont impénétrables et ne peuvent être dévoilées.

— Comment le reconnaîtrai-je ?

— C'est parce que tu le reconnaîtras qu'il sera roi !

— Et comment pourrai-je l'aider ?

— Avec ceci !

Le vieillard tira de sa manche un livre. Il avait pour titre *L'Art stratégique des Huit Trigrammes du roi Wen*. Puis, après avoir déclaré en le lui tendant : « Étudie, sois patient et ton heure viendra ! », il tourna les talons et disparut. A l'endroit où l'énigmatique personnage s'était évanoui, Tchang le Bon heurta un caillou. Il brillait à la lueur de la lune. Tchang le ramassa pour l'observer. Il portait des marbrures blanches qui se détachaient sur un fond vert, dessinant des licornes, des phénix et des dragons. En son centre on distinguait très nettement un octogone où s'inscrivaient les huit trigrammes dans la disposition du roi Wen. Tchang poussa un soupir et glissa l'étrange objet dans sa manche.

Tchang le Bon patienta. Dans l'espoir de découvrir parmi eux le futur Fils du Ciel, il hébergea des fugitifs, des chevaliers errants, des lettrés qui avaient abandonné les tombes de leurs ancêtres, leur famille, leurs amis et jusqu'à leur identité pour se réfugier dans cette région reculée où la population, violemment hostile aux Ts'in, et le relief accidenté les défendaient contre les poursuites.

Taillefer était à l'affût lui aussi d'un signe du destin. Car certains de ces hommes affublés de la houppelande noire qui cheminent sur les routes poudreuses de ces temps de glace et de fer, et gagnent leur pitance en livrant cette marchandise impalpable et précieuse qu'est l'avenir, lui prédisaient une brillante fortune. Mais jusqu'alors il n'avait pu obtenir qu'une belle livrée rouge : il avait réussi à passer l'examen de recrutement de chef de police d'arrondissement dans sa sous-préfecture de P'ei. Son uniforme lui donnait fière allure, lorsqu'il déambulait dans les rues de la ville, ses larges pieds chaussés de sandales de corde, foulant le sol d'un mouvement puissant et souple de félin, le torse bombé comme un ours, le nez haut dans son visage large et gras.

Lors des réunions de notables et de fonctionnaires de la préfecture, en dépit de son rang subalterne, on le respectait et il traitait ses supérieurs avec désinvolture. Certains prétendaient que c'était parce qu'on devinait en lui l'étoffe d'un Grand Homme. Il est vrai que nul ne savait mieux que lui organiser un enterrement, mettre de l'entrain dans un mariage, animer un banquet entre amis ou entre collègues. Il partageait toujours judicieusement le gibier après les chasses et, dans les sacrifices au dieu du sol ou dans les cérémonies commémoratives du canton, il distribuait les parts avec une impartialité telle qu'on s'exclamait : « Ah, quand Lieou est le sacrificateur, il n'y a jamais de récriminations. » Mais d'autres murmuraient que la considération dont il jouissait venait de ses relations avec la pègre. De fait, le poste de garde où il hébergeait les officiels en mission donnait plus souvent refuge à des réunions de hors-la-loi, gibiers de potence, brigands qu'il était censé traquer qu'à des fonctionnaires en déplacement. On le voyait souvent attablé dans des tavernes louches avec des chefs de bandes, des potentats qui entretenaient des milices privées ou des tueurs à gages, ce qui n'aurait rien eu que de normal — la fréquentation des criminels faisait partie de ses obligations professionnelles — s'il n'avait recruté parmi eux certains de ses meilleurs amis. Quoi qu'il en fût, ces connivences lui avaient acquis de solides protections auprès de certains clans influents, avec lesquels le préfet préférait composer plutôt que de s'attirer leur ressentiment et risquer d'être découvert un beau jour baignant dans son sang, la gorge tranchée ou un poignard entre les omoplates. D'autres encore insinuaient qu'il émargeait directement au ministère de l'Intérieur. Ce qui n'était pas entièrement faux. Dans l'espoir d'un grand destin, il fallait bien vivre, et donc composer avec le pouvoir, sinon on subissait le sort de ces gens rigides et vertueux qui, au lieu d'attendre leur heure en acceptant les compromissions, hypothèquent à jamais leur futur par une mort dont la sublimité ne rachète pas l'obscurité. Taillefer avait le courage d'être lâche. Il rédigeait des rapports sur chacun de ses chefs et sur les hobereaux qu'il fréquentait ; les autorités centrales avaient choisi de les surveiller étroitement plutôt que d'engager contre eux une répression brutale et directe qui risquait, dans ces régions mal pacifiées, d'engendrer des désordres. De temps à autre on lançait bien une campagne contre le banditisme et la délinquance. Taillefer procédait alors à des arrestations — le menu fretin — pour plaire à ses maîtres et donner le change, mais autant qu'il le pouvait, il laissait échapper le gros gibier.

Cependant les années passaient et il n'accomplissait rien de remarquable. Il déambulait toujours de son pas dansant de fauve à la recherche d'une proie, et promenait sa haute stature et son mufle de tigre sur les marchés et dans les bouges, accompagné de l'admiration mêlée de crainte des jeunes vauriens.

Ses parents, qui nourrissaient tant d'espoirs en lui après l'extraordinaire coïncidence de sa naissance avec celle de Cordon, s'étaient lassés. Ils avaient reporté leurs rêves d'élévation sur le cadet, Randonnée. Randonnée, à l'inverse de son frère, avait fait de brillantes études, trop brillantes même, puisqu'il avait dédaigné une carrière dans l'administration pour suivre un maître itinérant du Lou, appelé Colline Vagabonde. Celui-ci était un disciple du confucéen Hsiun-tseu, spécialiste de la tradition du *Livre des Odes*. Son école jouissait d'un grand renom, et on comptait parmi ses élèves des lettrés aussi remarquables que Maître Millet, Maître Blanc, Maître Extension. Colline Vagabonde était lié à l'archiviste de la bibliothèque impériale Bleu du Ciel et il avait gardé des contacts avec le premier ministre, Li Sseu, qu'il avait connu lorsqu'ils étudiaient sous le même maître. Cette voie eût donc pu conduire le jeune Lieou aux plus hautes distinctions. Mais hélas, avec la grande proscription des classiques, l'enseignement de son maître avait été interdit, la plupart de ses élèves l'avaient quitté, ses protecteurs de la cour étaient eux-mêmes en butte aux persécutions, quant à Li Sseu, c'était lui qui organisait la chasse aux lettrés.

Colline Vagabonde et ses quelques fidèles, dont Randonnée, se reconvertirent dans l'exégèse des livres de divination, seuls ouvrages encore autorisés, et gagnèrent leur vie en tirant les hexagrammes. Aussi le dernier-né, que les brillantes études auraient dû promettre à un bel avenir, déçut à son tour les vieux Lieou. Ceux-ci, renonçant à attendre une quelconque promotion sociale de leur progéniture, sombrèrent dans une résignation morose. Et cette amertume, ce désenchantement pesait insidieusement sur Taillefer. Lorsqu'il allait rendre visite à ses parents pour remplir ses devoirs de fils pieux, il était poursuivi par leur regard lourd de reproches et de désappointement.

Au milieu des joyeuses beuveries, dans les réunions tapageuses entre braves, il lui venait parfois une ombre sur le front. Il sentait que la foi que ses amis avaient en lui commençait à faiblir, il devinait que les fonctionnaires ne supporteraient plus pour bien longtemps sa morgue, car leur considération s'était teintée imperceptiblement de condescendance et n'attendait qu'une occasion pour tourner au mépris. Et, lorsque, accroupi dans les latrines, il poussait un large étron, les mains appuyées sur les hanches, il ne pouvait s'empêcher de songer, au contact de la graisse qui les enveloppait, qu'il avait dépassé la quarantaine et qu'il n'avait encore rien fait.

De nouveaux venus, dont certains n'étaient pas les premiers venus, prétendaient eux aussi à l'admiration des galopins et des bravaches. Parmi ceux-ci, Yong Tch'e, dit Barrière des Dents, était sans doute son plus dangereux rival. Le jeune homme était issu d'une famille de riches potentats de Grand-Pont, qui se réfugia à Fong avec bon nombre de nobles du Wei, lorsque la capitale de ce royaume fut détruite par le Grand Empereur. Barrière des Dents avait dilapidé son patrimoine en entretenant des braves et des bretteurs, et le crédit considérable que lui avait assuré le parti des émigrés du Wei s'était encore accru du respect qu'il avait su se gagner dans la population locale par ses prouesses physiques, sa bonne humeur et ses libéralités envers les chevaliers errants. Toutefois, bien qu'il existât entre les deux hommes une secrète hostilité, par un accord tacite ils feignaient d'être les meilleurs amis du monde. Aucun n'était sûr de l'emporter sur l'autre dans une lutte déclarée, aussi préféraient-ils pour l'heure pactiser.

En dépit de ses démonstrations de gaieté exubérantes, Taillefer s'abandonnait de plus en plus souvent au découragement. Mais sa bonne étoile veillait. Afin qu'il ne sombrât pas dans le désespoir, elle lui envoya un gage d'élévation propre à le réconforter. A vrai dire, le Ciel prodiguait périodiquement au chef de police de district l'assurance que sa présente médiocrité ne préjugeait nullement de sa destinée ; il l'exhortait à la patience en lui dispensant ses encouragements par la bouche des interprètes de sa volonté. Sans doute, plus prosaïquement, fallait-il y voir la main occulte de la secte des devins avec laquelle il se trouvait lié à son insu, par le truchement de son frère cadet Randonnée.

Déjà quelques années auparavant, alors qu'on commençait à murmurer dans le cercle même de ses intimes qu'il promettait plus qu'il ne tenait, un ami du préfet de P'ei, qui s'était acquis du renom par ses dons de physiognomoniste, avait été si frappé de son apparence qu'il lui avait offert sa fille en mariage. Mais, à vrai dire, cette promesse de carrière s'était surtout traduite par le fardeau d'une femme ombrageuse et des deux marmots braillards qu'elle n'avait pas tardé à lui donner. Peu après, en effet, le préfet, convaincu de concussion, avait été déporté. Son hôte, le beau-père de Taillefer, qui avait trouvé refuge chez le notable après avoir eu maille à partir avec la justice, avait été jeté en prison et battu à mort.

Cette fois-ci la prédiction s'accompagnait d'un signe tangible. Comme sa maigre solde ne lui permettait pas d'entretenir une femme et deux enfants, il s'était mis à cultiver quelques acres et prenait des congés fréquents pour vaquer à ses occupations domestiques. Un jour qu'il se dirigeait vers son lopin pour rejoindre sa femme qui y binait, il vit venir à lui un vieillard à barbe blanche dont la noblesse de la démarche était soulignée par la pauvreté de sa mise. Celui-ci l'interpella :

— Je viens de voir une mère et deux enfants promis à une brillante réussite. Vous serez la source de leur fortune. Mais si vous voulez chevaucher le char du dragon, sachez vous gagner la sympathie du détenteur de la charte des trigrammes !

Sur ce, il s'en fut. Taillefer lui courut après ; il heurta une pierre à l'endroit même où il l'avait vu disparaître. Il la ramassa car elle jetait d'étranges scintillations. Ses marbrures blanches et vertes affectaient la forme d'animaux fabuleux, encadrant en son milieu un octogone dans lequel étaient inscrits les huit trigrammes. Son cœur se gonfla d'espoir, il serra la pierre dans sa manche. Puis il eut une moue désabusée et se dit en lui-même : « Bah, en attendant, je pourrai toujours l'accrocher au cordon de ma ceinture pour impressionner mes collègues ! »

DÉMÊLÉS AVEC LA JUSTICE

Même pour celui qui possède rectitude et circonspection,
les procès ne sont propices que s'ils n'arrivent pas à leur terme.
Bénéfique la vue du Grand Homme,
défavorable, la traversée d'un grand fleuve.

L'attente se muait en impatience. Les manifestations en étaient timides, car la peur demeurait trop grande pour que se déclarât une opposition ouverte. Ce n'était encore que des frémissements.

La répression frappait avec une violence redoublée et les rangs des réprouvés qui se cachaient entre collines et paluds ne cessaient de se grossir de nouveaux fugitifs. Des liens de complicité se nouaient, tissant peu à peu un réseau de connivences, véritable association d'entraide, qui, après avoir soustrait la victime à la machine toujours plus vorace de la justice, la conduisait vers les repaires du Sud-Est.

Si féroce et si touffu était le maquis des règlements que personne ne pouvait être certain d'éviter toutes les chausse-trappes que la législation répressive du Ts'in s'ingéniait à creuser sous les pieds de ses sujets. Des hommes, de tous les échelons de la société, tentaient de se dérober à la justice et formaient des bandes de pillards. Celles-ci recrutaient leurs membres non seulement parmi les fonctionnaires subalternes et les hobereaux, hommes turbulents et belliqueux habitués à manier l'épée, mais aussi parmi les artisans, les pêcheurs et les paysans.

Le nouveau gouverneur de Basse-Campagne allait par les rues de la ville, fièrement campé sur son char à baldaquin filigrané d'argent, encadré de ses gardes portant haut les insignes de l'autorité préfectorale. Les nuques s'inclinaient à son passage comme les herbes sous le vent de la steppe. Les équipages se garaient sur le côté, leurs occupants dégringolaient pour saluer, les cavaliers s'effaçaient. Un char le croisa. Il était conduit par un homme imposant, haut comme une tour, dont la face rougeaude s'ornait d'une moustache de bête féroce. Non seulement le colosse ne se rangea pas, mais il lança son équipage en avant, obligeant les chevaux du préfet à faire un écart. Le magistrat reconnut dans ce gaillard haut de huit pieds Poutre, le fils du glorieux général du Tch'ou, Hsiang l'Hirondelle. Il lui jeta un regard haineux et lui souffla au visage :

— Poutre, comment le rejeton d'un général vaincu, par la faute de qui son maître a perdu ses autels des dieux du sol et des moissons, ose-t-il se pavaner ainsi !

Le géant poussa un rugissement et leva le bras comme pour le frapper. Le préfet tourna bride et regagna sa résidence. Il convoqua ses subordonnés et tempêta :

— Vous connaissez les directives du gouvernement central ? Les ministres, seigneurs et généraux des anciens royaumes ne doivent pas demeurer dans leur province d'origine, mais être envoyés en relégation dans les environs de la capitale et y vivre en résidence assignée. Or, qui je rencontre pas plus tard que tout à l'heure ? Poutre, le fils du général rebelle Hirondelle, promenant sa morgue à travers les rues de la ville ! Comment se fait-il qu'il n'ait pas été déporté avec les autres ?

— Nous avons préféré surseoir à cette mesure pour des raisons d'opportunité politique. Son père est vénéré à l'égal d'un dieu dans le pays et nous avons estimé qu'une relégation serait une source de désordres.

— Et vous croyez que sa présence n'en est pas une par l'offense qu'elle constitue envers la Loi ? Je veux qu'on procède à son transfert immédiat à Yo-yang !

Une forte troupe d'exempts fut dépêchée sur-le-champ au

palais du notable du Tch'ou. On arrêta Poutre, Oncle Hsiang et Plumet, un jeune neveu, orphelin, que Poutre avait pris sous sa protection. Ils furent tous trois transférés sous bonne garde à l'intérieur des passes.

Un an plus tard, à l'occasion de la présentation des comptes à la capitale, le préfet de Basse-Campagne se rendit lui aussi au Ts'in et logea dans les appartements de l'Hostellerie Officielle, située dans les faubourgs de Double-Lumière. Le surlendemain on le trouvait gisant, la gorge ouverte, dans un flot de sang. Tous ses effets avaient été volés. L'enquête s'orienta tout d'abord vers un crime crapuleux. Mais un ennemi des Hsiang envoya une lettre de dénonciation accusant les descendants du général du Tch'ou d'avoir fait exécuter leur vengeance par un de leurs clients. On retrouva l'homme de main, mais sous forme de cadavre. Il s'était tranché la gorge pour ne pas trahir ses maîtres.

On arrêta Poutre et on le soumit à la question. Il réussit à faire passer une lettre au directeur des Affaires criminelles de sa province, qui avait été autrefois son obligé, afin qu'il intercédât auprès de son collègue de Yo-yang avec lequel il était intime. Le magistrat tenait Poutre en grande estime. Il craignait en outre qu'une inculpation ne créât des remous dans cette turbulente principauté. Il fit valoir auprès de son ami qu'il n'existait aucune preuve contre Poutre, puisque le seul témoin était mort sans rien avouer. L'affaire fut classée.

Poutre déjoua la surveillance des autorités et regagna Basse-Campagne avec Oncle Hsiang. Ils massacrèrent la famille du dénonciateur et prirent la fuite. Poutre et Plumet se réfugièrent dans la région de Wou, au sud du fleuve Bleu, tandis que son frère aîné, sur le conseil d'un ami, se rendait à Hsia-p'i, où Tchang le Bon lui offrit le gîte et le couvert et le traita avec de grands égards ; il avait reconnu à sa mine un homme remarquable. Informé par des clients à lui que des parents du préfet assassiné recherchaient son hôte pour venger sa mort, Tchang le Bon envoya quelques-uns de ses spadassins les éliminer et extermina tout leur clan.

Oreille et Rogaton réussirent eux aussi à échapper à la rigueur de la Loi. Ils trouvèrent assez tôt des intelligences pour s'y dérober. C'étaient deux lettrés qu'une communauté de goûts alliée à une communauté de destinée avait rapprochés. Ils avaient tous deux épousé des femmes très riches et très belles, alors qu'ils n'étaient que des jeunes gens sans autres biens que leurs espérances. Grâce à la fortune que leur mariage leur avait procurée, ils s'étaient constitué une clientèle et avaient acquis une réputation de Grands Hommes, ce qui avait valu à Oreille une charge de préfet.

Après l'annexion du Wei par le Ts'in, les deux compères avaient continué à y vivre en simples particuliers. Mais lorsque l'Auguste Premier Empereur décida d'éliminer tous les sages, chevaliers errants et autres hommes remarquables des anciennes principautés, sous prétexte qu'ils constituaient une menace pour la société, on dressa la liste de tous les personnages qui jouissaient de quelque renom. Les deux amis furent du nombre. On mit leur tête à prix. Un fonctionnaire put les prévenir avant que l'avis de recherche fût placardé. Ils changèrent de nom et allèrent se réfugier dans les collines de T'ang, un havre, disait-on, pour tous ceux qui avaient eu maille à partir avec les autorités. Activement recherchés ils n'y trouvèrent pas la sécurité escomptée. Traqués d'un village à l'autre, les deux proscrits eussent été réduits à la dernière extrémité sans l'intervention de Taillefer.

La réputation d'hommes remarquables d'Oreille et de Rogaton avait débordé largement les frontières de la province ; leur sagesse était proverbiale à P'ei. Taillefer, qui se flattait d'honorer les sages, profitait de ses fréquents voyages à la capitale du Ts'in, où sa charge lui imposait de conduire des cortèges de forçats et de condamnés, pour leur rendre visite à son retour et séjourner chez eux, parfois un temps assez long.

Quand il apprit que les deux preux traversaient une passe difficile, il joua de son influence auprès d'un vice-secrétaire adjoint des Affaires criminelles de la préfecture de Tch'en et leur trouva un emploi de chefs des Portes. Ils purent ainsi subvenir à leurs besoins et échapper aux poursuites : c'étaient eux qui étaient chargés des dénonciations et de l'espionnage d'un quartier.

La répression frappait aussi les fonctionnaires qui en étaient chargés et ils tombaient sous le coup d'une inculpation d'autant plus lourde qu'ils avaient pour mission de faire respecter la Loi.

Taillefer, qui sut si bien soustraire Oreille et Rogaton aux recherches de la justice, fut à son tour inquiété. Une première fois ce fut pour une peccadille. Il s'adonnait à des jeux violents avec ses camarades. Au cours d'un combat au bâton avec Cordon, celui-ci reçut une blessure assez sérieuse. Il y avait des témoins. L'un d'eux dénonça Lieou. On l'inculpa de coups et blessures volontaires. Un agent de l'État risquait pour un tel délit une peine de travaux forcés avec marque au visage. Interrogée, la victime le disculpa. On procéda à un supplément d'enquête. On administra à Cordon des volées de coups de bambou, sans réussir à le faire revenir sur ses dénégations. On l'accusa de faux témoignage et il rejoignit son ami en prison. La femme de Taillefer, Liu la Faisanne, supplia les collègues du chef de police de district d'intervenir. Ceux-ci finirent par s'émouvoir. Grâce à l'intervention du secrétaire des Tribunaux, Ts'ao l'Examinateur, l'affaire fut classée.

Peu de temps après cette mésaventure, Taillefer fut chargé de conduire une colonne de condamnés au tombeau de l'Auguste Empereur. D'ordinaire il ne lui déplaisait pas de se rendre à l'intérieur des passes, car il y trouvait une occasion de musarder dans la capitale, admirant les palais, s'arrêtant devant les boutiques et les échoppes, humant avec délice l'atmosphère de luxe, d'élégance et d'industrie de la capitale. Sans compter qu'il pouvait prendre du bon temps dans les lupanars et les tripots, sans avoir à essuyer les jérémiades et les reproches de la Faisanne. Il y avait aussi avec un peu de chance le spectacle du cortège impérial : l'Auguste Premier Empereur, entre la haie des Tigres de la Garde, coiffés du bonnet à parements rayés en queue de léopard, et des porte-enseignes brandissant les gonfanons estampillés des effigies de Dragons Noirs, debout dans son char noir à dessins rouges, tiré par six coursiers noirs. C'était magnifique, imposant, tout en donnant un fort sentiment d'oppression. Mais depuis un certain temps le monarque ne sortait plus ; il se voulait impénétrable comme les dieux et la proscription du commerce privé avait fortement réduit la vie sur les marchés. En outre l'esprit d'insoumission, qui n'avait jamais vraiment abandonné les lettrés et les spadassins, s'était aussi étendu au peuple. Des inscriptions annonçant la fin de la dynastie s'étaient mises à fleurir un peu partout, des prédictions menaçantes étaient chantées par les jeunes garnements dans les ruelles. Ce n'était pas l'œuvre des hobereaux ni des potentats. Ceux-ci, pour avoir les coudées franches dans les provinces et régenter la vie locale, ne demandaient qu'à composer avec les autorités. Ils étaient les premiers contrariés par ces manifestations intempestives ; elles fournissaient un prétexte au pouvoir central pour intervenir dans leurs affaires. Certains y voyaient la main de la guilde des devins, connue sous le nom des Hexagrammes, mais Taillefer n'y croyait pas. Les plus illustres d'entre eux servaient à la cour où ils étaient couverts d'honneurs et de présents. Et les seuls ouvrages encore autorisés étaient les manuels de divination.

Donc, cette nouvelle mission ne lui souriait guère. Les conscrits donnaient du fil à retordre et les désertions se faisaient de plus en plus massives. Il les comprenait ; mieux valait risquer l'aventure que de se laisser mener comme du bétail à une mort certaine.

Ses craintes se révélèrent justifiées. Il n'avait pas franchi deux étapes que les effectifs de sa troupe avaient déjà fondu de moitié. A ce train-là, il ne lui resterait pas un seul condamné une fois arrivé à destination. Il planta son camp à proximité des marais qui s'étendaient à l'ouest de la sous-préfecture de Fong et, pour se changer les idées, il rendit visite à son homologue du district voisin. Ils se mirent à boire, parlèrent des difficultés de la vie, de leurs espoirs. Taillefer soupira sur le destin qui lui faisait conduire des hommes de son pays, des compagnons, pour qu'ils se crèvent à la tâche en servant un maître étranger. Puis ils jouèrent au *lieou-po*, se disputèrent sur un coup. Ils avaient beaucoup bu. Ils s'échauffèrent. Le chef de police du district de Fong eut des mots outrageants. Taillefer répliqua. L'autre tira son épée. Taillefer la lui arracha des mains et, pris de rage, la lui passa au travers du corps. Il regretta immédiatement son geste. Il était frais : même en plaidant la légitime défense, il risquait la peine capitale !

Il regagna son bivouac et délivra les hommes de leurs chaînes :

— Allez, filez, j' mets les bouts.

Une quinzaine de conscrits proposa de se joindre à lui :

— Pourquoi pas rester ensemble ? On formerait une sacrée bande !

On alla chercher du vin et on but jusqu'à la nuit. On évoqua les exploits des preux du temps passé et la vie libre et aventureuse des voleurs qui défient l'autorité et risquent moins que les honnêtes gens de tomber sous le coup de la Loi. Il se faisait tard. La lune s'était levée et éclairait faiblement la campagne. Taillefer eut peur qu'on ne donne l'alerte et qu'on ne les rattrape. Il se leva et dit :

— En route.

Ils s'engagèrent sur le chemin des marais. La région était dangereuse. Il envoya un homme en reconnaissance. Celui-ci ne tarda pas à revenir, le visage blême :

— Y a un grand serpent qui barre la route. On peut pas passer.

Taillefer eut un large geste du bras :

— Rien ne peut barrer la route à un brave !

Il dégaina son épée et d'un pas chancelant arriva jusqu'à un immense serpent que le froid de la nuit avait engourdi. Il leva son épée, l'abattit et le coupa en trois tronçons. Il enjamba le monstre pourfendu et après quelques pas s'étendit sur le bord du chemin, ivre mort.

Ses compagnons l'attendirent jusqu'à l'aube. Les nappes de brume grisâtres qui étendaient leur suaire sur les joncs et les roseaux crachèrent un vieillard à barbe blanche qui portait avec dignité une robe de bure. Il serrait contre lui un attirail de devin. Ils songèrent d'abord à le tuer. Puis ils se ravisèrent. Les devins ne parlent pas à la justice et ce serait néfaste. Ils finirent par le prier de leur tirer les sorts. Il dit : « Troupe de fugitifs qui a pour chef le meurtrier du Serpent Blanc. »

— Ah ! dirent les hommes, il y avait justement un serpent monstrueux qui barrait la route, notre chef est parti le combattre. Allons voir !

Ils tombèrent sur le reptile tronçonné ; Lieou cuvait son vin à quelques pas de là. Le vieillard avait disparu. Ils se penchèrent sur le chef de police avec admiration. Quand il s'éveilla, ils lui rapportèrent les paroles du devin. Une lueur rusée s'alluma dans le regard de Taillefer :

— Tiens, j'ai fait un rêve semblable. Une femme vêtue de blanc pleurait sur le bord du chemin. Elle criait : « Le Dragon Rouge a tué mon fils, le Dragon Blanc ! »

Ils le crurent et lui vouèrent un véritable culte, le servant avec ferveur. La troupe se cacha dans la lande buissonneuse entre T'ang et Mang. Pourchassé par les exempts du Ts'in, Lieou connut des jours difficiles. Il souffrit de la faim, des nuits sans sommeil et de la peur des bêtes aux abois. Il réussit à faire parvenir un message à son ami Cordon. Grâce à lui, Liu la Faisanne sut où lui apporter de la nourriture et lui communiquer des nouvelles. Le bruit courut qu'elle le suivait à la vapeur rouge qu'il dégageait. L'Auguste Empereur, sur la foi de ses géomans, s'était lancé à la poursuite d'une émanation qui provenait de cette commanderie pour la détruire. On commença à murmurer qu'il y avait là quelque prodige.

La bande se grossit de nouveaux fugitifs. Ainsi Jen Ngao, sous-secrétaire des Affaires criminelles, qui était fort lié avec les Lieou, n'avait pu supporter de voir la femme de son ami molestée par un officier de justice après la fuite de son mari. Il s'était précipité sur l'homme et l'avait battu si fort qu'il lui avait brisé l'échine. Pour échapper aux poursuites, il rejoignit les hors-la-loi. Un an après être entré dans l'illégalité, Taillefer avait sous ses ordres deux cents brigands.

Le cheval était noir avec des paturons blancs. C'était une belle bête à la robe lustrée, harnachée d'une selle à parements d'or. Entre ses oreilles, pointues comme des pousses de bambou, se balançait une aigrette en plumes de martin-pêcheur : une monture digne d'un prince. Face Tatouée posa son fagot sur le bord du chemin et l'attrapa par la bride. L'animal se laissa faire. Il lui flatta l'encolure, puis, ne pouvant résister à la tentation, il l'enfourcha. Il le fit caracoler. La bête répondait au mors. Il la lança au galop. Les fins sabots du coursier semblaient avaler la campagne. Tout à l'ivresse de la course il n'entendit pas les clameurs qui s'élevaient derrière son dos. Une troupe d'hommes en armes l'encercla : c'était l'escorte du préfet de Six, que sa monture avait désarçonné avant de prendre la fuite. Les gardes étaient partis à la recherche du cheval. Un paysan le leur avait signalé, ajoutant qu'un homme l'avait enfourché, sans doute pour le voler. Il espérait que cette dénonciation lui vaudrait une récompense. On traîna Face Tatouée en prison. Il fut soumis à un interrogatoire sévère. En dépit des coups, il arborait un sourire hilare. Sommé de s'expliquer, il raconta qu'un devin lui avait prédit qu'il serait roi après avoir subi la marque infamante des forçats. Son surnom venait de cette prophétie. Il se réjouissait aujourd'hui, parce que, la première partie de la prédiction étant en passe de se réaliser, il ne pouvait plus douter de la véracité de la seconde !
Selon le Code pénal, il ne s'agissait que d'un simple délit de « larcin par occasion », délit qui n'était passible que d'une peine maximale de deux ans de travaux forcés, sans marque ni amputation. Mais le préfet crut qu'il le narguait ; il retint contre lui la charge de vol qualifié et, la sanction étant dans ce cas proportionnelle à la valeur de l'objet dérobé, il fut condamné à l'ablation du nez et à trois ans de travaux forcés.

Il purgea sa peine en damant la terre sur les chantiers de la préfecture. L'Empire manquait de bras pour toutes les réalisations grandioses de l'Auguste Empereur, on l'envoya donc travailler au tombeau du souverain, à la construction duquel s'activaient deux cent mille forçats. Face Tatouée avait de la prestance et de l'autorité, à quoi s'ajoutait l'auréole d'un horoscope extraordinaire. Il en imposa à la foule des condamnés. Il se lia avec les chefs des forçats et avec les notables qu'on avait déportés sur les chantiers royaux. Il les persuada de s'enfuir avec lui dans la région du fleuve Bleu. Ils brisèrent leurs chaînes, étranglèrent leurs gardiens et réussirent, grâce à leurs accointances avec les potentats locaux, à gagner les collines de T'ang où ils constituèrent une bande de brigands.

Bien qu'il eût dû bénir le préfet de Six qui, en le mutilant, lui ouvrait la voie de la fortune, Face Tatouée, non sans inconséquence, lui vouait une haine inexpiable. Avec ses compagnons, il monta une expédition punitive contre lui. Il incendia sa résidence officielle ; à la faveur de la confusion qui s'ensuivit, il égorgea le fonctionnaire, fit main basse sur ses trésors et s'empara de son cheval, une pouliche du Ferghana, cadeau des Khans au Grand Empereur du Ts'in que celui-ci avait offert au préfet en récompense de ses mérites.

LA LEVÉE DES MASSES

*Les masses sont vertueuses
et le Grand Homme connaît la fortune sans rencontrer de traverses.
Il franchit les défilés en se montrant ferme.
Par ce moyen il gouverne et se fait obéir.
Il obtient des augures favorables et ne connaît point d'embûches.*

On ne put cacher la mort du Premier Empereur. Il fallut un remplaçant. Ce devait être Fou Sou, ce fut Barbare, le cadet, en raison des intrigues de son précepteur, l'eunuque Tchao le Haut. La succession n'apporta aucun changement. Et il semblait que tout aurait pu — aurait dû — continuer comme avant. Le système ne transcendait-il pas les individus qui se succédaient à sa tête ? Toutefois, cette continuité, alors même que la disparition du Fondateur laissait planer un doute sur l'inéluctabilité de l'ordre qu'il avait créé, loin de raffermir le pouvoir n'avait fait que le miner par le contraste qu'elle dévoilait entre sa fragilité et l'acharnement de sa violence. Pour effacer le scandale de la défaite de l'Auguste Empereur devant la mort, il eût fallu peut-être un changement radical, ou tout au moins l'apparence d'un changement — celui auquel eût pu faire croire un Fou Sou, dont on attendait beaucoup. Il avait critiqué la sévérité de son père. Barbare fournissait l'affirmation hautaine de la permanence, mais elle n'était plus tolérée. Le décès de son créateur venait de montrer de façon éclatante qu'il était lui aussi soumis à la loi du devenir. Li Sseu le savait. Et lui, l'artisan de la terreur, se prenait à rêver d'adoucir les lois, de couvrir les supplices du voile trompeur de la morale.

Cependant, soit qu'il fût prisonnier de son rôle et de sa fonction, soit que sa langue se fût ankylosée à répéter les mêmes slogans depuis vingt ans, chaque fois qu'il se trouvait devant cette bouche veule et gourmande, arrondie en une moue maussade sous un regard blasé et distant, alors qu'il aurait voulu crier : « Mon maître, il faut refréner vos appétits, adoucir les lois et alléger les corvées », pour faire excuser son intrusion, pour garder ses entrées, pour ne pas être dépossédé de sa place par le Haut, sa langue, comme enchaînée, comme enchantée, reprenait la vieille, la sempiternelle antienne : « Alourdissez les lois, accentuez la répression, déportez, tuez, semez la terreur, empêchez-les de souffler, de respirer, et alors les supplices s'aboliront dans les supplices, alors régnera la Grande Paix ; on vous obéira sans que vous ayez à sévir et, ô maître, vous pourrez vous livrer à vos débauches, à votre paresse, à vos vices sans vous soucier de gouverner... »

La mort du Fondateur et l'avènement de Barbare se traduisirent par un renforcement de la législation répressive. On multiplia les grands travaux pour abêtir les têtes et fatiguer les bras. On voulut de nouvelles victimes : les corvées redoublèrent. Mais l'acharnement d'un pouvoir à persévérer dans ce qu'il avait cessé d'être exacerba les ressentiments de la populace. Et le moyen même qui devait permettre d'assurer l'ordre fut celui par lequel s'engouffra le désordre. Les levées en masse provoquèrent la levée des masses.

Dans la première année du règne du Second Empereur, au sixième mois, une circulaire portant la mention « urgent » fut distribuée aux trois commanderies limitrophes du territoire propre du Ts'in. Les gouverneurs firent la grimace : on leur demandait d'organiser de nouvelles corvées. Il fallait maintenir une main de fer, mais celle-ci de plus en plus alimentait les troubles. Ils soupirèrent, puis inscrivirent au dos des lattes : « A transmettre sans retard aux circonscriptions pour exécution immédiate. »

Au milieu du sixième mois, au dernier jour *kia-tseu* de la décade, fut placardé sur les portes des bâtiments officiels de la ville de Rive-Nord, une préfecture du Ho-nan, l'avis suivant : « Les familles habitant le côté gauche des portes de quartier sont requises de fournir leurs hommes valides pour le travail forcé. »

On avait déjà déporté les fonctionnaires coupables d'une faute, puis était venu le tour des oisifs : mendiants, désœuvrés et gendres entretenus ; ensuite cela avait été les marchands, puis on s'en était pris à leurs fils et enfin aux petits-fils de ceux qui avaient été inscrits sur les registres du commerce. Maintenant toute la population était visée — les bons citoyens, les producteurs primaires, ceux qui exerçaient une activité utile, fondamentale. Après le côté gauche, viendrait le côté droit et tous périraient dans les déserts du Nord-Ouest ou dans la touffeur de l'extrême Sud. On avait bien applaudi à la disparition des marchands : ils étaient riches et le malheur des autres, quand il est circonscrit à une catégorie, a quelque chose de réjouissant. Pourtant, le premier moment d'exultation passé, on avait dû déchanter : les biens ne circulaient plus et les villes étaient ternes. La paix apportée par la victoire du Ts'in avait créé un illusoire sentiment de prospérité, mais maintenant ils trimaient comme des bêtes, vivaient comme des esclaves et mouraient comme des mouches.

La proclamation suscita l'effervescence dans le chef-lieu. Il y eut des dénonciations — du côté droit — et des représailles — du côté gauche. Les exempts fouillaient les maisons, bousculaient les femmes qui s'interposaient, extirpaient les hommes de leurs caches. On exécuta ceux qui s'étaient mutilés.

Au jour *ki-tcheou*, on réunit la troupe. Elle fut placée sous la responsabilité de Tch'en Saute-le-Pas, un journalier qui s'était acquis une certaine réputation parce qu'il avait appris un peu à lire et affichait de l'ambition. Il fallut attendre le septième mois avant de trouver un jour favorable aux expéditions et aux marches des armées, selon l'almanach. La colonne se mit en branle, long ruban de malheureux, avançant d'un pas traînant entre les gardes-chiourme et les adjudants. On fit halte à proximité de Grand-Marais, dans la sous-préfecture de K'i où cantonnait déjà une autre colonne venue du Sud. Saute-le-Pas se lia avec son responsable, Wou le Vaste.

Saute-le-Pas regardait avec inquiétude les lourds nuages qui stagnaient dans le ciel bas.

Il pleuvait sans interruption depuis six jours ; les rivières, gonflées par les pluies diluviennes, avaient débordé et les routes étaient impraticables. Ils étaient bouclés à Grand-Marais. Ils auraient dû se mettre en route bien avant, afin d'éviter les pluies d'automne, mais en raison de la résistance de la population, l'organisation de la corvée avait pris beaucoup de retard. Puis c'était mal tombé, quand tout avait été prêt, il avait fallu attendre un jour propice : encore dix jours de perdus. Il était exclu qu'ils puissent arriver à temps à la colonie militaire. Saute-le-Pas alla trouver Vaste. Ils burent. Ils buvaient pour oublier. Mais le vin, déliant leur langue et faisant s'épancher leur cœur, les ramenait toujours à leurs soucis. Jamais ils ne seraient à la date fixée au poste qu'on leur avait assigné. Ils encouraient la peine capitale. Et même si, vu les circonstances, ils étaient épargnés, leur situation serait à peine plus enviable. Ils succomberaient aux privations ou mourraient sous les flèches barbares. S'enfuir ? D'un autre côté, la vie de bête traquée ne leur souriait guère.

— Révoltons-nous, s'emporta Saute-le-Pas, exalté par le vin. Nous disposons de neuf cents hommes. Ça forme une troupe considérable ! Les gens souffrent tellement qu'ils n'attendent qu'un signal pour se retourner contre le Ts'in !

— Faudrait pouvoir les entraîner. Nous n'avons aucune influence. Sans renom, sans prestige.

— Ils t'aiment bien. Tu les traites humainement.

— On ne vous obéit pas par amour mais par respect.

Ils balançaient. Ils décidèrent de s'en remettre aux sorts.

Le marché était désert sous la pluie. L'homme se tenait seul sur sa natte, son attirail de devin posé à côté de lui. Il portait une barbe blanche et la simplicité de sa mise rehaussait la noblesse de son maintien. Il sourit à leurs explications embarrassées, procéda à l'auscultation de ses doigts longs et agiles. Il tomba sur une figure mutante, qui renvoyait à la sixième ligne de l'hexagramme Isolement : « *L'Homme solitaire et isolé rencontre un cochon couvert de boue et un char plein de démons. D'abord il tend son arc, puis se ravise : ce ne sont pas des brigands mais des parents par alliance. Quand on part en voyage et qu'on rencontre une grande pluie, c'est très propice.* » Le devin ajouta :

— Ceux qui vous paraissent peu sûrs se révéleront des alliés et vos entreprises réussiront.

Ils étaient si émus qu'ils entendirent ce que leur disait le devin à travers un brouillard : il y avait la pluie qui favorisait les grandes entreprises. Le mot « démon » toutefois les tracassa.

Vaste suggéra de se déguiser en démons ; ils recruteraient des partisans et stimuleraient l'enthousiasme de la masse amorphe des conscrits, cochons couverts de boue que la pluie allait régénérer et transformer en fidèles compagnons.

Saute-le-Pas avança qu'il fallait secouer cette troupe par des prodiges. On lui avait raconté que juste avant l'avènement de la dynastie des Tcheou un poisson blanc avait jailli dans la barque du Fondateur, alors qu'il traversait un fleuve. Il lui avait ouvert le ventre et y avait trouvé un écrit rouge portant l'inscription : « Les Yin seront détruits, les Tcheou régneront de par la volonté du ciel. » Nous aussi, conclut-il, nous voulons lever une armée de justiciers pour abattre un tyran !

Sur une latte, ils inscrivirent d'une calligraphie appliquée : « Le Tch'ou triomphera, Tch'en Saute-le-Pas sera roi et Wou le Vaste l'assistera. » Ils n'avaient pas de cinabre ; ils se servirent de sang. Ils enfournèrent la fiche dans la gueule d'un gros poisson qui nageait dans le vivier. Lorsque le cuistot l'ouvrit et le vida, il trouva une fiche couverte de zébrures sanguinolentes. Il la jeta en pestant.

Vaste et Saute-le-Pas ne se découragèrent pas. Saute-le-Pas se souvint que lorsqu'un roi sage apparaît, les démons hurlent dans les ténèbres. Il y avait près du camp un temple abandonné qu'on disait hanté. Il leur parut propice à leurs desseins. Ils s'y rendirent en tapinois au cœur de la nuit, y agitèrent des lanternes, comme des feux follets, et poussèrent des glapissements de renard : « Wouh, Wouh... le Ts'in s'éteindra, Tch'en régnera et Wou sera vice-roi... »

Ces hurlements glacèrent d'effroi les conscrits, ils y virent un signe de mauvais augure. Le lendemain, on jeta aux deux compères des regards en biais.

Les deux adjudants du Ts'in s'ennuyaient ferme. Ils trinquèrent nuit et jour pour tromper leur tristesse. Un jour, l'un d'eux invita Saute-le-Pas à lui tenir compagnie. Ils burent d'abord avec le sentiment d'une fraternité, la fraternité des hommes face aux éléments et au destin. Mais les libations répétées firent déborder chez Tch'en la coupe de l'amertume. S'ils étaient frères face au ciel, ils étaient ennemis face aux hommes. Saute-le-Pas exhala sa rancœur. Il nargua l'autre en lui jetant à la figure ses projets de révolte. L'adjudant, furieux, saisit son fouet. Saute-le-Pas bondit sur lui, arracha son épée et la lui passa au travers du corps. Le collègue du soldat était accouru. Vaste le ceintura tandis que son compagnon lui tranchait la gorge.

Les deux hommes, brandissant les deux têtes, haranguèrent la foule des forçats : « Vous avez tous pâti de l'oppression du Ts'in, il est temps de renverser le tyran. D'ailleurs, à supposer même qu'on vous épargne, si vous allez dans le Nord, combien de vous peuvent espérer revenir au pays ? Trois sur dix ? Deux sur dix ? Même pas ! Quitte à mourir, mieux vaut mourir en brave qu'en lâche, être un spectre grassement nourri et honoré jusqu'à la fin des générations, un esprit qui dispense bonheur et richesses à ses enfants et petits-enfants, et non un démon famélique, privé de sépulture et d'offrandes ! »

Comme si elle avait attendu ce moment depuis toujours, la troupe poussa un hurlement de triomphe, se rua sur les quelques gardes et les massacra. Et la horde galvanisée marcha sur le chef-lieu, l'investit ; renforcée de nouveaux partisans, elle fondit sur K'i, l'emporta au premier assaut.

Cette masse qui ne cessait de se grossir du flot de tous ceux qu'elle rencontrait sur sa route déferla sur la capitale de la commanderie, Tch'en. Le gouverneur et le préfet venaient d'être rappelés à Double-Lumière et mis en prison sous le coup d'une inculpation de concussion. La défense en était désorganisée. Le bruit courait à travers la ville que les spectres d'Hirondelle et de Fou Sou avaient fait alliance et qu'ils marchaient sur la cité pour la délivrer du joug des fonctionnaires de Barbare. Leurs troupes, composées de tous les guerriers morts au combat, étaient invincibles. La population se souleva. La garnison, mal encadrée, se débanda, laissant le sous-préfet intérimaire seul devant les portes. Il s'écroula, le corps lardé de mille coups de lance. Saute-le-Pas fit une entrée triomphale dans la place. On réunit en conseil le collège des anciens, des notables et des jeunes gens batailleurs pour décider des mesures à prendre.

Les vieillards avisés, les hommes respectables et les chefs de lignées proclamèrent le résultat de leurs délibérations : « Ô noble généralissime Tch'en, recouvert de la forte cuirasse et brandissant la fière hallebarde, vous avez châtié les cruels administrateurs qui s'étaient arrogé le droit de nous rançonner et de nous opprimer à merci. Et cette sainte mission accomplie, vous vous apprêtez à marcher contre le monstre sanguinaire de l'Ouest, afin de restaurer les autels du glorieux pays de Tch'ou. Un tel mérite doit être couronné par une appellation qui en soit digne. C'est pourquoi la population reconnaissante vous décerne le titre de roi. »

Saute-le-Pas se sacra sur-le-champ roi de Tch'ou et nomma Vaste vice-roi. Tous ses compagnons se lancèrent avec des troupes aux quatre coins de l'Empire pour libérer des provinces et conquérir des royaumes.

Le gouverneur de Wou, après une longue méditation solitaire dans la haute salle à solives peintes de sa résidence administrative, appela un de ses subordonnés pour qu'il lui convoquât Poutre, qu'on disait très écouté de la jeunesse et des hobereaux ; il était lié avec un certain Houan Tch'ou qui avait sous ses ordres une troupe de huit cents hors-la-loi.

Lorsque Poutre se présenta, le magistrat lui confia ses projets : tout l'est du Fleuve s'était révolté et le Ts'in avait perdu le contrôle de la région. Il fallait savoir devancer les événements pour ne pas en être le jouet. Il avait longuement retourné la question dans sa tête avant d'arrêter sa décision, ferme et inébranlable. Il voulait lever une armée contre le Ts'in et lui en confier le commandement.

— Ce n'est pas à moi qu'il faut vous adresser mais à Houan Tch'ou, fit son interlocuteur.

Houan Tch'ou n'était en réalité que l'homme lige des Hsiang, par l'intermédiaire duquel ils commandaient à la bande des coupe-jarrets tout en gardant des apparences de respectabilité. Ils tuaient, rançonnaient et pillaient à plusieurs centaines de lieues à la ronde, et se proclamaient justiciers, redresseurs de torts, amis des preux, protecteurs de la veuve et de l'orphelin.

— Comment le joindre ?

— Vous devez savoir qu'il a disparu dans les marais et personne ne sait ce qu'il est devenu, répondit Poutre, méfiant.

— Il a bien des intelligences dans la ville ? Jouons franc jeu. Je ne cherche pas à vous tromper. Nous avons tous deux intérêt à cette alliance.

— Peut-être mon neveu Plumet en a-t-il quelque idée..., se laissa arracher Poutre.

— Dites-lui que j'aimerais le voir.

Poutre rentra chez lui et exposa la situation à son neveu. Ils se rendirent ensemble à la résidence du gouverneur. Poutre entra et Plumet l'attendit devant la porte.

— Vous vouliez que je vous présente mon neveu pour qu'il vous conduise à Houan ; mais quelle assurance pouvez-vous lui fournir ? s'inquiéta l'oncle une fois en présence du magistrat.

— Que voulez-vous insinuer ?

— Qui nous dit que ce n'est pas un piège ?

— Qu'est-ce qui pourrait vous rassurer ?

— Faites sortir vos gardes.

Le préfet acquiesça. Poutre alla à la porte, y glissa la tête, cria à Plumet :

— Allez, grouille, ça y est, tu peux entrer !

Plumet s'avança de son pas rapide et feutré de jeune fauve et, d'un geste preste, tira son épée et trancha la gorge du préfet. Poutre se baissa sur le corps effondré, arracha les sceaux qu'il portait à la ceinture et acheva de détacher la tête du tronc. Des gardes étaient accourus ; Plumet profita du mouvement d'hésitation que provoqua dans leurs rangs la vue de la tête sanguinolente brandie par son oncle pour se livrer à un carnage. Les survivants, épouvantés, déposèrent leurs armes et demandèrent grâce. Les deux preux, sans perdre un instant, rassemblèrent les fonctionnaires, les notables et les anciens et leur enjoignirent de participer à la révolte. Ils avaient les mains, la face et les vêtements éclaboussés de sang et roulaient des yeux terribles, tout en brandissant les insignes de commandement. Personne n'osa les contredire. On rédigea des proclamations qui furent placardées partout dans la commanderie. Sept mille jeunes gens se portèrent volontaires pour combattre sous la bannière des Hsiang, qui disposèrent ainsi, avec leur ancienne bande, d'une armée de huit mille hommes. On distribua des grades et des insignes, on établit une discipline militaire. Poutre se nomma gouverneur et Plumet prit le titre de général en chef adjoint.

Le préfet de P'ei était assis sur une natte dans la grande salle du palais administratif du département. Vénéneux lotus dans sa longue robe blanche brochée de fleurs et d'animaux aquatiques évasée en corolle autour de lui, la bouche tordue en un pli amer, il ruminait des plans. Partout des collègues étaient massacrés, les villes se révoltaient, des hordes battaient la campagne. Il ne pouvait pas attendre les bras croisés que ces gueux l'égorgeassent...

Il fit un geste et demanda au greffier de lui chercher le

directeur des Affaires criminelles, Ts'ao l'Examinateur, et l'inspecteur des fonctionnaires, Siao Portefaix. Il les savait en rapport avec les bretteurs et les potentats. Quand ceux-ci se furent présentés devant lui, il leur fit part de sa résolution d'entrer en lutte contre le Ts'in. Il fomenterait une révolte, en prendrait la tête, s'emparerait de la province, se donnerait le titre de prince et établirait un fief indépendant.

— Croyez-vous pouvoir gagner la confiance de la population alors que vous avez servi le Ts'in avec le plus grand zèle? Les gens se méfieront, s'étonnèrent ses subordonnés.

— C'est pourquoi je vous ai convoqués.

— Qu'attendez-vous de nous?

— Il me faut m'assurer du concours d'hommes qui jouissent de la sympathie du peuple et qui sauront me faire accepter. Lieou est assez populaire chez les jeunes vauriens. Il dirige une bande armée d'une centaine d'hommes qui opère entre T'ang et Mang. Si j'obtenais son appui, je pourrais parvenir à mes fins. Je sais que vous étiez très amis lorsqu'il occupait le poste de chef de police. Je suis sûr que vous pouvez me mettre en contact avec lui.

— Nous avons coupé toute relation depuis sa fuite.

— Allons donc, vous fréquentez assidûment Cordon qui lui sert de courrier et d'agent de liaison. Vous voyez, je suis bien renseigné; n'essayez pas de jouer au plus fin avec moi.

— De simples relations de travail. Nous ne savons rien de ses affaires...

— Des relations de travail avec un sous-magasinier des archives comptables? De toute façon, vous êtes liés avec Cordon, vous avez été les supérieurs de Taillefer, arrangez-vous pour le joindre!

— Nous allons faire notre possible, mais nous ne pouvons rien vous promettre.

Une fois dehors, les deux fonctionnaires se regardèrent d'un air perplexe.

— Que t'en semble? demanda Ts'ao l'Examinateur à

Portefaix. Cela ressemble fort à un guet-apens. On ne va pas chercher la protection d'un tigre quand on est assis sur un quartier de viande fraîche.

— S'il appelle Taillefer à la rescousse, il y a toutes les chances pour que celui-ci lui prenne sa place au lieu de lui tirer les marrons du feu !

— Et notre préfet, qui est loin d'être un imbécile, le sait pertinemment.

— Mais c'est un couard ; je le vois mal braver la colère de la populace.

— De toute façon, s'il tend un piège, c'est qu'il nous soupçonne. Même si nous ne lui ramenons pas son homme, il cherchera à nous éliminer. Le mieux est de faire comme s'il était de bonne foi tout en restant vigilants.

Ils se rendirent au domicile de Cordon.

— Tu connais bien Taillefer ?

— Quelle question !

— Alors tu sais où le trouver ?

Les yeux de Cordon s'étrécirent de méfiance :

— Qui vous envoie ?

— Le préfet.

Il eut un geste de recul ; les deux fonctionnaires s'empressèrent d'ajouter :

— Il prétend qu'il veut s'allier avec les bandes de brigands pour se révolter.

— Et si c'était un piège ? Quelle garantie avons-nous ?

— Aucune, sinon qu'il a la trouille.

— Elle n'est pas une bonne conseillère.

— Mais qui ne risque rien n'a rien. Il faut entrer dans la tanière du tigre pour prendre ses petits.

— Espérons que nous ne nous précipitons pas tête baissée dans la gueule du loup, soupira Cordon.

Il alla trouver son ami. Celui-ci planta son camp devant les portes de la ville de P'ei et se rendit avec les deux magistrats à la résidence du préfet. Les sentinelles refermèrent les portes de la ville sur eux et, quand ils entrèrent dans le palais, des gardes armés les entourèrent. Portefaix avait pris la précaution de s'assurer de l'appui du secrétaire de greffe et des deux prévôts de justice. Les trois fonctionnaires assaillirent les gardes. Stupéfaits de voir leurs supérieurs prendre parti pour les prisonniers, ceux-ci refluèrent en désordre. Les six compagnons, sans rencontrer de résistance, parvinrent jusqu'au préfet et lui coupèrent la tête. Taillefer courut l'agiter devant la population, l'exhortant à la révolte.

La foule hésitait. Les anciens et les notables baissaient la tête et se jetaient des regards en dessous. Même les jeunes gens batailleurs, qui s'étaient massés derrière, se balançaient d'un pied sur l'autre, d'un air gauche et indécis. La ville de P'ei, siège préfectoral, disposait d'une assez forte garnison, alors que sa population n'était pas très nombreuse ; on n'était pas certain de la façon dont l'affaire tournerait. Et puis le Ts'in était puissant ; Taillefer ne disposait que de quelques centaines d'hommes, et on ne savait pas grand-chose de la révolte de Saute-le-Pas.

Taillefer s'était tu et lançait des coups d'œil inquiets à cette masse de visages fermés ondoyant au gré des supputations sur son meilleur profit. Tout était perdu, la garnison n'allait pas tarder à intervenir. Brusquement, les derniers rangs s'agitèrent. Il y eut des cris. Des gens accoururent, hors d'haleine. Ce fut bientôt une immense clameur. Les rebelles attaquaient la ville.

— Vous voyez, s'écria Taillefer, reprenant la parole pour les exciter une nouvelle fois à la révolte, partout des hommes courageux et intrépides marchent contre l'oppresseur. Ils vous extermineront si vous ne vous rangez pas de leur côté !

La foule avait pris sa résolution : elle massacra les soldats et les officiers du Ts'in, ouvrit les portes et reçut en grande pompe les insurgés auxquels s'était joint la bande de Taillefer. Ce n'était pas un détachement de Saute-le-Pas, mais une colonne menée par Barrière des Dents, depuis la ville voisine de Fong. Le jeune homme, à la tête des émigrés du Wei, n'avait eu aucun mal à s'assurer du contrôle de cette cité populeuse et mal défendue, et à lever des troupes pour investir le chef-lieu.

76

Une fois maîtres de la place, il restait aux mutins à se choisir un chef, en remplacement du préfet.

Nul parmi les fonctionnaires ne voulait porter la responsabilité des événements. Des voix lâchèrent le nom de Taillefer. D'autres répondirent par celui de Barrière des Dents. Il y avait deux partis. Portefaix et Examinateur, redoutant que tout cela ne s'achève dans un bain de sang, proposèrent qu'on s'en remît à la divination.

L'auscultation désigna la cinquième ligne de l'hexagramme la Fosse, mutant en Levée des Masses, dont la formule oraculaire était : « *Dans le champ il y a du gibier, il est avantageux de le capturer. Pas de faute. Que le plus ancien dirige l'armée, le plus jeune transporte un tombereau de cadavres. L'obstination est source d'infortune.* » Le verdict était sans appel. Barrière des Dents dut s'y soumettre.

Un ancien rappela que des prodiges avaient entouré la naissance de Taillefer ; quelqu'un mentionna l'extraordinaire histoire du Serpent Blanc. On rassembla une troupe de trois mille jeunes gens très enthousiastes qui, sous les ordres de leur nouveau chef, entrèrent en campagne pour se tailler une base territoriale. Ils s'emparèrent de quelques bourgs. Ts'ao l'Examinateur, aidé de Siao Portefaix, assura la défense de P'ei et Barrière des Dents, nommé adjoint du préfet, s'en retourna à Fong.

L'ENTRAIDE

Belle et propice,
l'entraide qui procure un bonheur durable !

Fong Expulsion, dans sa robe de cour cramoisie, la tête inclinée afin de ne pas porter son regard sur l'auguste visage, adressait sa remontrance au trône, d'un ton ferme, demandant de surseoir aux dépenses somptuaires et d'alléger les corvées ; il était à redouter que des réquisitions trop lourdes n'excitassent un peuple qui manifestait déjà des signes d'insubordination ; on faisait état, à l'est de l'Empire, de mouvements de mécontentement, certes de peu d'ampleur et vite réprimés, mais à persévérer dans cette voie, on risquait d'attiser la sédition.

Barbare eut un froncement de sourcils et décréta d'une voix tremblante :

— Ma dignité équivaut, dit-on, à dix mille chars. Les ai-je ? Même pas ! Voici pourquoi je vais me faire construire un cortège de dix mille équipages afin que la réalité corresponde aux dénominations ! Mon père s'est élevé au-dessus de la foule des seigneurs et a imposé sa loi à l'Empire. Il a repoussé les Huns loin des frontières, assurant la paix sur toute la surface de la terre. Il a construit des villes et des murailles afin de manifester sa gloire à la face du monde. Son œuvre sera poursuivie. Non seulement j'agrandirai le palais A'fang, continuerai l'embellissement des tombeaux, mais encore, pour montrer que le règne de l'eau domine et resplendit toujours plus, je vais commander, dès aujourd'hui, qu'on laque les remparts de la ville en noir !

— Ah ah, grinça une voix à ses côtés, voici longtemps, prince, que je voulais vous le proposer ! Certes, cela sera une corvée terrible pour le peuple, mais quel avantage, quel travail utile, vous les rendrez si lisses qu'aucun rebelle ne pourra les escalader ! En outre vous feriez preuve d'une grande sollicitude pour les sujets qui voudraient vous approcher, car il est tout de même plus agréable de devenir laqueur que de se faire châtrer !

L'Empereur blêmit de fureur et fit signe à l'un de ses officiers de traîner dehors l'insolent et de l'exécuter. Les courtisans intercédèrent en faveur du malheureux bossu : son auguste père avait toujours pardonné ses impertinences au bouffon car il le tenait pour un sage ; il n'était pas bon qu'un monarque tuât ses fous. En dépit de leurs objurgations, le Second Empereur demeura intraitable.

Le garde poussa le coupable par une porte dérobée, quitta la Cité Interdite et le conduisit chez lui. Il extirpa d'un coffre des vêtements d'enfant et les lui tendit :

— Vous vous feriez remarquer avec votre tunique rouge et vos pantalons noirs de bouffon ; prenez ces habits en vous dissimulant le visage, vous pourrez passer pour un jeune garçon. Maintenant, allez trouver Kiu de ma part dans le quartier ouest, c'est un brave. Nous avons étudié l'escrime sous le même maître, il vous cachera ou vous trouvera un endroit sûr.

— Pourquoi faites-vous cela ? Vous risquez votre vie pour un infirme.

— Vous souvenez-vous de cette fois où j'étais de faction avec trois autres camarades en bas des degrés. C'était sous le Premier Empereur ; il s'est mis à pleuvoir des cordes, j'étais transi, vous vous êtes écrié à la cantonade : « Aimeriez-vous vous reposer ? » Et lorsqu'on but à la santé de l'Empereur, vous nous avez hélés en grimpant sur la balustrade : « A quoi cela vous sert d'être de grands gaillards sinon à vous faire saucer, tandis que moi, ma bosse me vaut d'être confortablement assis à la table du Fils du Ciel ! N'est-ce pas la parfaite illustration de ce que Maître Tchouang appelle l'utilité de l'inutile ? » L'Empereur s'est empressé de faire relever la Garde. Vous avez montré en cette occasion que vous étiez un homme de bien. Et puis, c'est une manière de vous montrer que l'utilité peut parfois être utile.

Tandis qu'à la cour petits et grands se prêtaient l'assistance qui s'établit lorsqu'un despote redouté commence à être méprisé — ce qu'évoque la cinquième ligne du huitième hexagramme : « *Le roi l'a enserré de trois côtés mais le gibier lui a échappé car les gens du bourg ne l'ont pas rabattu* » —, de grands élans d'entraide secouaient l'État moribond, fermentation tumultueuse agitant une gigantesque charogne.

Les chefs de bandes, les chevaliers errants et les généraux ne se secouraient pas comme gibier cherchant à se soustraire aux rapaces, non, ils évoquaient plutôt des loups qui s'associent en hordes pour chasser sur les terres du tigre.

La levée des masses avait jeté sur les routes humides et grises du Tch'ou des myriades d'hommes. Ils avaient abandonné leurs hameaux bordés de marais aux eaux pâles pour se placer sous la bannière d'un potentat qui, attiré par le renom des preux et des bretteurs du Grand Fleuve, telles des phalènes happées par des feux brillant dans la nuit, s'enrôlait dans les rangs de quelque généralissime Face Tatouée, commandant P'eng Yue, chef d'armée Lo Pou ; ceux-ci se joignaient à un seigneur plus prestigieux ou plus puissant, les Poutre, les Saute-le-Pas, etc. Les temps étaient à l'alliance, forme dévoyée et aristocratique de l'entraide, parce qu'elle débouche nécessairement sur la trahison.

L'habitude invétérée de ployer la nuque sous une autorité poussait les généraux révoltés à s'inféoder, avec un instinct très sûr de la hiérarchie, au chef dont le nombre de partisans en faisait son supérieur immédiat, mais la nostalgie des anciens fiefs, d'où émanait cette force centrifuge, les conduisait, par un mouvement contraire, à se détacher des maîtres auxquels ils avaient fait ralliement, sitôt que le concours qu'ils leur avaient apporté s'était concrétisé dans la conquête d'un territoire.

Toutes les campagnes menées par les lieutenants de Saute-le-Pas avaient abouti à la reconstitution des fiefs. Soit que les descendants des anciens seigneurs aient mis à profit l'arrivée des troupes insurrectionnelles pour secouer le joug des fonctionnaires du Ts'in et s'installer sur le trône après avoir éliminé les chefs rebelles devenus encombrants, soit que les généraux des révoltés eux-mêmes décidassent de se proclamer rois des terres qu'ils avaient libérées, avant de se voir confisquer une partie de leurs conquêtes par un de leurs lieutenants : ils recevaient le salaire de leur propre traîtrise.

La disparition de la loi du Ts'in, dégrevant le futur de la contrainte du nécessaire, avait ainsi ouvert les vastes pâturages de l'imprévisible aux appétits des prédateurs de toute espèce, mais cette liberté, née de la rupture éphémère d'une maille de la chaîne du temps, qui donnait carrière à tous les possibles et partant à toutes les convoitises, s'éprouvait aussi dans des mouvements spontanés de solidarité qui n'étaient que l'exercice de cette liberté même.

La première ligne de l'hexagramme Entraide en est l'image, elle qui associe solidarité et confiance : « *Là où il y a confiance apporte ton aide, tu n'auras pas à t'en repentir ; là où il y a confiance, emplis la gamelle, cela apportera des surprises qui seront bénéfiques.* »

La manifestation d'entraide dont fut le bénéficiaire un preux des bords de la Houai illustre à son tour parfaitement la sentence divinatoire : ne portait-il pas le nom prédestiné de Confiance ? Prédestiné, le nom ne l'était pas seulement par l'élan de solidarité (fondé sur la confiance) qu'inspira son possesseur, mais aussi par la foi que celui-ci nourrissait dans ses capacités et dans son destin alors qu'il se signalait avant tout par une extrême pauvreté, une grande paresse et l'absence de tout sens du commerce.

Sa conviction en son talent devait être communicative, tout au moins dans les premiers temps, car en attendant d'être porté par les puissantes ailes du moment historique sur les sommets de la gloire, il se faisait entretenir et menait une existence de parasite.

Lorsque éclata la révolte de l'est des passes, il vivait depuis plusieurs mois aux crochets du chef de police d'arrondissement de Basse-Campagne, le dernier notable qui consentît encore à lui accorder des subsides. La femme du fonctionnaire, excédée par des exigences continuelles de l'écornifleur, de sa désinvolture (il s'invitait tous les jours à déjeuner comme à souper) et de la voracité avec laquelle il se jetait sur les plats, s'était mise à l'exécrer ; la patience du chef de police, mise à rude épreuve par le sans-gêne du pique-assiette et les scènes de ménage, commençait à fléchir. Aussi le mari ne protesta-t-il que du bout des lèvres, lorsqu'un beau jour sa femme décréta qu'elle prendrait son petit déjeuner au lit et en déshabillé, et le pria de lui tenir compagnie.

Confiance arriva à point nommé pour partager la bouillie de riz et son assortiment de légumes confits, les œufs salés, le poisson séché, les petits feuilletés de mouton et les ravioles farcies. Il se retrouva assis tout seul dans la salle, devant des restes de la veille ; de la chambre à coucher, où madame et monsieur s'étaient fait servir, lui parvenaient les éclats de voix d'une dispute à son propos. C'était plus que n'en pouvait supporter sa susceptibilité ; après avoir proprement vidé son écuelle de bouillie, il partit sans saluer ses hôtes et se promit de ne jamais remettre les pieds chez ces goujats dont l'aide était dispensée avec tant de mauvaise grâce.

Il se trouvait dans une passe difficile. Il avait tellement sollicité la bourse de ses amis et connaissances pour offrir des funérailles somptueuses à sa mère et lui ériger un tombeau digne d'une reine qu'il ne pouvait plus rien demander à personne sans s'exposer à un refus ; il souffrit de la faim et n'eut bientôt plus d'autre ressource que de pêcher depuis les murailles qui surplombaient la rivière.

On était à l'époque des grands nettoyages d'automne ; des dizaines de femmes battaient le linge sur les rives ; l'une d'elles, qui s'activait juste au-dessous de lui, admira sa prestance et lui trouva une physionomie remarquable ; à son geste de détresse quand il retira sa ligne vide, elle devina qu'il avait faim, elle le prit en pitié, le héla et lui donna des galettes de mil et du poisson salé.

La femme avait beaucoup de linge à laver. Chaque jour pendant trois semaines elle vint à la même place et partagea avec lui sa nourriture. C'était tantôt des boulettes de riz farcies à la viande, tantôt des pâtes frites, tantôt des pains fourrés de purée de haricots rouges, ou de la bouillie de millet. Confiance lui en était très reconnaissant ; le dernier jour de lessive, il lui dit, d'un ton vibrant :

— Vous avez été vraiment bonne pour moi, mais quand je serai riche et puissant je saurai vous remercier !

Elle se fâcha tout rouge, mit les poings sur les hanches et s'écria :

— Pour le moment t'es même pas capable de subvenir à tes besoins ; si je t'ai donné à manger, c'est parce que ça m'a fait mal au cœur de voir quelqu'un comme toi qui a l'air d'un roi défaillir de faim, pas parce que j'espérais une récompense ! Pour te tromper tellement sur mon compte, il faut que je me sois trompée sur le tien !

Confiance se confondit en excuses : il n'avait pas voulu la blesser en mettant en doute le caractère désintéressé de son aide, il avait simplement voulu manifester qu'elle ne s'adressait pas à quelqu'un qui en était indigne.

Avant de prendre congé, elle lui remit des pièces de soie qu'elle avait filées et deux bracelets de jade afin qu'il soit encore quelque temps à l'abri du besoin.

Tout en bas de l'échelle, la confusion créée par le soulèvement des masses avait provoqué une solidarité que n'entachait nulle spéculation sur l'avenir. Elle était le fait d'hommes si déshérités qu'aucune idée d'élévation, aucune velléité d'ambition et de grandeur ne pouvait traverser leurs cervelles obtuses. Eux seuls, que ne travaillait aucun espoir, étaient restés sur le littoral de l'Est, sur les landes marécageuses de la Houai, les jeunes gens les plus entreprenants, les potentats, les hobereaux, les meneurs d'hommes et autres individualités remarquables étant partis tenter fortune à la cour de Saute-le-Pas ou dans l'expédition de l'Ouest. Et comme les fonctionnaires et les magistrats du Ts'in avaient été massacrés, que les notables s'en étaient allés, ils se trouvèrent livrés à eux-mêmes, eux dont l'échine avait toujours supporté le poids accumulé de toute la hiérarchie.

Tout d'abord ils ne firent que regarder béatement le soleil monter puis descendre derrière l'horizon, et, à la tombée du soir, ils restaient indéfiniment à contempler les étoiles qui s'allumaient en mille lampions de fête dans l'immensité sombre, contents d'être là, enracinés dans le sol, comme les maigres récoltes qui mûrissaient lentement dans la fuite des jours et des nuits. Eux pour qui tout déplacement, tout voyage, tout changement de paysage était le signe d'un malheur : corvée, déportation, relégation, ils ne songeaient qu'à se recroqueviller sur leurs hameaux, à se fondre avec leurs voisins en une masse compacte, chaleureuse et amorphe, dont tous les membres partageaient les mêmes peines et les mêmes travaux.

Dans les journées d'automne, les vieillards, accroupis sur le pas de leurs portes, se serraient les uns contre les autres tandis que la lumière ensanglantée du jour finissant pénétrait d'une douce chaleur leurs os qui craquaient avec le bruit joyeux d'un feu de bambous, et ils exhalaient l'un pour l'autre un souffle brûlant qui n'était pas le seul fait du soleil, mais aussi celui du rayonnement de leur âme. Les plus jeunes coupaient dans les champs les longues tiges du millet avec leurs faucilles de pierre polie ou de noir métal. Ils sentaient eux aussi le chaud brasier de l'entraide fondre leurs cœurs en une seule et même boule de feu, dans l'embrasement de l'été finissant.

Il leur arrivait, dans le calme du soir, d'entendre les aboiements des chiens et les caquètements des poules du hameau voisin ou de voir s'élever derrière un bosquet de bambous les fumées des villages alentour, mais ils n'éprouvaient aucune curiosité, aucun désir de connaître, de rencontrer leurs habitants, tant ils s'étaient amalgamés en un groupe exclusif et solidaire.

A ce temps de repli succéda un mouvement d'ouverture. On se lassa de la contemplation partagée du vide dans la communion douloureuse et brûlante du vide des têtes et des ventres. On eut l'impression d'un manque, on se sentit comme un tronçon amputé que la vie fuyait, parce qu'il n'était plus irrigué par le flux de la solidarité du tout. On se rendit visite entre villages ; on échangea des services et des produits pour manifester sa fraternité sur le mode terre à terre et banal de l'entraide matérielle ; il n'y avait plus à produire pour les notables ou pour l'administration ; on avait beaucoup de temps de reste ; on se mit à réfléchir ; on s'associa pour méditer. Ce n'étaient pas des pensées à proprement parler, mais une sorte de palpitation, une vibration, comme le souffle que laisse sur la main malhabile d'un enfant le battement d'aile d'un papillon qui s'enfuit.

PETITES ACCUMULATIONS

Propices, les petites accumulations ! nuages serrés sans pluie
qui viennent de nos contrées occidentales.

Les grandes victoires insurrectionnelles sont faites d'une somme de petits gains. Ce n'était ni la mobilité de leurs troupes ni la capacité de manœuvre de leurs officiers qui étaient cause des succès remportés par les rebelles, mais plutôt ceux-ci n'étaient que la marque en creux, le signe inversé, dans sa manifestation positive, de la décomposition du pouvoir. Car l'addition des victoires de Saute-le-Pas, aboutissant à l'accumulation de nouveaux partisans, fut aussi grandement favorisée par les erreurs répétées du Ts'in que paralysaient le despotisme du régime et la sottise de Barbare. Si son père pouvait prétendre au titre prestigieux d'Obscur parce que nul ne pouvait le percer à jour, le fils y avait aussi quelque droit, non qu'il fût invisible, mais aveugle. L'eunuque Tchao le Haut l'avait si bien soustrait à l'influence du dehors, l'enfermant dans le double anneau de l'absolutisme et de la Cité Interdite, qu'il ne pouvait plus rien connaître de la réalité extérieure. Aveugle et sourd, le prince ne voyait, n'entendait, ne pensait plus qu'à travers les yeux, les oreilles, la cervelle de son eunuque.

Il lui avait dit : « Ce qui fait la grandeur d'un prince, c'est qu'il est inaccessible, c'est pourquoi on l'appelle *tchen*, l'obscur. Vous êtes bien jeune encore, votre inexpérience peut vous faire commettre des bévues, vous risquez d'être pris en flagrant délit d'ignorance, non seulement vous prêterez le flanc à la raillerie, mais en révélant que vous n'êtes pas infaillible, vous encouragerez vos sujets à négliger leurs tâches. Est-ce ainsi que gouverne un souverain éclairé ? Restez donc claquemuré dans vos appartements et laissez les eunuques qui sont plus au fait des affaires s'occuper du gouvernement sous ma direction. De cette façon vous serez craint et personne ne vous importunera avec des remontrances, des suppliques et autres sottises, et vous pourrez vous consacrez entièrement à vos plaisirs. »

C'est ainsi qu'il cherchait à le tenir en dehors de la vie publique, à le manœuvrer et à s'emparer des rênes du pouvoir.

Parfois la réalité tentait bien de pénétrer dans les murs du palais intérieur, sous forme d'un inspecteur ou d'un chargé d'enquête à l'est des passes, particulièrement énergique ou naïf, qui, forçant la porte princière, le mettait au courant de ce qui se passait : les brigands formaient de véritables armées, les garnisons du Ts'in n'étaient plus maîtresses de la situation, partout on égorgeait gouverneurs et préfets. Mais l'eunuque avait tôt fait de la mettre dehors : on convoquait une commission d'enquête qui établissait que les faits étaient démesurément grossis : des brigands avaient pillé une ville ; l'intervention énergique du chef de police et du directeur des Affaires criminelles avait rétabli l'ordre et les séditieux déférés devant la justice venaient de subir un châtiment exemplaire. Le fonctionnaire trop zélé se voyait inculpé de divulgation de fausses nouvelles et condamné à la peine capitale tandis que tous ses parents jusqu'au troisième degré étaient exterminés.

Aucune véritable armée ne lui étant opposée, le corps expéditionnaire mené par un général de Saute-le-Pas, Tcheou le Signe, emportait ville après ville et accumulait victoire sur victoire ; il s'avançait vers l'ouest, toujours plus vers l'ouest, franchissait les passes du Ts'in à Han-kou, bousculant la faible garnison, dont les autorités n'avaient même pas pris la peine de renforcer les effectifs, puisque la cour avait décidé que la rébellion n'existait pas. Cependant, comme les rebelles étaient maintenant sur le territoire propre du Ts'in, et que la vie de l'Etat tout entier était en péril, les rapports affluaient, de plus en plus alarmistes, de sorte que la rumeur persistante des succès des rebelles finit par s'insinuer à travers les murs de la Cité Interdite, et franchit le rempart que le rejeton dynastique avait dressé contre le réel. Le souverain eut comme de vagues inquiétudes.

Tchao le Haut savait qu'il ne pouvait plus laisser l'Empereur dans l'ignorance sans mettre l'État en danger et exposer sa propre vie. Restait à faire retomber sur le ministre le mécontentement que provoquerait chez Barbare le rappel à la réalité ; il fallait trouver le moyen d'obliger le monarque à prendre les mesures nécessaires à la survie du Ts'in tout en précipitant la chute de Li Sseu. Il feignit de s'inquiéter devant son collègue de l'aveuglement du souverain et lui ménagea une entrevue. Naturellement, le moment fut mal choisi : l'Empereur, pour une fois, s'amusait, il goûtait le plaisir de la nouveauté, dans les chants et les danses d'une troupe de musiciennes envoyée par les protectorats du Sud. Il parvint malgré tout à arracher au monarque la convocation d'un conseil pour le jour suivant.

Le lendemain, les Lettrés au Vaste Savoir, les Doctes, les ministres et les dignitaires prirent place dans l'austère salle des délibérations qu'éclairaient faiblement les premières lueurs de l'aube, double haie de dos courbés sous le vent de l'autorité impériale qui soufflait du haut de l'estrade de jade surmontée du baldaquin de lourde soie noire blasonnée des effigies de dragons volants à zébrures de tonnerres. Et quand le Fils du Ciel, abaissant ses yeux las sur son ministre, eut accédé à sa requête, tous les Lettrés au Vaste Savoir s'avancèrent et d'une seule et même voix déclarèrent :

— O Majesté, aucun sujet n'a le droit de désobéir à son prince, or les brigands de l'est des passes, non contents de rejeter l'autorité de leur maître, ont brandi l'étendard de la révolte et, constituant des armées, tuent et massacrent leurs préfets et leurs gouverneurs ! Voici qui exige un châtiment exemplaire et une répression implacable ! Aussi, nous, vos sujets, nous demandons que des troupes soient levées sans plus attendre afin d'anéantir la sédition et d'écraser les rebelles.

L'Empereur, fort mécontent, agitait ses manches et restait silencieux, mais alors que Li Sseu s'apprêtait à s'avancer et à prendre la parole pour appuyer la suggestion des Lettrés au Vaste Savoir, un Docteur sortit des rangs et lança d'une voix forte :

— Ce ne sont là que mensonges ! Tout l'Empire est uni comme une seule famille et connaît la Grande Paix. N'a-t-on pas d'ailleurs abattu toutes les murailles des fiefs et des places fortes, toutes les armes n'ont-elles pas été fondues et transformées en cloches par feu l'Auguste Premier Empereur, afin de signifier au monde que la guerre était devenue inutile ! Lorsqu'un prince éclairé se trouve sur le trône, les lois sont appliquées dans leur perfection et leur sévérité, chacun est à la place que lui valent ses capacités et reçoit un salaire en proportion de ses efforts. Des communications aisées et rapides, que rien ne vient interrompre, assurent la circulation des ordres, des produits et des hommes. Et dans un monde aussi parfaitement réglé il se produirait des troubles et même une rébellion ! Non, ce ne sont que quelques misérables voleurs, qui ne méritent même pas l'attention du secrétaire d'un préfet. Il suffit que les commanderies lâchent leurs exempts et traduisent les fauteurs de troubles devant les tribunaux ; à quoi bon inquiéter notre Empereur en parlant de lever une armée ! Ces propos visent à mettre en doute la vertu de notre monarque et à semer la confusion dans les esprits.

La face du monarque s'éclaira :

— Voilà qui me semble sage.

Et il soumit la proposition à la délibération du conseil. Si la plupart des dignitaires soutinrent que c'était bien de vulgaires maraudeurs, quelques hommes intègres persistèrent à clamer qu'il s'agissait d'une véritable révolte.

On les déféra devant les tribunaux sous l'inculpation de propagation de fausses nouvelles en vue de saper le moral du peuple. Ils furent exécutés sur la place du marché. De somptueux vêtements furent offerts au flatteur, qui avait nom Souen-chou T'ong Totalité. Il fut promu Lettré au Vaste Savoir.

Tchao le Haut était furieux et inquiet ; comment persuader maintenant l'Empereur de prendre les mesures qui s'imposaient ? Il avait enfermé l'Empereur dans un filet de mensonges, mais les rets se refermaient aussi sur lui. Il soupçonna l'homme qui avait fait échouer sa tentative d'être un rouage dans un plan diabolique monté par le premier ministre pour provoquer sa perte. Li Sseu se sentait joué lui aussi : il crut voir dans l'intervention de Totalité la main de l'eunuque. Et chacun des deux dignitaires envoya des sbires chez le lettré pour l'assassiner ; les deux bandes se rencontrèrent en même temps devant sa porte. L'homme avait déjà pris la fuite. Alors s'insinua dans l'esprit des deux ennemis le soupçon qu'il devait être membre de la secte des Trigrammes qui, depuis la disparition des magiciens de la cour du Premier Empereur, travaillait à la perte de la dynastie, et ils en vinrent à se demander si la rébellion elle-même n'était pas le fruit des menées souterraines des devins.

A l'est des passes, parmi les chefs des armées insurgées qui tous collectionnaient de petits succès et agrandissaient leurs territoires, Poutre s'apprêtait à traverser le fleuve Bleu avec ses huit mille hommes pour s'avancer vers l'ouest, détruire les armées du Ts'in et venger la défaite subie par son père, le général Hirondelle.

Cependant, toute la province qu'il convoitait était déjà passée sous le contrôle d'autres groupes de révoltés. Comme partout ailleurs, des jeunes gens avaient massacré le préfet et brandi l'étendard de la révolte. Ceux-là s'étaient affublés de turbans verts, l'ancien uniforme des milices paysannes dissoutes par le Ts'in, et ils battaient la campagne, cohorte désorganisée, pillant les maisons des riches et les greniers publics. C'est alors que quelques-uns, inquiets des réactions hostiles qu'ils commençaient à susciter dans la population, décidèrent de se doter d'un chef. Leur choix tomba sur un certain Tch'en Ying, vice-préfet de la région, qui jouissait d'une grande estime en raison de la modération dont il avait fait preuve dans l'application des lois. Il accepta, de crainte qu'un refus ne le fît passer pour un partisan des Ts'in, mais cette responsabilité lui pesait. Il consulta sa mère qui lui avait toujours été de bon conseil. Elle s'effraya : personne dans sa famille depuis des générations n'avait rien fait de remarquable ni occupé des fonctions en vue ; en s'arrogeant un titre aussi prestigieux, il outrepassait le destin imparti à sa famille. Il fallait qu'il s'abrite derrière un autre. En outre, ces énergumènes ne lui disaient rien qui vaille. Il en convint. Mais comment se défaire de dix mille exaltés ? Poutre venait de traverser le Fleuve. Son arrivée était providentielle. Il déclara à ses encombrants partisans :

— La famille Hsiang exerce depuis des générations le métier des armes et sa réputation n'est plus à faire au Tch'ou. Aujourd'hui, puisque vous vous dites prêts à accomplir de grandes choses, mettez-vous sous la bannière de Poutre plutôt que sous la mienne. Je suis un homme trop timoré. Avec moi vous ne gagnerez qu'une préfecture, avec lui vous conquerrez un royaume. En outre, les Hsiang sont vénérés au Tch'ou comme des dieux ; ils sauront galvaniser toutes les énergies pour la destruction du Ts'in.

Les bouillants jeunes gens l'abandonnèrent pour prêter leur concours au potentat du Tch'ou. En voyant venir à lui cette troupe désordonnée, Poutre fit la moue. Elle serait difficile à plier à la discipline militaire qu'il imposait à ses soldats. Il demanda aux porte-parole :

— Pourquoi ce turban ?

Le ton cassant du gouverneur du Wou ne plut pas à ceux-ci. L'un d'eux eut un mouvement impertinent du menton, et lâcha en manière de défi :

— Pour marquer le renouveau du printemps et la fin du règne du noir. Il n'y aura plus ni lois ni tribunaux ; ni personne pour nous dicter des ordres !

Plumet se tenait à côté de son oncle. La forte tête commençait à lui échauffer les oreilles. Il s'avança et dit d'un ton menaçant :

91

— Ce n'est pas le règne du vert, mais le règne du rouge que nous allons imposer, du rouge du sang que fera couler nos blanches lames d'acier !

L'imprudent voulut avoir le dernier mot :

— Les signes sont clairs, le règne du vert s'annonce, l'eau et le noir s'abîment et le sang, rouge en apparence, est de l'espèce de l'eau. Nous ne voulons pas de bouchers mais de sages !

Plumet, dans un mouvement de rage, lui passa son épée au travers de la gorge et dans la plaie béante trempa ses mains qu'il sortit ensanglantées en hurlant :

— Rouge, rouge comme le sang, comme la vengeance qui sera notre maître !

Certains voulurent venger leur camarade et contre-attaquèrent ; Poutre et Plumet en firent un carnage, quelques-uns s'égaillèrent vers le nord de la rivière Houai ; la plupart, épouvantés et admiratifs, courbèrent l'échine, car ils avaient reconnus dans Poutre et Plumet de vrais chefs.

Le nom des Hsiang fit trembler la province ; ils gagnèrent à eux les bandes du général Face Tatouée qui avait mille escogriffes sous ses ordres.

Plumet était grand amateur de chevaux, il ne manqua pas de remarquer la monture du chef de bande. Il en fut jaloux ; il demanda à son oncle, à qui Face Tatouée avait fait allégeance, de la lui obtenir.

— Tu n'y penses pas, dit Poutre, une jument ! Pour qu'elle mette en rut toute notre cavalerie ! Non, elles sont tout juste bonnes pour les marchands et les voleurs, mais indignes d'un général !

Les hommes rirent. Face Tatouée fit la grimace, il n'aimait pas qu'on dépréciât ainsi sa haquenée ; il demeurait convaincu plus que jamais qu'il lui devrait son élévation, puisqu'elle avait été cause de son châtiment. Et il garda au fond de son cœur rancune à Poutre de son mépris et à Plumet de sa convoitise. Néanmoins, feignant de comprendre la plaisanterie, il promit au neveu le poulain qu'elle ne manquerait pas de mettre bas, d'avoir été saillie sur les champs de bataille ! Et pointant du doigt l'étalon blanc que montait Poutre, il dit :

— Eh, je crois déjà connaître le gaillard qui en sera le père !

C'est ainsi qu'obéissant à la nature du moment hexagrammatique des petites accumulations, qui implique une gestation (« *Nuages serrés sans pluie qui viennent de nos contrées occidentales* »), fut jeté dans le cœur de Face Tatouée le germe de l'animosité et, un peu plus tard, dans les flancs de sa jument, celui de la future monture de Plumet.

Aux partisans du forçat s'ajoutèrent encore la petite armée du préfet de P'an, dont Face Tatouée venait d'épouser la fille, et les troupes du général P'ou, son beau-frère, qui trahit le Ts'in pour suivre les rebelles. Les armées du fleuve Bleu alignaient déjà cinquante mille hommes lorsqu'elles passèrent par Basse-Campagne. Frappé par leur belle ordonnance, leur allure martiale et la mâle prestance de leurs généraux, Confiance crut que son heure était venue et que ses talents allaient enfin trouver à s'employer. Il offrit ses services à Poutre, mais ne reçut qu'un poste de porte-hallebardier de la Garde. A chaque halte des braves venaient se joindre aux régiments des Hsiang. Fort de ces nouvelles recrues, Poutre marcha sur Hsia-p'i où Oncle Hsiang avait groupé autour de lui la noblesse locale et chasssé le préfet. Il accumula ainsi une troupe de soixante-dix mille hommes et put enlever morceau par morceau des portions du fleuve Bleu.

Plus modestes étaient les succès de Taillefer. On peut même dire que, chez lui, le gain était imperceptible, mais cette modestie des commencements était comme les prémices d'une solide assise. Avec les trois mille révoltés réunis à P'ei, il s'était lancé contre deux places et les avait investies ; une offensive du surintendant général des armées du Ts'in, menaçant ses approvisionnements, lui fit regagner sa base de Fong, tel un mulot prudent trottinant vers le trou hors duquel il s'était aventuré.

Le surintendant prit la cautèle de Taillefer pour de la

pusillanimité. Il fit le siège de Fong avec mollesse. Son adversaire fit une sortie audacieuse, réussit une trouée jusqu'à lui et l'abattit. Son succès l'enhardit, il poussa jusqu'à Sie, moins par considération stratégique que parce qu'il était curieux de connaître l'endroit d'où son exempt lui avait ramené un beau bonnet de bambou. Une colonne menée par le gouverneur de Quatre-Rivières y faisait mouvement, en ordre de marche; surprise par l'avance imprévue des rebelles, elle fut mise en déroute. Son commandant voulut se replier sur la place de Parent, mais il fut rattrapé et tué. C'est ainsi que Taillefer conquit laborieusement cinq ou six villes et une demi-commanderie.

Pendant que les morts s'accumulaient sur les champs de bataille, que les généraux accumulaient des succès, que les chefs de bandes accumulaient des villes et des territoires, cela en raison de l'accumulation des fautes de l'administration du Ts'in, peu à peu croissaient et se développaient sur la terre ingrate et aride de la cervelle des humbles des efflorescences de pensées, mortes sitôt qu'écloses mais qui, se sédimentant en couches infimes, devaient produire le gras terreau sur lequel germerait une grande idée.

LA MARCHE

Tant qu'on peut marcher
sur la queue des tigres sans qu'ils vous mordent,
tout est pour le mieux.

Dans la vaste salle d'une des ailes de sa résidence, décorée d'or jaune et de laque rouge, dans cette profusion de luxe lourd et solennel qu'affectionnent les hommes montés trop vite, Li Sseu tournait en rond comme un fauve en cage, agitant ses manches avec la fureur d'un tigre dont on vient de marcher sur la queue. Encore une fois il s'était fait duper par le vil et bas eunuque Tchao le Haut, et lui, le personnage le plus puissant de l'Empire, devait accepter d'être ainsi bafoué par un criminel dont l'incomplétude trahissait l'infamie dans sa chair même. Le ministre s'était attiré le courroux du roi pour avoir dévoilé la gravité de la situation : le Ts'in n'avait même pas un cordon de troupes à opposer aux quatre cent mille rebelles qui marchaient sur la capitale et l'eunuque avait eu droit à sa reconnaissance pour avoir indiqué l'homme providentiel, Tchang Han.

Cependant que les chaussons de soie brodée foulaient nerveusement le carrelage à motifs floraux de la résidence princière, des millions de pieds, nus et meurtris, dont la marche lente ponctuée d'un cliquetis de chaînes était à l'origine du mouvement des pantoufles ministérielles sur le dallage précieux, descendaient dans un martèlement sourd les pentes du mont Li où se dressait, sinistre et imposant, le tertre funèbre du Premier Empereur.

Le grondement des centaines de milliers de pieds débouchant dans la vaste plaine de la Wei arracha un sourire de triomphe au ministre du Trésor privé Tchang Han. Voici l'armée qui allait arrêter celle des rebelles! Les trois cent mille forçats qui travaillaient sur le chantier du tombeau du Grand Empereur et du palais A'fang, renforcés de la population criminelle du Ts'in, toute la lie de la terre, tout le désespoir de l'Empire allait être jeté sur les hordes de gueux, de brigands et de révoltés menés par des féodaux nostalgiques. C'était en réalité une seule et même armée qui s'entre-déchirerait, condamnés contre gibiers de potence, prisonniers contre brigands, esclaves contre miséreux; mais un espoir plus sauvage encore animerait les cohortes du Ts'in. Tchang Han leur avait promis la liberté en échange de la victoire. Il y aurait une amnistie générale. Tous pourraient regagner leur foyer et recevraient une solde après la fin des hostilités; en outre ils seraient exemptés de corvée durant trois ans.

Les armées rebelles déferlèrent de l'autre côté des passes, mais lorsqu'elles débouchèrent dans la plaine de Double-Lumière, elles avaient perdu toute impétuosité, ayant été réparties par Tcheou le Signe en huit corps de troupes, dont l'encadrement était assuré par les anciens seigneurs et leurs clients. Tcheou le Signe, qui avait exercé la fonction de devin des armées du Tch'ou, connaissait le secret de cette disposition pour avoir étudié l'art militaire dans les *Arcanes talismaniques du grand yin*, un traité de stratégie ésotérique qu'il tenait d'un ermite. Il y avait les carrés des nuages, du dragon, du vent, de l'oiseau, de la terre, du tigre, du ciel et du serpent entourant le centre où se tenaient le général en chef et sa Garde, chacune des formations évoluant au signal du drapeau frappé de l'emblème leur répondant. Les pieds nus avaient peu à peu été enserrés dans des haies de bottes à motifs de vapeurs, à broderies de volatiles, à gueules de fauve ou de chimère. La marche précipitée des hordes de gueux s'était ralentie en un pas tournoyant, élégant comme un ballet. La troupe, suivant la configuration du relief, les heures du jour et les conjonctions astrales, tantôt se déployait en rond à l'image du ciel, tantôt se disposait en carré, à l'exemple de la terre, tantôt allait l'amble comme la pouliche, tantôt penadait tel l'étalon, parfois elle s'étirait en largeur, parfois elle tournoyait en spirale, à moins qu'elle ne se déversât en torrent ou ne se rangeât comme un vol d'oies sauvages.

Les condamnés de Tchang Han, eux, n'étaient retenus par personne; seuls les suivaient derrière les gardes-chiourme avec des chaînes cloutées dont ils frappaient les traînards. Ils se jetèrent avec des hurlements sauvages sur les lignes adverses artistement disposées en images d'animaux. Ignorant les points ouverts et les points fermés, les croisées de la vie et les portes de la mort, le sentier de la blessure, les méandres du harassement, le labyrinthe de l'exténuation que dessinait la répartition des bataillons, ils enfoncèrent le centre, culbutèrent l'état-major, égorgèrent Tcheou le Signe et firent un carnage de seigneurs et de gueux. Les bottes de cuir luisant, les sabots peints des chevaux, les bandes molletières des paysans regagnèrent l'Est en une fuite éperdue, pourchassés par les millions de pieds nus et meurtris des dameurs de terre du Ts'in.

A l'autre bout du pays, à la lisière du Tch'ou fertile et aqueux, une paire de pieds s'avançait elle aussi, ni nue ni richement protégée de soie fine, mais chaussée tout simplement de sandales de sparterie. Elle ne foulait ni un beau sol sur lequel couraient les entrelacs chamarrés de fleurs et d'oiseaux, ni un chemin poudreux hérissé de cailloux pointus, mais le dallage de brique d'un relais de poste. Et ce qui occasionnait la marche de ces pieds, c'étaient, gigantesques dans la perspective de celui qu'ils dirigeaient vers elles, deux plantes de pied, auréolées des pousses blanches de leurs orteils filigranés d'argent par les gouttes d'eau du bain qu'elles venaient de prendre. Et tandis que les yeux, que les espadrilles rapprochaient à petits pas du but vers lequel elles tendaient, remontaient au-dessus des extrémités au regard offertes et se posaient sur les bras potelés de deux jolies servantes qui les avaient saisies pour les frotter et les sécher, dans un mouvement de bascule, le corps étendu se redressa. Les pieds disparurent de l'angle de vue du visiteur pour faire place à un sexe qui le pointa un instant tel un énorme doigt accusateur et menaçant avant que ne surgisse à son tour la large face courroucée de Taillefer, rejetant dans un grand fracas la bassine où il procédait à ses ablutions et inondant la robe du lettré :

— Misérable confuçaillon, dit-il en grimaçant, tu sais ce que je fais aux gens de ton espèce, parasites, pleutres, discoureurs, j' leur fais sauter le bonnet et je pisse dedans ! Et encore, estime-toi heureux que je n't'arrache pas le cœur pour le bouffer tout cru !

— Sur la foi de votre renom de vertu, je suis venu de Tan-fou jusqu'ici pour vous offrir mes services, et il m'est pénible de constater que vous trompez votre monde et bénéficiez d'une réputation usurpée. Votre désinvolture n'est que de la vulgarité et votre sang-gêne de la balourdise ! Vous qui vous occupez tant de vos pieds et vous plaisez à les exhiber à la vue de tous, vous devriez méditer sur la troisième ligne de la marche dont ces organes sont l'instrument : « *Le borgne peut voir, le boiteux peut se déplacer, mais ils seront mordus s'ils marchent sur la queue d'un tigre !* » Voici ce qui pend au nez d'un homme violent et brutal quand il cherche à s'élever et à commander. Le Rite, que manifestent les pieds qui se lèvent et se posent au bon endroit, est-il autre chose que la marche sur la voie droite ? Il constitue le fondement de la vertu, dont Humilité est la poignée, Retour la racine, Constance le rempart. Telles sont les qualités qu'un chef doit manifester et que rappelle le symbolisme de la Marche. Croyez-vous que c'est en restant vautré les pieds en l'air que vous réussirez à débarrasser l'Empire de la tyrannie et à vous faire un nom ! D'ailleurs, c'est être le singe du Ts'in que d'afficher un tel mépris pour les lettrés !

Taillefer s'apprêtait à faire taire le bavard et à le sortir de sa tente à grands coups de botte afin de lui faire tâter concrètement de l'incarnation corporelle de la politesse, quand son regard fut attiré par les étranges lueurs que jetait une des pendeloques accrochées à la ceinture du rhéteur. Il la regarda attentivement et y reconnut les mêmes marbrures blanches et vertes en forme d'animaux encadrant l'octogone des huit trigrammes que sur la pierre qu'il avait ramassée jadis après une prédiction d'un physiognomoniste itinérant. Il y vit un signe du destin, d'autant qu'il y avait quelque chose de mystérieux et de profond, bien qu'il ne l'eût pas compris, dans son discours sur les vertus des figures divinatoires. Rajustant sa tenue, il demanda :

— Vos reproches sont injustes ! Alors que j'ai levé des troupes afin de contribuer à la ruine du tyran, comment pouvez-vous croire que je songe à l'imiter !

— Si vous voulez vous en distinguer, commencez donc par montrer un minimum de décence et abstenez-vous de faire dire à vos gens que vous n'avez pas de temps à perdre avec les lettrés !

Un peu confus, Taillefer le pria de prendre place sur une natte, mais l'homme refusa, se contentant de lâcher :

— Nous aurons l'occasion de nous revoir, et peut-être alors serez-vous mieux à même de profiter de mes conseils !

Il tourna les talons et s'en fut, accompagné de cette exclamation amusée de Randonnée qui, se trouvant à ce moment-là aux côtés de son frère, avait assisté à la scène :

— Ah, rhéteur, rhéteur, qui mieux que toi répond à la ligne suivante de l'hexagramme que tu citais tout à l'heure : « *Il marche sur la queue du tigre, mais comme il est plein d'astuce il s'en tire bien* » !

Le collecteur des lettres de bonté, Bienheureux, n'allait ni de « *la marche égale sur une route unie du forçat libéré* » de la seconde ligne de l'hexagramme, ni du pas hasardeux du borgne ou de l'aveugle, qui se fait mordre par le tigre dont il écrase la queue, de la troisième ligne, pas plus qu'il n'avançait du pas précautionneux dont même les fauves ne sentent point la pression, décrit dans la quatrième ligne, non, Bienheureux ne marchait pas, il volait, effleurant à peine la route de sa foulée légère et rapide, pour vider les grandes boîtes des suggestions merveilleuses et ramener les fleurs de la pensée du peuple à la nouvelle capitale, où elles seraient classées et réunies dans le grand livre saint qui contiendrait ainsi, une fois qu'on les y aurait toutes consignées, la parole même du Tao, car le Ciel a mis dans la bouche des humbles et des simples, de chaque humble et de chaque simple, un fragment de la bonté du souffle originel. Il suffit d'en recomposer les bribes pour retrouver la morale divine et ses saints préceptes.

Bienheureux allait comme le vent, car il fallait faire vite, afin de regrouper les idées lumineuses, les idées sublimes, les idées salvatrices qui permettraient la constitution du Livre de Bonté et l'instauration du Gouvernement des Sages. Bientôt les saints qui vivent cachés, les hommes miraculeux des pays étrangers, les prophètes, les excentriques qui déambulent sur les marchés, cachant leur sagesse sous les dehors de la folie, sortiront de leur retraite et de leur mutisme pour éclairer tous les hommes de leurs avis. Et le roi, illuminé par ces reflets de la parole cosmique, diffusera le livre afin de civiliser le peuple. La moralité s'élèvera. Il n'y aura plus ni voleurs ni criminels, ni policiers ni magistrats, tout respirera la bonté. Abolie la séparation entre grands et humbles, entre prince et sujets ! Et comme c'est la rupture de la communication qui est cause des dérèglements, les calamités et les désordres de la nature prendront fin, les récoltes seront abondantes, on ne connaîtra ni maladies ni famine, le monde entier vivra dans le bonheur ; les hommes, revenus à la simplicité primitive, vivront en bonne intelligence avec les animaux, on pourra regarder dans le nid des pies sans qu'elles s'envolent, tenir des serpents dans ses mains sans qu'ils vous mordent et marcher sur la queue des tigres sans qu'ils vous dévorent.

LA CONCORDE

Le petit fait place au grand.
Ciel et Terre s'accouplant : telle est la concorde.
Le prince, à son image, parfait l'œuvre du Ciel et de la Terre
et les assiste dans leur alternance,
pourvoyant ainsi aux besoins du peuple.

Une idée, une grande idée, celle-là même qui donnait des ailes aux pieds agiles de Bienheureux, était née sous la voûte obscure des crânes étroits et noircis par le soleil et les intempéries. Tels des monstres marins qui éclatent en une infinitude de fragments sitôt que les filets des pêcheurs les ramènent à la surface, telles ces vapeurs irisées épandues dans le demi-jour blanchâtre de l'aube, que dissolvent les premiers rayons du soleil matinal, tels enfin les champignons des sous-bois qui se dessèchent dès qu'on les tire de leur couvert protecteur, ces efflorescences de l'ombre s'évanouissaient à la crue lumière du langage. Pourtant, elles ne disparaissaient pas ; flottant en ondes diaprées dans l'air froid de l'hiver, émettant une fragrance subtile et impalpable, comme une rosée perlant sur les miroirs de lune tendus vers la nuit claire, elles se condensèrent en un discours articulé chez un original, vannier de son état et devin à ses heures. Il avait nom Li Harmonie, se disait descendant de Confucius par sa mère et de Lao-tseu par son père.

Dans la clarté blême de l'hiver, saison du repli mais promesse de l'éveil, chenille lovée dans sa chrysalide prête à déployer ses ailes, dragon hibernant sous la terre, tendu vers son envol, Harmonie avait vu passer une petite troupe de rescapés du massacre de Poutre. Induit en erreur par ce qui se racontait de la tuerie, il se méprit sur la signification de la couleur verte du turban. Il y vit une protestation contre la violence, un appel à la paix et à la concorde, alors que, inspiré de l'ancien uniforme des troupes supplétives du Wei, il se voulait martial. A voir ces jeunes gens de caractère turbulent et belliqueux porter sur leur coiffure la marque du printemps, Harmonie fut empli d'une ineffable joie. Il sentit sur chaque fibre de son corps la tendre caresse d'un nouveau cycle fait de douceur et d'amour. Il se mit en route, prêchant dans les villages, où les hommes, rendus oisifs par la fermeture de la terre, se réunissaient dans la maison commune tandis que les femmes se livraient à leurs travaux, rythmés par la crécelle des grillons. Et comme il ne faisait que leur tendre le miroir de leur âme, ils l'écoutèrent.

Il disait :

— Je suis un homme sans instruction, mais il est des choses que je sens mieux, que je vois mieux qu'un Docteur, comme si le Ciel m'avait fait naître exprès pour les éprouver et les faire connaître au monde. Je suis convaincu qu'il ne faudrait que très peu de chose pour que la grande fraternité des hommes puisse se réaliser à nouveau. Pour ce faire il suffit de rendre son éclat au yang et d'activer les souffles du feu en supprimant les objets métalliques. Oui, tous les objets de métal, monstrueux symboles de la violence et des châtiments qui étreignent le monde à toute heure, à tout instant ! Quand on songe que la monnaie, fondue dans le bronze, a la forme des armes, couteaux ou haches ! Ne sentez-vous pas leurs froides exhalaisons opprimer les souffles vivifiants du printemps et bloquer l'influx fécondant de la terre ? Voyez cette souffrance, cette misère où se débat l'humanité. Pauvreté, crimes, famine d'un côté, maladies, guerres, châtiments de l'autre. Des calamités sans nombres s'abattent sur l'Empire, et des prodiges effroyables apparaissent, car le Ciel et la Terre sont révulsés par tout le sang répandu. N'est-il pas temps, mes frères, de remplacer cette cruauté par autre chose, nous dont les cœurs débordent d'amour et de tendresse ?

Cela ne constituait qu'une entrée en matière pour aborder le sujet qui lui tenait le plus à cœur, l'infanticide des filles, preuve terrifiante de la barbarie qu'avait instaurée la domination sans partage du souffle du métal.

— Les nombres un et deux sont les représentations du Ciel masculin et de la Terre féminine, ce qui veut dire que, pour se conformer à la norme universelle, il faudrait qu'il y ait deux femmes pour un homme. Mais dans ces temps de sauvagerie, on les tue en bas âge, en sorte qu'elles sont moins nombreuses que les garçons. Le souffle yin en est interrompu, ce qui constitue une terrible offense au cours spontané de la nature. Le défaut de yin provoque un dessèchement se traduisant par la raréfaction des pluies. Les femmes recèlent le souffle de la Terre, de la Terre qui est la mère nourricière. Tuer des filles, c'est tuer des mères — les mères qui engrangent et font fructifier la semence qu'elles reçoivent dans leurs flancs féconds. Oui, vous assassinez le souffle bénéfique et productif de la Terre, dont les émanations se tarissent. Étonnez-vous que, dans ces conditions, la Terre outragée fasse pleuvoir sur vous des calamités sans nombre !

« Ne rejetons pas toujours la faute sur la corruption du gouvernement, nous sommes les seuls responsables, elle ne fait que traduire la dégradation de nos mœurs. C'est un crime abominable que de tuer les êtres vivants, et plus encore les êtres humains, les créatures les plus précieuses et les plus sacrées de l'univers. Je suis ici pour annoncer à tous que le Ciel proscrit l'infanticide des filles. Vous voulez voir votre nom figurer sur les livrets de vie que le directeur du destin tient dans les bureaux administratifs du septentrion ? Alors, cherchez à préserver la vie de vos filles, et veillez à leur santé.

« Dès que cette pratique monstrueuse aura été abolie, la Grande Paix régnera à nouveau. Les terribles exhalaisons fétides du meurtre cesseront d'empester et chacun respirera à nouveau le souffle frais, léger et odorant du bonheur dispensé par le Ciel dans sa clémence.

« Au lieu d'éliminer les filles, choyez-les afin qu'elles se multiplient, car à l'image du Ciel Un et de la Terre Deux, un homme doit avoir deux femmes, il convient qu'elles soient plus nombreuses que les hommes, au rebours de ce qui se passe aujourd'hui, en raison de cette pratique criminelle...

De la masse noire des têtes, s'élevaient parfois des murmures. Les filles, c'était une gêne. Des bouches à nourrir qui, mariées, ne faisant plus partie de la famille, ne pourvoiraient pas à l'entretien des mânes ancestraux. Et si on ne trouvait pas à les caser, c'était encore pis, elles devenaient après leur mort des démons aigris.

Mais le prédicateur avait bien en main son auditoire ; les timides soupirs de désaccord se taisaient bien vite et faisaient place à des hochements d'assentiment lorsque, haussant le ton, Li Harmonie dénonçait la tempérance prônée par les autorités. Les abstinents et les vierges interrompaient la communication vivifiante du yin et du yang. C'étaient eux les responsables de la stérilité de la nature, de la disparition des biens et de la raréfaction de la population. La férocité du gouvernement n'était que la conséquence du dérèglement de l'univers dû au manque de contact entre les deux souffles. Les sages et les maîtres d'école induisaient le peuple en erreur en prônant la chasteté et la continence. Il fallait les refuser absolument ; car elles empêchaient la dispensation des bienfaits de la nature.

L'assistance souriait béatement, en songeant aux anciennes fêtes où les filles se baignaient nues avec les garçons dans les eaux des torrents ; où l'on couchait dans les bois de mûriers avec la partenaire qu'on s'était librement choisie. Mais toutes ces choses avaient été proscrites et, bien souvent, les chefs de village, les fonctionnaires du bureau de la population de la sous-préfecture décidaient des mariages. Les plus jolies des paysannes étaient réquisitionnées pour peupler les harems des seigneurs ou des princes, quand elles n'étaient pas vendues par leurs parents à un riche potentat.

Il y avait des rires et des clins d'œil entendus. Li Harmonie s'empressait d'ajouter :

— Ne tombons pas dans l'excès inverse, il faut harmoniser yin et yang, les faire fusionner dans les proportions de la norme terrestre et céleste, afin qu'il n'y ait ni hommes ni femmes délaissés ; c'est ainsi que, les souffles féconds qui fertilisent la Terre se développant, l'abondance réapparaîtra et apportera la Grande Paix.

Ces discours exerçaient un indéniable attrait sur leur auditoire, une sorte de fascination même. Sans doute parce que Harmonie savait le choquer par des thèses qui allaient contre ses préjugés tout en lui révélant ses pensées profondes et secrètes. Il y avait aussi dans la manière dont il s'exprimait quelque chose d'envoûtant, comme d'inspiré. Inspiré d'ailleurs, il l'était. Ce n'était pas une possession violente, une transe — celle-ci n'eût d'ailleurs pas surpris ; les paysans et les villageois la connaissaient bien pour consulter assidûment sorciers et chamans et l'éprouver eux-mêmes lors des grandes fêtes. Il y avait dans les improvisations du prêcheur quelque chose de doux et d'éthéré ; non pas les mânes d'un mort qui s'emparaient d'un vivant dans la fureur et les vociférations, mais le frôlement d'une aile impalpable sur une âme ; comme si une divinité formée des souffles très purs qui précédèrent la formation du Ciel et de la Terre chuchotait très doucement à Harmonie le fruit évanescent de ses pensées. Les péroraisons commençaient toujours d'une façon hésitante, laborieuse ; il lui fallait établir le contact. Harmonie, au début, parlait lentement, prudemment, attrapant l'une à la suite de l'autre des phrases qui lui auraient été soufflées de très loin et il y a très longtemps, bien au-delà de ce monde et de ce siècle, dans ces commencements où n'existait rien d'autre que la pureté du néant. Puis l'assurance lui venait, sa voix prenait du volume ; il parlait alors sans hésitation, avec conviction et chaleur, et emportait l'adhésion de tous ceux qui l'écoutaient.

Parmi les auditeurs les plus enthousiastes d'Harmonie, figuraient deux jeunes garnements, Bienheureux et Faste, qui avaient tout abandonné pour suivre le maître et le servir comme disciples. Faste prétendait avoir reçu de la famille de sa mère, dont les femmes étaient chamanes, l'art de guérir par l'eau charmée, et Bienheureux était détenteur d'amulettes qui lui permettaient de parcourir cinq cents lieues en une journée ; il pouvait forcer un cerf à la course et rattraper un cheval au galop. Il y avait encore un certain Fulguration-du-pur-sang, descendant lointain de la famille royale du Tch'ou, qui exerçait la profession de médecin et de géomancien et jouissait d'une réputation de sagesse. Tous se mirent à répandre avec zèle la doctrine du maître et gagnèrent des dizaines de milliers d'adeptes, qu'ils organisèrent en communauté afin d'établir le règne de la Grande Paix.

Séduits par la théorie d'Harmonie sur la concorde, ils avaient développé un système sur l'entente et l'échange entre inférieurs et supérieurs :

— Le Ciel donne des conseils et des avertissements à travers la course du soleil et de la lune et le mouvement des étoiles, qui trace sur la soie bleue du Ciel les idéogrammes de sa volonté, de même la Terre s'exprime par les signes du relief. L'homme aussi trace des signes et profère des sons, qui manifestent ses pensées ; et c'est pourquoi, pouvant exprimer le mouvement des choses et des êtres, il est le maître des êtres vivants, lui qui donne corps à l'Esprit et le matérialise dans une forme. Cela, c'est la sainteté de la Parole, qui reproduit et communique à tous le cycle du cosmos.

« Le prince doit être à l'affût des transformations pour les noter et les faire connaître à l'Empire ; il les fixe dans l'écriture pour les diffuser aux quatre bornes du monde. Une parole qui ne communique pas, qui ne circule pas crée un blocage entre le prince et ses sujets aboutissant au chaos. De nos jours les nouvelles ne remontent plus des inférieurs vers les supérieurs, attirant sur nous les avertissements courroucés du Ciel : météores, comètes, éclipses, etc.

« Un prince ne doit jamais être redoutable ; il doit être bon et bénin, s'il jouit d'une trop grande autorité ou d'un trop grand prestige, la crainte ferme les bouches de son entourage et la terreur, cheminant à travers les différents échelons de l'administration, pèse sur le menu peuple. On en vient à redouter un aussi petit personnage qu'un chef de police d'arrondissement, nul ne songe à faire parvenir ses avis, ses conseils tant on redoute pour sa vie. La communication est rompue ; les desseins du Ciel ne sont plus transmis au souverain. Et il en va ainsi à tous les échelons, dans les villages, dans les familles où la vertu se corrompt.

« Chaque fois que se produit un phénomène étrange dans leur contrée, les villageois, de peur des réactions de leurs supérieurs, n'en avisent plus les autorités. Sitôt qu'un honnête sujet tente de percer le mur du silence et de rendre compte des signes révélés par le Ciel, toute l'administration conspire contre lui pour lui clore le bec et l'éliminer.

« Le peuple est né du Ciel et de la Terre, lesquels sont pour lui comme un père et une mère qui le tiennent au courant de leur désir, à travers les signes et les prodiges qui sont le langage du Ciel et de la Terre tracé sur le grand livre de la nature. Sa mission est donc de les transmettre à leur roi, isolé dans les murs de son palais, pour qu'il agisse selon leur volonté.

« Les villages doivent révéler tout ce qui peut être considéré comme un symptôme : maladies, dysenterie, choléra qui les frappent, prodiges qui leur apparaissent, signes miraculeux, etc. Ils doivent exprimer aussi toutes les idées qui les effleurent, germes divins semés par la Terre et le Ciel.

De là était née l'idée des boîtes aux lettres des recommandations vertueuses. C'étaient de grands cubes de trente pieds de côté (trente étant la somme des trois cycles du Ciel, de l'Homme et de la Terre qui s'achèvent en dix), dont chacune des faces était percée d'une porte munie d'un cadenas avec une fente à hauteur des yeux pour qu'on pût y glisser aisément un document. Des proclamations en caractères très gros et très lisibles y étaient affichées : « Ô peuple à la noire chevelure, ton prince, touché par le Tao, est en quête d'hommes sages, bon et pieux, pour qu'ils l'éclairent de leurs conseils. Il recherche les avis de tous, jusque dans les régions les plus reculées de l'Empire, dans les couches les plus humbles de la population. Tout conseil lui est agréable d'où qu'il vienne et il brûle de connaître ce que chacun de ses sujets a en tête. C'est pourquoi il demande que chacun consigne par écrit ses pensées, même les plus triviales, et les glisse dans la fente de la maison des suggestions vertueuses, en prenant soin d'indiquer au dos des lattes son nom et lieu de résidence. Suivant le mérite des suggestions et des remarques, des postes dans l'administration de la cour ou des préfectures seront offerts. Même les femmes, les enfants ou les infirmes auront droit à des récompenses. »

Les boîtes avaient été dressées à la croisée des chemins, sur la place des villages et les marchés des bourgs. Bienheureux, qui courait comme le vent, s'était chargé du ramassage.

Au début, le territoire sous l'influence directe de Li Harmonie se limitait à une ou deux préfectures, mais il connut une brusque extension. Un certain Ts'in le Fructueux souleva une partie de la population du nord de la commanderie de Côte-Est, obtint la capitulation de Villardente, le chef-lieu, dont le préfet, Congratulation, se rallia à la révolte et gagna à sa cause toutes les autres villes et bourgades de la région.

Fructueux et Congratulation, soit conviction sincère, soit intérêt, à moins qu'ils ne pussent faire autrement tant elle était populaire dans la province, manifestèrent une grande sympathie pour la doctrine de Li Harmonie, allant jusqu'à offrir la couronne de Ts'i à l'Illuminé ; celui-ci s'effaça devant Fulguration-du-pur-sang, qui se contenta du titre seigneurial de Prince Sage du Tao. Harmonie ne refusa pas toutefois un poste de ministre et l'appellation de Saint. Ts'in le Fructueux, quant à lui, se décerna le grade de généralissime du Grand Un.

Bienheureux ne put plus faire face tout seul à la levée des lettres, qui s'entassaient dans les boîtes des suggestions vertueuses disséminées sur tout le territoire de la commanderie ; il recruta des aides et se trouva bientôt à la tête d'une véritable entreprise de ramassage postal à laquelle fut donnée le nom de ministère de la Communication Céleste. Faste devint directeur du Département des Prodiges et Signes Auspicieux.

Des milliers d'adeptes vivaient dans la fraternité de la Grande Paix. Pour ranimer l'élément bois, porteur des souffles du printemps, on avait supprimé la monnaie métallique et toutes les armes de fer ou de bronze et restauré les antiques cauris et le troc. Pensant susciter la richesse par la jouissance partagée de la misère, on avait mis tous les biens en commun. On ne tuait plus les fillettes qui naissaient, on s'était distribué les concubines qui remplissaient les maisons des notables et des riches, partis pour l'expédition contre le Ts'in. Mais comme leur nombre n'était pas suffisant pour qu'il y eût deux femmes pour chaque mâle, on échangeait les femmes dans de grandes fêtes communales. On donna à ces agapes le nom de Banquets de l'Union des Souffles; les participants s'y conformaient au grand cycle universel et contribuaient par leur accouplement à la fructification des biens et à l'harmonie de la nature. La consommation d'alcool sur les marchés fut interdite, parce que le vin était de la même nature que l'eau, et les marchés attiraient les foules, tels les lieux bas où convergent les rivières et les fleuves.

Le Ciel et la Terre communiaient dans une douce étreinte, exhalant le souffle chaud et humide du printemps; et dans la succession des jours qui s'allongeaient, les hommes levaient des yeux plein d'espoir vers le soleil dont les rayons rouges mettaient la paix dans leur âme et bénissaient leur concorde.

OBSTRUCTION

L'accès est barré à qui il ne faudrait pas.
Néfaste pour le Grand Homme.
L'obstruction est l'image du défaut de communication
entre le Ciel et la Terre.
Le sage rétracte sa vertu afin d'éviter le malheur ;
il ne se laisse pas séduire par des émoluments.

— Mon prince, les rebelles se soulèvent toujours plus nombreux en dépit de la répression. Plus nous sévissons, plus la population se révolte en masse. Les hommes sont las des garnisons aux frontières, des corvées trop longues et trop fréquentes, des réquisitions pour les convois de grains et de fourrage ; ils sont exaspérés par les taxes et les impôts trop lourds qui s'abattent sur eux et les réduisent à la mendicité. Il faut mettre une pause aux grands travaux du tombeau du mont Li, suspendre l'agrandissement de votre palais A'fang, réduire les garnisons et les expéditions militaires dans les marches, ce qui permettrait d'alléger les impôts et de diminuer le fardeau des corvées.

L'Empereur, l'air rogue, secouait ses manches. Il jeta un regard mélancolique sur la table, où s'étalaient les coupes de vin et les mets délicats, tandis que dans la salle, ses bouffons, ses danseuses, ses fauves dressés, tous les divertissements qui font le plaisir des rois, s'employaient à l'égayer et le distraire. Ah, il fallait que ces deux vieux barbons de Li Sseu et d'Écarte-le-Mal trouvassent toujours moyen de troubler ses plaisirs avec leurs sottes remontrances. Comme s'il n'avait

110

pas suffisamment d'heures inoccupées. Ils avaient choisi, par pure méchanceté, justement ce moment où il s'amusait d'un jeu nouveau, une bataille entre trois nains et trois bossues — les trois nains étaient empilés sur les bossues, telles trois lignes droites sur trois lignes brisées, évoquant, à son insu, par l'image du douzième hexagramme, l'obstruction qui régnait entre lui et ses ministres.

Il reporta son regard sur les deux vieillards compassés dans leur tenue de cour, longues robes de cendal rehaussées de broderies de tigres et d'ours, la tête surmontée du haut bonnet de soie dure, qui, le buste légèrement courbé, pour ne pas rencontrer son regard, continuaient leur sermon en lançant des insinuations perfides contre son seul protecteur et soutien, Tchao le Haut. C'était plus qu'il n'en pouvait tolérer.

— Bien qu'il soit un eunuque, Tchao le Haut a toujours eu une conduite droite et a constamment marché sur le chemin de la vertu. Et c'est grâce à cette constance dans le bien qu'il a pu s'élever à la dignité qu'il occupe. J'ai pleine confiance en lui et vous prierai de cesser ces accusations calomnieuses. D'ailleurs, ayant perdu mon père tout jeune encore, je ne suis pas suffisamment formé au maniement des hommes ; vous êtes vieux et quand vous nous aurez quittés — ce qui ne saurait tarder —, sur qui donc pourrai-je m'appuyer sinon sur le fidèle Tchao le Haut !

— C'est un homme vil, cria le premier ministre d'une voix de crécelle, qui nourrit des désirs insatiables. Il est juste sur la marche au-dessous du trône, et n'attend qu'une occasion pour la gravir !

— Il suffit ! s'emporta l'Empereur, en se tenant les tempes, en proie à un furieux mal de tête, je ne veux plus rien entendre contre mon conseiller !

Il arrondit les lèvres en une lippe méprisante et dit, détachant chaque mot d'un ton ironique :

— Le grand philosophe Han Fei, que vous citez à tout propos, n'a-t-il pas écrit que des princes comme Yao et Chouen, qui menèrent une vie de forçat, mangeant dans des écuelles de terre et logeant dans des taudis dont ne vou-

draient pas les porchers, ne sauraient servir de modèles
même s'ils cherchèrent le bien de leur peuple !

Il leur souffla à la face :

— Voici qu'après deux ans de règne, des brigands
surgissent de partout, sans que vous fassiez rien pour les
arrêter et mettre un terme à la sédition. Tout ce que vous
savez faire, c'est chercher à empêcher la réalisation de
l'œuvre commencée par mon père. Vous vous montrez
ingrats envers votre ancien maître et déloyaux envers moi.
Comment ne rougissez-vous pas d'occuper une place dont
vous êtes indignes !

Et il ordonna qu'on les conduisît en prison avant de les
déférer devant les tribunaux.

L'opposition, qui culminait ainsi en ce septième mois de
l'automne, s'était manifestée dès la première lunaison,
quand, alors que la sève du printemps, remuée par les
effluves vivifiants de la terre et du ciel, accrochait des floches
vert tendre aux branches des arbres et allumait de grands
feux blancs sur les magnolias, les forces du noir hiver des
Ts'in, ayant anéanti la savante formation en huit corps de
Tcheou le Signe, avaient déferlé sur les provinces de l'Est.

Oreille et Rogaton, demeurant à Tch'en, avaient été parmi
les tout premiers lettrés à se rallier aux rebelles ; ce qui leur
avait valu de prendre un grand ascendant sur un roi encore
novice. Ils avaient immédiatement recommandé avec la plus
grande chaleur K'ong le Brème. K'ong le Brème, en effet,
était le descendant direct de Confucius à la huitième
génération et avait maintenu dans sa pureté la tradition de
son aïeul. Il entretenait des relations, disait-on, avec la secte
des devins, ayant eu pour disciple Totalité, qu'il avait envoyé
servir le Ts'in, lui-même devenant prince de la Diffusion
Culturelle de Lou sous l'Auguste Empereur. Ses hautes
fonctions lui avaient permis de prévenir Rogaton et Oreille,
dont il était l'intime, qu'on allait les arrêter. Menacé à son
tour au moment de la proscription des livres, il avait dû

s'enfuir sur les monts de la Grande-Grotte, au sud de Louo-yang.

Pour une fois, le désir de s'acquitter d'une dette de reconnaissance ne faisait pas entorse à l'équité : Brème était un homme remarquable. Le roi du Tch'ou, Saute-le-Pas, l'avait invité et le savant avait accepté. Bientôt, toute la horde des confucéens du Lou, ayant ressorti des coffres où ils se mitaient leurs robes à larges manches et leurs bonnets de soie empesée, avait rappliqué avec les saintes reliques : le luth du Maître, ses sandales, ses instruments et ses vases rituels. Un cérémonial compliqué avait enfermé Saute-le-Pas dans le carcan des bienséances et des génuflexions ; emmuré dans la pompe royale, il s'était détaché de ses anciens compagnons d'armes et d'infortune, tout en demeurant imperméable aux conseils des doctes et des sages. Son enthousiasme et sa fraîcheur d'homme simple, qui étaient à l'origine de ses succès, étouffés dans le rituel, avaient cédé la place à son obtusité foncière, encore épaissie du sentiment de son importance. Il avait cessé d'être un rebelle sans pour autant faire un roi.

Homme de sens et d'expérience, Brème avait mis Saute-le-Pas en garde contre la puissance du Ts'in.

— Signe ne fait pas le poids devant un général comme Tchang Han, et vous l'envoyez avec une telle légèreté, sans même prendre la précaution d'organiser vos défenses, je crains qu'il ne vous arrive malheur. Je sais bien que « l'homme propose, le Ciel dispose » ; mais si vous ne comptez que sur la chance, en ne prenant aucune des mesures qui peuvent la favoriser, vous allez au-devant d'un malheur. Vous connaissez la règle stratégique qui dit : un général ne compte pas sur la vulnérabilité de l'ennemi mais sur sa propre invincibilité.

— Ah, ah, avait fait le roi, c'est trop compliqué, ne pourriez-vous pas vous mettre à mon niveau en l'illustrant par un fait de tous les jours, une p'tite histoire marrante ?

— Eh bien, quand j'étais au Wei, j'avais pour voisin un homme d'une force prodigieuse ; tout en muscles et en tendons, il était capable de soulever un tripode ; avec cela souple et agile, il terrassait une bête sauvage à main nue, et on le redoutait dans le pays. Mais il ne savait pas se faire obéir de sa femme, une vraie harpie, toujours à répondre et à criailler. Un soir, j'entendis avec des voisins des hurlements qui sortaient de leur maison ; nous sommes accourus, sûrs qu'il fallait porter secours à la malheureuse. Quelle ne fut pas notre surprise à la vue du spectacle qui s'offrit à nous : le mari, renversé sur le dos, poussant des cris de cochon qu'on égorge, sa mégère sur lui, lui tordant les couilles. Ils s'étaient disputés violemment, l'homme s'était énervé, avait saisi sa femme par les cheveux, et lui plaquant la tête contre le montant du lit, où elle était assise, avait pris un bâton et lui avait administré une bonne correction, mais sa femme, folle de rage, arquant le dos sous la volée de coups, lui avait attrapé le sexe en l'étreignant de toutes ses forces. Le mari, pris au dépourvu, était tombé à la renverse, le souffle coupé. Après avoir bien ri de la scène, nous décidâmes de délivrer le malheureux ; mais rien à faire, l'enragée continuait à serrer. Quelqu'un eut l'idée de lui soulever son vêtement de dessous ; pour défendre sa pudeur, elle fut bien obligée de lâcher prise !

Le roi Saute-le-Pas se tint les côtes de rire. Le lettré, certain d'avoir intéressé son homme, enfonça son clou :

— Et savez-vous pourquoi cette force de la nature fut ainsi terrassée par une faible femme ?

— Non, dites toujours !

— Tout simplement parce qu'il n'était pas sur ses gardes, croyant n'avoir rien à redouter d'elle. Mais Tchang Han n'a rien d'une faible femme ni Signe d'un athlète, ce serait plutôt l'inverse, et pourtant, vous l'attaquez sans assurer vos arrières, tant vous êtes convaincu de votre supériorité. J'en ai des sueurs froides rien que d'y penser !

— Elle est drôle votre histoire, mais y devait pas être si fort que ça votre bonhomme ; je voudrais bien voir que ma femme essaie seulement, la raclée que je lui flanquerais, à la garce !

Et il avait refusé de suivre les incitations à la prudence de Brème.

L'obstacle auquel se heurtait le vice-roi Vaste était autrement plus palpable que le mur de l'infatuation, qui barricadait désormais le cœur du roi de Tch'ou. Vaste était victime depuis des mois de la résistance que lui opposait le fils du premier ministre Li Sseu, Li Yeou, lequel, à son tour, se trouvait en butte à l'obstruction des hommes de l'eunuque Tchao le Haut qui interceptaient ses appels à l'aide.

Tandis que les insurgés contemplaient avec une irritation croissante les hauts remparts de la place qui interdisaient leur avance, une autre barrière, invisible celle-là, se dressait peu à peu en leur propre sein ; un mur de méfiance séparait toujours davantage le vice-roi de ses hommes. N'était-il pas le seul des officiers de Saute-le-Pas à n'avoir remporté aucun succès notable ? N'avait-il pas piétiné lamentablement à l'est des passes quand Signe s'était avancé au cœur du Ts'in ? Et maintenant, il restait cloué devant la ville, comme un passereau fasciné par un serpent, alors que les brutes de Tchang Han s'abattaient sur l'Est, écrasant tout sur leur passage. A demeurer ainsi statiques, ils allaient se faire prendre en tenaille entre les troupes d'assaut du Ts'in et les assiégés.

Les hommes en vinrent à douter des capacités militaires de leur chef. Un soir que le vice-roi qui, pour tromper son impatience, buvait immodérément, cuvait son vin, ses lieutenants se glissèrent sous sa tente, l'égorgèrent, lui détachèrent la tête du tronc et la firent porter à Saute-le-Pas, avec une missive où ils justifiaient leur geste par l'incurie et l'incompétence du vice-roi et demandaient qu'ils soient confirmés dans leurs grades.

Le roi versa une larme sur la tête de son compagnon, soupira en pensant au passé si proche et pourtant déjà dérobé par les murs de la gloire, et entérina la décision de ses généraux. Ayant reçu l'aval de leur souverain, les officiers du Tch'ou se portèrent au-devant de l'ennemi avec le gros des troupes et se heurtèrent au rempart bardé de métal des forçats de Tchang Han qui les écrasa comme une meule broie le grain tendre. Ceux qui tentèrent de résister furent massacrés, les autres s'égaillèrent comme une volée de moineaux. Les soldats du Ts'in fondirent sur la capitale de Saute-le-Pas, laminèrent l'armée qui leur fut opposée. Peu après, le cocher du roi de Tch'ou avec qui il s'était enfui rapportait, en signe de soumission, la tête de son maître aux généraux du Ts'in. K'ong le Brème fut capturé avec un grand nombre de lettrés. Ramené à Double-Lumière, il fut coupé en morceaux et mis à confire dans la saumure.

Des rumeurs contradictoires circulaient sur le sort du roi Saute-le-Pas. Certaines faisaient état de sa mort, d'autres de sa fuite. Ts'in le Fructueux, l'insurgé de Villardente, crut son heure venue. Il nomma Fulguration-du-pur-sang roi provisoire du Tch'ou, se donna à lui-même le titre de commandant suprême et installa la capitale du Tch'ou à Reste, sise à peu de distance de la base de Taillefer.

Loin de contribuer à la diffusion de la bonté, cette nomination coupa la communication entre les humbles et le roi, car les généraux et les dignitaires qui entouraient Fulguration-du-pur-sang entravèrent la collecte des suggestions vertueuses, les liens entre les têtes noires des paysans et les bonnets lustrés des fonctionnaires se distendirent. Bien des chefs rebelles rechignaient à reconnaître le nouveau roi. Congratulation et Harmonie partirent en ambassade pour tenter d'amadouer le monarque du Ts'i, un homme entiché de noblesse et de grades qui vouait le plus profond mépris au peuple et à la roture.

Dès que l'émissaire de Fulguration-du-pur-sang se fut incliné devant son dais de soie pourpre, le roi de Ts'i lui demanda d'une voix aigre :

— Les bruits les plus divers courent sur le roi Saute-le-Pas. Personne ne sait s'il est mort ou vivant. Aussi je trouve pour le moins étrange, pour ne pas dire offensant, que le Ts'i n'ait pas été consulté pour la nomination d'un nouveau roi !

— Voici qui est un peu fort ! Vous n'avez pas cru bon devoir demander l'accord du Tch'ou quand vous vous êtes couronné, pourquoi donc le Tch'ou aurait-il besoin de votre permission ? N'est-ce pas lui qui le premier a brandi l'étendard de la révolte ; tous les princes doivent le suivre et lui obéir.

— Sachez que nous n'avons de leçons à recevoir de personne, et surtout pas d'un renégat ! |

Il fit signe à ses gardes de se saisir de Congratulation et de lui trancher la tête.

Harmonie avait préféré convaincre le peuple. Il courait à travers la ville, renversant les jarres de vin dans les débits de boissons pressés les uns contre les autres dans les ruelles, se répandait en déclarations incendiaires sur le règne du feu, incitait la population à détruire la monnaie et à construire des boîtes à suggestions vertueuses à chaque coin de rue. Il expliquait ses théories de la concorde entre les grands et les humbles par la circulation de la parole, il exaltait l'union féconde du Ciel et de la Terre qui se matérialise dans le saint nombre de deux femmes pour un homme. Mais les habitants du nord du Ts'i étaient des hommes âpres, souvent avares, aimant le contact froid des monnaies sur la paume de leurs mains, marchandant plus par vice que par intérêt. Le premier mouvement de surprise et d'amusement passé, ils s'offusquèrent ; la foule se fit houleuse, elle hua, cria, lui jeta des objets au visage. Il y avait parmi les badauds quelques représentants de la corporation des bouchers, hommes brutaux et sauvages ; méprisés des autres marchands, ils virent une occasion de se venger des vexations dont ils étaient l'objet ; brandissant leurs hachoirs et leurs couteaux, ils se ruèrent sur Harmonie, le traînèrent sur leur étal, l'éventrèrent, le dépecèrent et le réduisirent en chair à pâté, sous les hourras de la populace, trépignant d'enthousiasme.

Taillefer, victime lui aussi de l'obstruction qui régnait sur l'Empire, se heurtait à une barrière, qui n'était ni l'invisible membrane que sa position tisse entre le prince et ses sujets, ni les entassements de pierres des citadelles, ni le rempart des corps bardés de cuir et de métal, ni le mur de l'obtusité cupide, non, c'était tout simplement Barrière des Dents. Le jeune homme évincé par les sorts avait pris sa revanche dès qu'il avait eu le dos tourné. Il lui avait fauché sa ville, profitant de ce que son chef était en campagne. Et, s'appuyant sur le parti des émigrés de la cour du Wei, il avait fait acte de vassalité au Wei, duquel il reçut des troupes. Taillefer se tourna vers Fulguration-du-pur-sang. Il éprouvait une certaine attirance pour les idées d'Harmonie qu'il ne connaissait, il est vrai, que par ouï-dire, mais il voyait comme une promesse d'élévation dans les prophéties sur le règne du bois qui apporterait le rayonnement du feu. Fulguration-du-pur-sang considéra comme propice l'alliance avec un homme dont la rumeur le faisait fils de l'Empereur Rouge. Il lui accorda des troupes ; Taillefer se heurta une fois encore à la barrière des portes closes et des murs de Fong derrière lesquels se retranchait Barrière des Dents, double obstacle qu'il ne parvint pas à forcer en dépit de ses charges furieuses. Il dut se replier plus au sud pour refaire ses forces et reconstituer ses réserves, d'autant qu'il risquait d'être pris à revers par une colonne du Ts'in progressant vers l'est.

Poutre, avec la troupe de soixante-dix mille hommes qu'il avait cantonnée à Hsia-p'i, voyait s'ouvrir devant lui tous les territoires du nord de la Houai. Il lui fallait au préalable abattre les turbans verts que Fructueux avait stationnés à P'eng-tch'eng. Poutre avait cherché à négocier, mais sans succès. A vrai dire cet échec lui faisait plutôt plaisir ; il ne rêvait que d'un prétexte pour éliminer ces possédés qui menaçaient la hiérarchie et l'ordre établi. Il lança une proclamation à l'Empire : « Le grand roi Tch'en Saute-le-Pas a pris l'initiative de la rébellion, il a levé l'étendard derrière lequel tous les hommes au sang noble et généreux se sont levés. Mais hélas, la fortune ne lui a pas souri et nul ne sait ce qui lui est advenu. Or Ts'in le Fructueux, vassal déloyal et félon, a profité du revirement du sort pour le trahir et placer un faux roi sur le trône. C'est un homme sans foi et sans aveu qui doit être châtié. Des manants prônant une doctrine perverse et contre nature le soutiennent; si nous n'y mettons pas bon ordre, toute la hiérarchie sociale sera bouleversée; le haut sera en bas et le bas en haut; il n'y aura plus de prince ni de vassal; plus de distinction entre noblesse et roture; plus de vertu d'obéissance; vos richesses seront partagées, ainsi que vos femmes. Tout ne sera que désordre et chaos. »

Et il marcha sur P'eng-tch'eng, à l'automne de la seconde année du Second Empereur, temps de la stagnation et de la décadence, quand les forces créatrices cessent d'être en communion et que le souffle fécondant du Ciel n'étreint plus la Terre. Fructueux essuya une terrible déroute. Poutre le traqua jusqu'à Butte-aux-Barbares. Le général vaincu regroupa ses forces. Il rameuta les partisans de Li Harmonie. Ils se battaient avec de longues piques de bois portant encore des feuilles, ne voulant point faire usage de métal. Une effroyable mêlée opposa un jour durant les notables et les gueux. Poutre eut le dessus; il fit un effroyable carnage des adeptes de la Grande Paix. Et les flots rouges du sang, du sang sombre, de la nature de l'eau, poisseux comme du vin, abreuvèrent la terre noire et meurtrie par les batailles. Puis Poutre et Plumet fondirent sur leur capitale, Reste, l'investirent et massacrèrent tout ce qu'ils rencontraient sur leur passage.

Fulguration-du-pur-sang fuyait sur le dos de Bienheureux. Celui-ci, grâce à ses amulettes, galopait comme un jeune poulain de la steppe. Il courut longtemps, sur des sentiers bordés d'arbres dont la lourde ramure, noire à force d'être verte, recelait dans son opulence excessive et brutale le souffle délétère de l'automne. Il franchit des vallées et des collines, traversa des rivières et des marais. Il gravissait un col, entre les montagnes boisées qui surplombent la plaine de Lin-ts'i, quand l'haleine chaude d'un gros animal à raies noires et rouges passa au-dessus de sa tête. Il ne vit rien; le tigre mordait déjà à la gorge Fulguration-du-pur-sang et le culbutait; un flot noir s'échappait par la plaie béante. Bienheureux se releva, poussa un long cri et s'enfuit de toute la vitesse de ses jambes, tandis que le fauve se repaissait de sa victime.

Il courut, courut longtemps, enjambant les ravins et franchissant les collines jusqu'à la ville de Lin-ts'i, sauta par-dessus ses murailles, galopa jusqu'à la résidence du roi de Wei et déboula dans ses appartements. Le roi Wei le Calamiteux était tout seul et tout en pleurs ; il venait de négocier avec les troupes du Ts'in la reddition de la ville pour épargner ses habitants. Bienheureux versa un torrent de larmes et proposa de l'emmener sur son dos jusqu'au Tch'ou. Wei le Calamiteux secoua la tête, lui conféra un titre de marquis, lui conseilla de se mettre au service de Barrière des Dents, un preux, puis retira son bonnet, épandit ses cheveux, les pencha sur une lampe à huile. Ils s'enflammè-rent comme une torche, et, un instant après, il ne restait plus qu'un tas d'ossements calcinés et noirâtres.

HOMMES EN SYMPATHIE

Des hommes en sympathie sont dans la plaine :
que c'est bon ! profitable pour la traversée d'un grand fleuve ;
profitable au Grand Homme, la probité.

La main de Barbare eut un tremblement de joie, en même temps qu'une onde de chaleureuse sympathie pour l'eunuque humectait ses yeux de larmes. Il s'exclama : « Et dire que j'ai failli croire ce fourbe de Li Sseu. » Le traître avait imputé à Tchao le Haut sa propre vilenie ; il avait comploté avec les rebelles par l'entremise de son fils Li Yeou, ainsi que l'établissait clairement le rapport des commissaires spéciaux chargés d'enquêter à Trois-Rivières. Sinon, comment une poignée de factieux serait-elle parvenue jusqu'aux abords de sa capitale ? Et une vague de souvenirs remonta, l'inondant d'un intense sentiment de reconnaissance pour le visage gras et glabre, aux sourcils rasés, qui avait dorloté sa plus tendre enfance comme une nourrice, enseigné sa jeunesse comme un maître et guidé ses premiers gestes de monarque comme un ministre. Il lui devait tout, son trône, et peut-être la vie ; il eût certainement été éliminé, si un autre avait succédé au Premier Empereur, puisque lui-même avait supprimé ses dix frères. Tchao le Haut était le seul être avec lequel il se sentît en communion et on avait cherché à briser leur entente... Il fallait qu'il rachète le bref moment de doute qu'il avait nourri à son encontre. Il le nommerait dès ce jour premier ministre.

Ainsi, dans l'atmosphère recluse du palais intérieur, un

mouvement d'affection profond mais malsain (parce que loin
d'être ouverture sur les autres, il est repli sur soi-même, ainsi
que le manifeste la formule hexagrammatique « *Sympathie
pour le clan : malheur* ») ligotait toujours davantage le jeune
prince à la grosse araignée adipeuse qui tissait la toile de sa
solitude.

En dehors des murs tout de noir laqués, dans les vastes
espaces où courait le souffle vivifiant mais mortel de la
réalité, les obstacles rencontrés sur les routes de l'ambition
suscitaient chez les hommes réunis en bandes ou en armées
des élans de sympathie d'autant plus forts qu'on les savait
exposés aux aléas du devenir.
Les Grands Hommes battaient la campagne. Parfois ils
rencontraient leur semblable, leur double, et trouvaient une
sorte d'attirance dans cette similitude, tels de gigantesques
chiens de la steppe à poils noirs qui se hument, se flairent,
puis s'étant reconnus, courent ensemble dans la plaine,
poitrail contre poitrail, déchirant leurs proies avec des
jappements de joie et de triomphe, rivalisant de force et
d'agilité, comme pour sceller par le sang le pacte de leur
amitié. Parfois aussi ils croisaient sur leur route errante et
aventureuse des individus si différents d'eux qu'il paraissait
inconcevable qu'ils pussent seulement se trouver en présence ; le contraste les poussait alors vers eux.

A travers le rideau de pluie qui plongeait la campagne
dans un demi-jour gris perle, Tchang le Bon vit venir à lui,
dans le cliquetis assourdi des gourmettes et le chuintement
mouillé des harnais, une forte troupe. Elle avançait en bon
ordre, quoique avec difficulté, sur le chemin détrempé par les
averses torrentielles. Les clous de bronze des armures
jetaient çà et là des éclairs glauques sur le brun des cuirasses
de peau de requin ruisselantes et en avivaient les tons
chauds. Les crépines et les aiguillettes mettaient des taches
gaies, rouge et or, sur les uniformes des officiers à qui les

hauts bonnets de soie lustrée conféraient des silhouettes improbables dans les volutes de vapeur exhalées par la terre chaude et détrempée. La forêt des lances et des hallebardes doublait d'une hachure plus sombre le rideau bleuâtre de la pluie. Bien que, toutes gorgées d'eau, les bannières surmontant les hampes ornées de freluches cramoisies dégouttassent l'averse comme des pleurs, elles dégageaient un air martial, laissant deviner dans leurs plis, sur champ écartelé de gueules et d'or, les doubles tigres rampants, les flammes, les phénix affrontés, les ombres de soleil.

Soudain, un souffle de vent gonfla les étoffes alourdies, le drapeau du commandant claqua ; dans un éclaboussement de gouttelettes argentines, il se détendit comme un long serpent de soie, et Tchang le Bon put voir se détacher sur fond de cinabre, en grands calligrammes blancs : « Préfet Lieou, Grand Généralissime du Feu. » C'était Taillefer, accompagné d'un capitaine de Fructueux, partant en expédition contre un corps d'armée de Tchang Han qui venait d'investir T'ang. Tchang le Bon connaissait Taillefer de réputation, il demanda à lui parler. Il fut conduit à un grand gaillard fièrement campé sur un alezan, sanglé dans la carapace noire d'une cuirasse en peau de rhinocéros cloutée d'argent. L'homme avait le teint blanc et son large nez surplombait une face puissante et carrée. Tchang le Bon déclina son identité et proposa de se joindre à eux avec sa troupe ; le général eut un sourire en voyant les maigres effectifs et la taille frêle de Tchang le Bon, mais comme Tchang était l'un des noms qui avaient alimenté ses rêves d'actions sublimes, il lui fit bon accueil et accepta.

A l'étape, quand ils eurent installé leur bivouac, Taillefer invita Tchang le Bon à partager son repas et à boire quelques coupes sous sa tente. Étrangement, dès qu'ils eurent pris place sur les nattes, un courant de sympathie passa entre les deux hommes, pourtant si opposés. Tchang le Bon admira chez Taillefer la haute taille, le corps vigoureux, la face brutale, qu'éclairait parfois un sourire chaleureux et débonnaire. Taillefer fut sensible à l'exquise délicatesse de manières, à l'esprit raffiné et profond de Tchang le Bon. Il était surpris; il s'était attendu à ce que le héros qui avait tenté d'assassiner le Premier Empereur fût de stature imposante, au lieu de quoi il avait devant lui un être de taille médiocre, délicat, fragile comme une vierge. Tchang portait souvent sa main longue et blanche à sa poitrine comme s'il souffrait d'une maladie de cœur; et, n'était son âge — il devait avoir dans les quarante ans —, avec son teint de céruse, sa bouche petite et rouge, ses prunelles, noires escarboucles brillant sous la ligne arquée des sourcils, il eût éclipsé les plus belles filles de Tch'ou et de Tcheng. Les ans avaient imprimé de légères meurtrissures au coin des yeux, sous la bouche et sur le front, émacié l'ovale de son visage et aiguisé l'arête de son nez, lui conférant un air douloureux et sensible, qui tempérait sa perfection de traits, soulignait la race et le rayonnement de l'âme. Taillefer ne l'en admira que plus. Étouffant sa rustrerie coutumière, il sut se montrer prévenant; il eut des délicatesses, comme s'il se trouvait devant une femme qu'il eût voulu séduire.

Il remarqua à sa ceinture la pierre à veinures vertes et blanches portant en son centre l'octogone où s'inscrivaient les trigrammes. Il l'interrogea. Lui-même avait trouvé une pierre semblable après la visite d'un devin. Mais il l'avait perdue au jeu. N'était-ce pas la même qui, par un curieux cheminement, était tombée entre ses mains. Tchang le Bon lui relata ses tribulations: l'attentat manqué contre l'Empereur, sa fuite vers le sud, sa rencontre avec le mystérieux vieillard. Les huit ans passés à Hsia-p'i lui avaient permis de connaître bien des individus exceptionnels, sans qu'il ait pu découvrir parmi eux le vrai Grand Homme auquel proposer ses services. A l'annonce de la rébellion, il avait cru enfin avoir trouvé à s'employer. Il avait réuni une troupe d'une centaine de jeunes gens et avait pris le chemin de la capitale de Saute-le-Pas. Il s'était heurté à des bandes de pillards, puis à des colonnes défaites par les légions de Tchang Han; parvenu à Tch'en, il avait appris la nouvelle du désastre; Saute-le-Pas y avait sans doute trouvé la mort. On avait proclamé un nouveau roi, Fulguration-du-pur-sang; celui-ci avait fixé sa résidence à Reste. Ce qu'on lui en avait dit avait

124

gonflé son cœur d'espoir. Il s'était remis en route et, ainsi, ils s'étaient rencontrés.

Au cours des jours suivants Tchang le Bon exposa les principes du livre de stratégie du vieil homme de Hsia-p'i à Taillefer, qui les écouta avec recueillement, bien qu'il n'y comprît goutte. Néanmoins, grâce aux conseils de son nouvel ami il reprit la ville de T'ang aux armées du Ts'in.

Les troupes victorieuses revinrent sur P'ei. Tchang le Bon, pris d'une de ses mystérieuses attaques de poitrine, dut s'aliter ; Taillefer l'installa chez lui et confia à sa famille le soin de veiller sur la santé du malade ; lui devait reconquérir Fong avec une armée dont les effectifs s'étaient grossis des partisans recrutés dans les places nouvellement conquises. Tchang le Bon lia connaissance avec Liu la Faisanne. Le physiognomoniste qu'il était lut sur chaque trait du visage de son hôtesse les signes d'un destin remarquable ; elle possédait une grande force de volonté et une ambition sans limites. L'attachement qu'il avait pour Taillefer s'accrut de l'admiration qu'il éprouvait pour sa femme.

En déployant ses troupes autour de Fong, Taillefer intercepta Bienheureux qui détalait du Wei pour offrir ses services à Barrière des Dents. Taillefer admirait la force et les prouesses physiques. Impressionné par la foulée puissante et régulière du collecteur de suggestions vertueuses, il le héla, lui tâta les mollets, s'extasiant de leur grosseur et s'émerveillant des talismans qui y étaient collés. Puis il l'interrogea. La nouvelle de la fin tragique de Fulguration-du-pur-sang et de Wei le Calamiteux lui fit verser des larmes — la mort des têtes couronnées arrachait toujours des larmes à Taillefer. Le conseil donné par le roi de Wei à Bienheureux l'ulcéra ; il s'employa à convaincre le coureur émérite de s'engager sous sa bannière et sut se montrer persuasif ; il eut ainsi la petite satisfaction de subtiliser un talent remarquable à celui qui lui avait volé sa ville. Bienheureux fut enrôlé comme estafette avec un titre de lieutenant.

L'ancien chef de police s'amusait des théories de l'Illuminé ; il se prit néanmoins à rêver d'un monde parfaitement réglé où la police serait faite par les citoyens eux-mêmes et où, grâce au rayonnement d'un saint roi, les hommes marcheraient, sans qu'il fût désormais besoin de les punir, sur la voie droite de la vertu.

Le siège fut un échec. Taillefer gagna Reste, où Poutre, le nouvel homme fort de la rébellion, avait installé ses quartiers pour lui demander des troupes qui lui permissent de chasser Barrière des Dents de Fong.

Poutre, Plumet et Taillefer se plurent sur-le-champ : c'était le même type d'hommes : grands et imposants, de ces meneurs qui savent fatiguer les cervelles et les bras des autres pour la satisfaction de leurs ambitions personnelles. Poutre et Plumet auraient pu, étant donné la similitude de leur nature, prendre ombrage de la prestance de Taillefer, mais celui-ci, subissant l'ascendant de preux de plus haut lignage, à la tête plus chargée de lauriers, fit preuve de modestie et les reconnut pour ses maîtres. Sur le moment ils se laissèrent aller à leur conformité physique et morale, leurs yeux s'allumèrent à leur vue réciproque, sous les barbes noires et hérissées luirent des dents carnassières, ils eurent d'énormes éclats de rire, s'envoyèrent de larges tapes de leurs larges mains, s'enfoncèrent des bourrades dans leurs torses bombés comme ceux des ours, plantigrades colossaux exécutant une gigue amicale, mais où déjà s'éprouvait leur force.

Ils parlèrent de campagnes militaires, de chevauchées à travers les plaines, de beuveries et d'amitié, ils évoquèrent les prouesses des chevaliers et des héros du temps passé, ils s'ouvrirent des vastes desseins qui gonflaient leur poitrine bardée d'acier ; il fut aussi question de mangeaille, de femmes et de chevaux. Leurs goûts s'accordaient en tout ; Taillefer fut subjugué par l'exquise délicatesse de manières de Plumet à l'égard de ceux qu'il voulait s'attacher : c'étaient des attentions constantes, que ne déparait nulle importunité ; il remplissait les coupes vides sans jamais forcer à boire ; il déposait, de ses baguettes de corne, les meilleurs morceaux dans les assiettes des convives ; cette délicatesse pleine de naturel semblait d'autant plus exquise et précieuse qu'elle détonnait chez ce chef de guerre par ailleurs formidable.

Taillefer reçut des Hsiang cinq mille hommes supplémentaires pour mener campagne.

Les liens qui unissaient Poutre et son neveu à Taillefer n'étaient pas assez forts pour interdire d'autres élans. C'était en fait une de ces amitiés qui ne durent que ce que durent les circonstances qui les suscitent. Aussi ne fut-il pas surprenant que sitôt celui-ci parti, Poutre et Plumet sentissent leur âme en communion avec le vieillard haut et maigre qui s'avançait vers eux d'un pas encore ferme. Il portait une robe ample à larges manches, à col rabattu portant pour unique ornement un liséré de soie brodée de motifs divinatoires et d'animaux emblématiques. Le temps avait terni ses prunelles, les voilant de cette profondeur opaque que confère l'expérience au regard des hommes rusés, et allumé dans les filaments argentés de sa longue et maigre barbiche des flammèches roussâtres. Il avait toujours vécu à Nid, sans jamais sortir de son vaste domaine fortifié surplombant les eaux tranquilles d'un grand lac, penché sur les vieux grimoires prophétiques que lui avait remis un mage anachorète surnommé le Vieux Sage du Sud dont une rumeur sourde mais persistante faisait l'un des chefs des Trigrammes de la seconde génération après Confucius — rumeur invérifiable qui tenait sans doute à ce que le Sage du Sud était l'un des plus grands exégètes de la tradition de Confucius du *Livre des Mutations*. Le patriarche de Nid, grâce à sa science des arcanes divinatoires, avait pu dans la solitude des eaux et des collines concocter des plans mirifiques, dont le cours de l'histoire avait jusqu'alors contrarié l'application. Les exploits de Poutre et de Plumet étaient parvenus jusqu'à lui. Il crut avoir trouvé des maîtres à servir et l'occasion de donner leur essor à ses projets, tels de grands aigles longtemps captifs.

Les faces larges et rouges divisées symétriquement par des nez hauts et forts comme des mufles de fauve, les grands yeux aux coins étrécis, jetant des éclairs noirs sous le sombre couvert des sourcils, s'étirant en chenilles du bombyx, tout dans la physionomie de l'oncle et du neveu dénotait une mâle énergie, une force et une intelligence capables de plier les foules sous leur volonté. Fan Accroisseur, car tel était son nom, comprit dès le premier coup d'œil qu'il se trouvait en face de Grands Hommes ; les Grands Hommes avaient immédiatement perçu qu'ils avaient affaire à un Sage Conseiller. Ils le traitèrent avec déférence ; lui leur exposa quelques-uns de ses plans. Il leur dit qu'ils régenteraient mieux les princes en régnant sous le couvert d'un souverain qu'ils auraient expulsé du réel par l'enflure même de son titre. L'oncle et le neveu, séduits par ces perspectives, chargèrent Accroisseur de se mettre en quête d'un rejeton de la famille royale du Tch'ou.

L'avisé, le trop avisé vieillard crut avoir trouvé la perle rare en la personne d'Esprit, dont le nom seul en était pourvu. Descendant lointain du roi Houai, il avait été ravalé au rang de simple roturier à l'avènement du Premier Empereur et, ne possédant ni culture ni talent d'aucune sorte, s'était fait gardien de chèvres. Accroisseur ramena le pâtre à Reste et le fit couronner roi par l'assemblée des seigneurs.

Taillefer, entre-temps, avait libéré sa ville natale de la gueule vorace de Barrière des Dents qu'il avait contraint à fuir piteusement au Wei. Il regagna triomphalement Reste pour rendre compte au nouveau roi de ses succès et fut immédiatement engagé dans une campagne contre le Ts'in en qualité de lieutenant de Plumet.

Il comprit alors ce que c'était que faire la guerre. Jusqu'alors elle ne constituait pour lui qu'une opération de police en plus grand : on acculait l'ennemi, comme une bande de malfaiteurs, dans une impasse, on l'entourait d'un cordon et l'on réduisait la poche, un peu à la manière d'un pêcheur ramenant la nasse où les poissons sont prisonniers. Il piétinait devant chaque citadelle.

Plumet ne s'arrêtait jamais devant une ville qu'il n'arrivait pas à emporter immédiatement, ne se fixait pas devant l'obstacle, mais tel un ouragan soufflant sur les grandes plaines il l'encerclait dans un mouvement tournant et l'arrachait, le cassait, le réduisait en miettes par la gigantesque force d'aspiration du tourbillon.

Ses campagnes étaient une ligne brisée zigzagante faite d'avancées fulgurantes, de retours, de percées, de replis incessants et imprévisibles ; ainsi, en terrain découvert, surprenait-il toujours les armées adverses et les enfonçait-il ; sans mener de sièges, il investissait les villes, tombant sur les arrières des assiégés, qui pensaient le prendre à revers. Ses troupes, tantôt ondoyantes comme un serpent, enserraient l'ennemi dans un nœud coulant, tantôt déployées en ligne, le débordaient sur ses ailes, ou bien disposées en colonnes, s'étirant comme un dard, le transperçaient et le tranchaient comme une lame d'acier ; elles broyaient comme une meule, aplatissaient comme un fléau, enfonçaient comme un coin.

Ses adversaires se rendaient ou étaient exterminés ; Plumet ne faisait pas de quartier, il s'avançait dans un sillage de sang et de larmes ; exterminant des villes entières et ravageant les campagnes. Il avait une telle ivresse de meurtre au combat que tous ses hommes étaient galvanisés et, pris d'une rage de tuer, couraient sus à l'ennemi comme une horde de loups. Et lorsque tout couvert de sang noir et de boue jaune, il taillait dans les monceaux de chairs pantelantes et geignantes, au milieu des fumées âcres des incendies que rabattaient les ondées, le glaive brandi, les yeux fous, la bouche ouverte comme pour laper goulûment le sang qu'il répandait, on eût dit le dieu de la guerre, Tch'e-yeou. Et cet homme si prévenant et si doux dans son intimité, si délicat avec ses amis et ses femmes, se transformait en démon sanguinaire dans l'ardeur du combat ; sans doute avait-il l'âme d'un tigre, et ses grâces avaient des allures de chatteries de grands fauves avec leurs progénitures. Taillefer savoura le privilège de compter au nombre des rares pour qui il rentrait ses griffes encore toutes chaudes du sang de ses victimes ; il se laissa griser par les massacres. L'odeur du sang réveilla la bête de proie qui sommeillait en lui ; il prit plaisir aux carnages et s'exalta des tueries, mais en même temps elles lui laissait comme un goût d'amertume, qui tenait peut-être simplement à la constatation que Poutre et Plumet lui seraient toujours infiniment supérieurs à la guerre.

Ils écrasèrent les armées du Ts'in à Barrière-de-la-Butte, s'emparèrent du gouverneur chargé du commandement des troupes de Trois-Rivières, Li Yeou, qui leur avait offert une résistance acharnée, et l'égorgèrent ; ils répandirent son sang sur un autel improvisé et Plumet l'offrit aux mânes d'Hirondelle ; il se reput de son foie et de ses entrailles.

Poutre dormait du sommeil du vainqueur dans son bivouac. Il avait repoussé vers le nord-ouest les cohortes de Tchang Han, qui s'étaient repliées derrière Solidité-du-Pot-de-Terre. C'était un sommeil habité par des rêves de batailles, de triomphes et de gloire. Monté sur son gigantesque étalon blanc, il coupait les têtes comme la bourrasque printanière fait pleuvoir les pétales de camélia ; elles décrivaient une courbe gracieuse en tombant sur le sol, s'épanouissaient en somptueuses fleurs enturbannées de noir et cerclées de pourpre à leur base avant d'être piétinées par les lourds sabots des chevaux de combat. Les troncs privés de leur tête tombaient avec un bruit pesant, tels d'énormes pédoncules. Lui et ses soldats, faisant un seul et même corps, en totale communion, abattaient l'ennemi par rangs entiers. Que c'était bon et quelle sauvage ivresse !

A la faveur de la nuit, unis eux aussi par la sympathie des hommes en campagne, progressaient ceux-là mêmes dont le rêve de Poutre tranchait les têtes. Ils avançaient sans un bruit, aussi indiscernables que s'ils faisaient corps avec l'obscurité. Les sabots des chevaux étaient entourés de paille, leur bouche muselée, les hommes portaient des bâillons. On avait ôté les carillons aux barres d'appui des chars et les clochettes aux anneaux fixe-rênes des montures, toutes les pièces et les clous métalliques avaient été badigeonnés de suie, afin que rien ne pût trahir la marche de l'armée de Tchang Han. Les vigiles du Tch'ou furent comme happés par les ténèbres ; la horde des guerriers sombres et muets s'infiltra dans le camp et un détachement entoura la tente du commandement avant que ne soit donné l'assaut.

Poutre rêvait encore. Mais le rêve lui procurait maintenant une sourde, une poignante angoisse. Le fier général sur
son blanc étalon avait été désarçonné ; une immense lame
d'acier que nul ne tenait lui transperçait le corps ; elle l'avait
frappé tel un glaive brandi par le Ciel. Ce ne pouvait être lui
ce malheureux qui s'agitait encore en soubresauts grotesques
autour du dard qui le clouait au sol, non, c'était l'Ennemi,
l'épée était la sienne et la main invisible qui l'étreignait
n'était autre que sa volonté de vaincre et de tuer. Mais
pourquoi l'Autre avait-il pris ses traits, pourquoi cette
identification si totale qu'il sentait le sang s'écouler de son
corps, pourquoi cette pitié pour l'ennemi abattu ? Pourquoi
enfin cette terrible, cette atroce douleur ? Poutre ouvrit les
yeux, trouva la réponse dans la face brutale, fermée à toute
compassion, qui se penchait sur lui pour le tuer, et l'emporta
dans son sommeil définitif.

Le Maître glose la formule divinatoire de l'avant-dernière
ligne de l'hexagramme : « *Hommes en sympathie qui crient puis
rient : la victoire d'une grande armée permet leur réunion* » de la
façon suivante : « Le sage est obligé d'adapter sa conduite
aux circonstances, il est ouvert ou secret, taciturne ou
bavard, mais sitôt qu'il a trouvé un cœur qui bat à l'unisson
du sien, il devient plus tranchant que le métal car l'épanche-
ment d'une âme sœur embaume comme l'orchidée. » Et, de
fait, l'amitié entre Oreille et Rogaton n'était-elle pas la
preuve vivante de la force d'une étroite communion ? Ils
avaient eu à essuyer bien des revers et avaient toujours pu les
surmonter, transformant le malheur en bonheur ; ils avaient
déjoué les recherches de la police du Ts'in, s'étaient élevés, à
la faveur de la révolte de Saute-le-Pas, au rang de ministres
du Tchao ; ils avaient survécu à une révolution de palais qui
avait coûté la vie à leur prince et réussi à reprendre les rênes
du pouvoir. Cependant, même la fusion de deux âmes
jumelles n'est pas indestructible, parce qu'il est dans la
nature des sentiments humains d'être soumis aux atteintes

du temps et des circonstances, qui tantôt renforcent les liens, tantôt les dénouent; c'est contre cette précarité de nos attachements que met en garde, si l'on sait en déchiffrer le langage sibyllin à force de prosaïsme, la dernière ligne de l'hexagramme, frappée au sceau de l'inachèvement et de l'incomplétude : « *Amitié réduite à la banlieue : pas à se plaindre.* » Si, à l'issue des épisodes dramatiques qui suivirent la destruction de Poutre et de son armée, Oreille et Rogaton rirent après avoir pleuré, semblant ainsi répondre au modèle de l'union des cœurs, leur amitié avait vécu.

L'écrasement du corps principal de bataille du Tch'ou et la mort sans gloire du généralissime Poutre semèrent la terreur dans les autres armées des provinces de l'Est. Les soldats s'enfuyaient épouvantés au seul nom du Ts'in. Même Plumet, renonçant à mener ses hommes au combat, se replia sur Reste pour en assurer la défense.

Tchang Han, sûr d'avoir brisé pour longtemps la puissance militaire du Tch'ou, se porta contre le Tchao. Son avance fut fulgurante. La capitale, Han-tan, fut emportée en un tournemain. Oreille s'enfuit avec le roi à Cerf-Blanc, Rogaton courut rassembler une nouvelle troupe dans le nord du pays. Lorsqu'il voulut rejoindre son ami avec son armée, l'ennemi coupait les voies d'accès et sa puissance décourageait toute attaque. Il se fortifia dans un camp, au nord de la ville, derrière les lignes d'investissement du Ts'in.

Rogaton, en dehors de la ville, s'arrachait les cheveux de désespoir devant la supériorité numérique des adversaires, Oreille, à l'intérieur des murs, se lamentait en constatant que leurs réserves fondaient; il regardait vers le nord et, apercevant les murs de terre, derrière lesquels Rogaton se retranchait peureusement, il maudissait sa couardise, puis quand, portant son regard vers le sud, il avisait les rangs noirs et menaçants des légions du Ts'in qu'estompait en des contours spectraux le rideau de pluie, il se prenait à trembler.

Dans sa détresse et sa terreur, il se mit à mépriser et à détester Rogaton, un lâche qui trahissait leur serment de se porter assistance et secours au mépris de leur vie. Oreille envoya à travers les lignes du Ts'in messages sur messages, pressant son ami d'intervenir ; un tel manque de sang-froid agaça Rogaton.

Ainsi au fil des semaines, l'inaction de l'un, la fébrilité de l'autre corrodaient ces liens réputés indestructibles. Chaque jour de siège ôtait un brin à la corde de leur amitié ; et le siège s'éternisait, parce qu'Oreille et les autres seigneurs assistaient en spectateurs à l'étranglement de la ville, certes, mais aussi parce que, à des centaines de lieues plus au sud, un autre général temporisait. Et cette lenteur indignait son adjoint, indignation dont s'impatientait le supérieur, de sorte que s'exaspérant l'un l'autre, ils en vinrent à se haïr.

Il avait été décidé, à la cour du roi de Tch'ou, Esprit, qu'il fallait intervenir en envoyant une armée au secours des assiégés. Restait à choisir le général en chef. Faisant acte d'indépendance, le souverain qu'Accroisseur et Plumet croyaient manipuler avait nommé Song le Juste commandant suprême des forces armées. Plumet et Accroisseur devaient lui obéir en qualité de général en second et de maître de stratégie. Song le Juste n'était-il pas le mieux qualifié pour remplir la plus haute responsabilité dans un pays en guerre : il avait exercé la charge de premier ministre au moment de l'annexion du Tch'ou par le Ts'in et avait mis en garde Poutre contre sa trop grande confiance en soi.

Tout d'abord Song le Juste se mit hardiment en marche à la tête de ses troupes, passa le fleuve Jaune, s'enfonça dans le territoire du Tchao, mais, parvenu sur les rives de la rivière Tchang, à quelque deux cents lieues de Cerf-Blanc, il planta le camp et ne bougea plus.

Il y avait quarante-six jours qu'ils bivouaquaient dans la boue, car la pluie n'avait cessé de tomber en averses torrentielles, pénétrant dans les tentes, détrempant les vêtements, les literies, gondolant les cuirasses et les harnais ; les feux prenaient difficilement, incommodant les hommes par des nuages de vapeur âcre ; les chars s'embourbaient, le grain pourrissait, le foin fermentait. On commençait à manquer de vivres, les hommes étaient exténués. Des murmures et des plaintes se firent entendre dans les rangs. Song le Juste attendait, calme, imperturbable. Plumet pressait son chef d'attaquer, mais celui-ci haussait le sourcil d'un air fin et lâchait de sa bouche sinueuse et hautaine une de ces maximes dont il avait le secret : « En écrasant le taon du bœuf on n'incommode pas ses poux. »

Plumet eut des conciliabules avec son état-major. Song le Juste craignit une mutinerie ; il chercha à prévenir toute velléité d'opposition en les effrayant. Une proclamation circula, menaçant de la peine capitale « les officiers que leur férocité de tigre, leur entêtement de mule et leur voracité de loup rendent rebelles à toute discipline ».

Son destin était fixé. Le jour même, Plumet pénétrait dans sa tente, lui tranchait la tête, prenait le commandement de l'armée et la mettait en mouvement.

Plumet remporta une grande victoire contre les forces du Ts'in, qu'il anéantit totalement. Après des semaines de cris et de larmes, il y eut des rires, des danses et des chants d'allégresse. Mais ce jour de fête scella la rupture définitive entre Oreille et Rogaton. Oreille, qui était le supérieur hiérarchique de Rogaton, l'abreuva d'insultes ; l'autre lui rendit ses sceaux et le quitta, devenu son plus mortel ennemi.

GRANDE POSSESSION

C'est bien, c'est beau une grande possession !

Son char, tiré par quatre chevaux blancs, filait comme le vent. Il allait à travers un parc giboyeux, ombragé de grands arbres et planté d'essences rares. D'exquis parfums s'exhalaient des fleurs et des milliers d'oiseaux pépiaient, emplissant l'air de vocalises harmonieuses. Il chassait depuis l'aurore, dans cette réserve qui s'étendait jusqu'aux bornes de la terre ; il y avait les abois des lévriers de la steppe, les feulements des panthères, foudroyées par ses traits sûrs, le craquètement des longues cigognes que pourchassaient les faucons dans un frissonnement d'aigrettes et de plumes ; de grands oiseaux ensanglantés pleuvaient du ciel et les roues de son char s'enfonçaient, rouges jusqu'au moyeu, dans l'épais tapis des dépouilles de cerfs, de léopards, d'ours, de sangliers, de gazelles. Soudain, sur sa gauche, un gigantesque tigre, entièrement blanc, surgit du couvert d'un fourré, bondit sur son coursier de gauche et, ouvrant une large gueule, lui arracha tout l'arrière-train ; la bête s'effondra, les chevaux se cabrèrent, le char culbuta...

Le Second Empereur poussa un grand cri, roula à bas de son lit, étreignant un morceau des tentures de soie mousseuse qui protégeaient son sommeil. Déjà le corridor bruissait des pas feutrés des eunuques attachés à sa garde... Il les rassura ; il avait fait un cauchemar. Ce n'était qu'un rêve mais il était de mauvais augure ; il lui laissa une sourde inquiétude quant à la solidité de ses possessions. Et pour exorciser l'impression désagréable qu'il n'était que le bénéficiaire temporaire de toutes ces richesses, que leur profusion ne lui en garantissait pas la perpétuelle jouissance, il se mit à les passer en revue : il y avait l'immense cité impériale de Double-Lumière, avec le Palais Vieux, les Six Palais des Princes Vaincus, le nouveau palais A'fang, les cinq cents villas d'agrément et résidences de voyage disséminées à travers l'Empire ; et à l'intérieur de chacun d'eux, des millions de bibelots, meubles, potiches, plus de trois mille épouses, sans compter les danseuses, les chanteuses et les diverses servantes, suivantes et concubines de moindre rang ; huit mille chevaux de race, rien que pour ses cortèges et ses équipages impériaux, des centaines de coffres remplis de pierreries, de perles irisées, de jades sculptés, de bijoux en or incrustés de rubis. Il y avait encore les immenses parcs de Sang-ling, de Yun-mong, de Yong, avec leurs populations de biches, de daims, de fauves sauvages ou dressés, d'oiseaux de toutes sortes, sans parler de toutes les essences rares et précieuses qui y poussaient ; il y avait aussi, en dehors des murs de ses palais, de hautes montagnes, de larges fleuves et sur ceux-ci des milliers de barques de santal, toutes ouvragées, de grandes nefs rapides peintes de vermillon ; il y avait aussi les deux millions de soldats prêts à sacrifier leurs deux millions de vies pour lui et les cinquante-cinq millions de paysans à la noire chevelure, dont les cent dix millions de bras travaillaient sans relâche pour satisfaire ses plaisirs. Il possédait tout, toute la terre sous le ciel... Et, un sourire apaisé sur les lèvres, il s'assoupit, dans le murmure lénifiant de l'inventaire de ses biens, tel un petit enfant qui compte ses jouets ou ses bonbons, sans soupçonner un seul instant que s'il jouissait encore des biens de l'Empire, il avait été dépossédé, et depuis fort longtemps, de ce qui assure durablement du maintien de si grandes possessions : le cœur de ses sujets.

Pendant que l'Empereur s'endormait, un sourire confiant et glouton sur ses lèvres, rêvant à ses incalculables biens, l'eunuque Tchao le Haut, dans ses nuits insomnieuses hantées par l'ombre des désirs qu'il ne pourrait jamais plus satisfaire, cherchait une compensation à ses impossibles appétits dans le décompte des richesses que recelait l'Empire, dont il ruminait de soustraire la possession à son maître. Et comme non les choses elles-mêmes, mais seulement les symboles qui en manifestent la propriété étaient pour lui source de plaisir, de même qu'il n'étreignait jamais que la trace du désir, il s'exaltait en compulsant, dans les vastes salles des archives impériales auxquelles son nouveau titre de premier ministre lui donnait accès, les cartes — images de son patrimoine territorial —, les registres d'état civil — reflet mort et figé du mouvement de la vie dont il allait entrer en jouissance —, les livres de comptes — marques illusoires de trésors qui ne valent eux-mêmes que comme écho des bonheurs et des joies que leur possession promet et ne tient pas. Contraint de vivre, par le terrible châtiment que lui avaient infligé ses maîtres, la représentation du désir et non son accomplissement, il confondait les choses et leur désignation. Le signe de la possession est le Pouvoir, promesse de la satisfaction de tous les désirs, de tous les appétits, mais qui peut demeurer éternellement de l'ordre du virtuel.

Il avait cru s'emparer de l'Autorité en s'appropriant la mainmise sur les mots. Il avait appelé un cheval un cerf, sans que nul, pas même l'Empereur, n'osât le démentir. Maître du langage, il se croyait maître des réalités auxquelles il se réfère, confondant encore une fois l'objet et sa représentation ; il était comme cet affamé qui espère se sustenter en humant les fumets des nourritures se dégageant des cuisines.

Ce n'était pas seulement à la cour qu'on mesurait ses possessions, dans l'espoir d'en acquérir de plus grandes. Tout l'Empire, à l'est des passes, faisait ses comptes.

Les nouveaux rois s'étaient taillé des fiefs, avaient conquis des villes et rassemblé des soldats, acquisitions fragiles en vérité en ces temps incertains ; les généraux possédaient des troupes qui semblaient leur fournir la promesse de gains territoriaux — encorc fallait-il qu'ils se réalisassent par la victoire, qui est toujours aléatoire. Plumet, bien qu'il ne possédât point de titre royal, en avait la réalité. Il disposait d'une armée innombrable, de la confiance de ses soldats et de l'admiration craintive de tous les insurgés. Il avait les qualités et les moyens d'acquérir les plus grands biens et les plus grandes richesses de la terre : l'ambition, le courage, le talent et de bons conseillers. Et sous sa tente, vivant à la dure, partageant les peines et les privations de ses hommes, il additionnait ses atouts : quoique sujet, il occupait une place éminente, rencontrant l'adhésion des rois comme du peuple, à l'exemple du quatorzième hexagramme qui fournit l'assurance d'une grande possession.

Moins bien loti en apparence, Taillefer n'en était pas moins, tout comme Plumet, à la tête d'une grande possession : il bénéficiait de l'appui de conseillers avisés qui, « *répondant au mouvement du Tao, se conformaient aux circonstances* ». N'était-il donc pas, lui aussi, à même de connaître les desseins du Ciel et de dicter ses décrets au peuple ?

Ainsi dans l'Empire se côtoyaient une multitude de possessions, toutes grandes à leur manière, mais aussi toutes entachées d'irréalité : celles qui sont jouissance de ce que déjà on ne possède plus, celles qui sont promesse de ce dont on ne jouit pas encore, celles qui constituent un gage sur des biens futurs, celles enfin qui ne valent que par ce qu'elles promettent.

A côté de ces grandes possessions, qui n'étaient rien d'autre que les possessions des grands, il y avait, discrètes, effacées, n'apportant nulle vraie promesse, les grandes possessions des petits.

La disparition des chefs des turbans verts avait détruit l'organisation du mouvement de la Grande Paix, mais en en éliminant les membres les plus remarquables et les plus éminents, elle l'avait en quelque sorte purgé des éléments qui en dénaturaient la signification profonde. Privé de ses meneurs, il en sortait à la fois amoindri et sublimé.

La foule anonyme des adeptes, ceux qui jamais ne laissent un nom à l'Histoire, avait plié l'échine et, l'ouragan passé, comme l'administration ne s'était pas encore remise en place, ils continuèrent à vivre dans la concorde, une concorde villageoise, terre à terre, sans plus songer à l'étendre à toute la terre sous le ciel.

Les boîtes à suggestions merveilleuses avaient été démantelées, le métal circulait à nouveau sur les marchés, qui appellent le vin, le vol et le meurtre ; le nombre des femmes avait de nouveau diminué, beaucoup ayant été enlevées et tuées après avoir été violées par les troupes de Poutre et de Plumet. Alors, dans l'ensanglantement de la végétation frémissante sous les premiers frissons de l'hiver, les humbles s'abandonnaient à des inventaires et à des rêves de grandes possessions, serrant l'un contre l'autre leurs carcasses fatiguées dont les os secs stridulaient tel un feu de fagots ou un chants désespéré de criquets.

Ils avaient tout d'abord, bien à eux et inaliénables, fussent-ils esclaves, leurs trois cent soixante os et articulations, répliques des trois cent soixante lunaisons, dont la succession tisse la trame de l'année, leurs quatre membres, qui sont comme les quatre orients, leurs cinq viscères, images des cinq éléments, leurs six réceptacles, leurs neuf orifices, leurs trois cent soixante millions de cheveux. Et à l'intérieur, les dix-huit mille dieux qui l'habitent ; les sept âmes corporelles, les trois âmes spirituelles, les dieux du soleil et de la lune qui illuminent les prunelles, les déesses des cycles des heures, surplombant l'océan du souffle, depuis les reins, etc.

Ce corps que tout le monde possède, ils en avaient une jouissance plus entière et plus pleine que les grands, que les riches, car ils le sentaient à chaque instant, dans leurs os qui grinçaient, dans leurs ventres vides, ballonnés et flatulents, dans leurs muscles et leurs tendons qui tiraient.

En plus de leur corps et de sa population divine (qui, il est vrai, n'existe qu'à l'état virtuel, puisque sa possession ne peut être obtenue que par la vision intérieure, laquelle n'est pas donnée à tout un chacun), il y avait l'immense colonie des parasites — un bien stable et assuré, car nul ne vous le dispute : les puces, les tiques, les poux, sans compter les multiples vers intestinaux ; ils possédaient, outre la sollicitude de leur vermine, la tendresse de leur épouse et de leur marmaille affamée, attendant d'eux, comme elle, leur subsistance.

Et ils rêvaient eux aussi de possessions, de la vraie possession, se remémorant les théories que professait Faste et qui s'accordaient si bien avec les ombres vagues qui flottaient encore dans leurs têtes. La terre et le ciel, à l'origine, prodiguaient aux hommes, sans compter, leurs plus beaux fruits, mais en raison de la cupidité des hommes qui se mirent à accaparer et à accumuler pour eux-mêmes les richesses, ils avaient cessé peu à peu de dispenser leurs dons.

La terre était devenue totalement stérile, et à cette avarice de la terre correspondait l'indigence des souverains. Auparavant les rois distribuaient à leurs sujets tous les biens, toutes les merveilles de la création ; ils pouvaient satisfaire tous leurs désirs ; puis ils ne purent contenter que les deux tiers de leurs appétits, enfin ce ne fut plus qu'à concurrence d'un tiers. C'était déjà le manque. Aujourd'hui où les princes arrivaient à peine à pourvoir à leurs propres besoins, et se montraient incapables de distribuer à quiconque riches soieries et beaux jades, régnait la misère absolue. Ils vivaient sous des princes en banqueroute.

La possession n'était véritable possession que si elle n'excluait pas la richesse générale, que si elle permettait à tout un chacun de satisfaire ses besoins. Les mots « richesses privées » étaient un non-sens et ceux qu'on appelait riches n'étaient que des indigents. Et ils soupiraient après un monde où tout leur étant prodigué à foison, « le tien » et « le mien » n'auraient plus aucun sens, où ils jouiraient collectivement de l'abondance que le ciel et la terre feraient pleuvoir sur leur tête ou éclore sous leurs pas.

HUMILITÉ

Belle, l'humilité par quoi le Grand Homme est glorifié !

Sur l'immensité jaune de la plaine qui s'étendait sous l'immensité bleue du ciel hivernal, le blanc du cortège jetait comme une éclaboussure funèbre. Bientôt se dessinèrent nettement les contours du char, des chevaux, et des cavaliers ; on put distinguer les effigies de dragons rampants, encadrées des motifs royaux sur les drapeaux blêmes de la défaite. Arrivé à cent pas de son vainqueur dont les guidons ensanglantés de gloire déroulaient leurs phénix solaires dans la flamme des gonfanons, le roi Tseu-ying, en vêtement de deuil, le cou entravé de la cordelette de soie de la capitulation, l'épaule dénudée, et tenant dans ses bras les instruments de sacrifice, descendit de son char et se traîna sur les genoux jusqu'au vainqueur. Levant haut les mains au-dessus de sa tête courbée, il remit les sceaux impériaux à Taillefer.

Cette scène constituait l'aboutissement paroxystique de gestes d'humilité auxquels elle mettait un point d'orgue. En effet, deux mois avant que Tseu-ying s'agenouillât devant Taillefer, un autre souverain — portant celui-là le titre superbe d'empereur — s'était abaissé devant ses bourreaux.

Tout avait commencé dans le pavillon de Vue des Barbares, une résidence campagnarde entourée d'un grand parc, où s'était retiré le Second Empereur pour une retraite purificatoire après son rêve.

Tchao le Haut crut qu'il pourrait régner. Il décida d'éliminer celui qui lui faisait de l'ombre, sans se rendre compte que cette ombre même lui permettait de vivre.

Un beau jour, par ordre du premier ministre, le préfet de Double-Lumière et le capitaine de la Garde Impériale surprirent les sentinelles de la résidence du Fils du Ciel, firent irruption dans la salle interdite et tirèrent sur les eunuques, qui, grands oiseaux jaunes désemparés, se dispersèrent dans toutes les directions. Une flèche transperça le dais du baldaquin impérial ; Barbare, bleu de colère, rugit ses ordres à sa suite, mais celle-ci, terrorisée, se rendit aux assaillants. Les deux officiers forcèrent la porte des appartements intérieurs où le monarque s'était réfugié et l'empoignèrent par le col, tout en lui tendant une épée :

— Ton goût du meurtre, ta morgue et ton extravagance sont causes de la rébellion qui ravage l'Empire ; le premier ministre Tchao le Haut te fait la grâce d'en tirer toi-même la leçon !

— Laissez-moi lui parler !

— Pas question !

— Et si j'abdique en sa faveur : je me contenterai d'une province et d'un titre de roi !

Ils secouèrent la tête.

— Alors, juste une préfecture et un rang de marquis !

— Non !

— Un petit poste de grand officier à la tête d'une sous-préfecture, c'est encore trop demander ?

— Nous avons reçu mandat du premier ministre Tchao le Haut de te mettre à mort, au nom de tout l'Empire !

— Je vous en supplie, je n'exige rien, juste que vous me laissiez finir mes jours avec ma femme et mes enfants ; je cultiverai un petit bout de jardin ; c'est un souhait bien modeste !

Et il se prosterna devant les deux hommes, leur étreignant les genoux. Ceux-ci demeurèrent inflexibles :

— C'est bien avant qu'il fallait rabattre ta superbe !

Ils le relevèrent et, lui fourrant l'épée dans la main, lui crièrent :

— Arrête de gémir et bénis plutôt le ministre qui t'accorde de te donner toi-même la mort !

L'élimination de Barbare n'eut pas le résultat escompté. Dans le petit salon des délibérations secrètes de l'Hôtel du Gouvernement, les deux exécuteurs des basses œuvres de Tchao le Haut lui faisaient toucher du doigt son erreur, non sans un malin plaisir :

— Il faut parfois savoir s'abaisser, disaient-ils, il serait téméraire de vous proclamer empereur dans les circonstances actuelles ; les dignitaires du Ts'in sont loin de vous être acquis. Avez-vous remarqué le frémissement d'indignation de la salle d'audience, lorsque vous avez fait mine de gravir les degrés du trône ? Désignez donc quelque membre de la famille du Premier Empereur, derrière lequel vous gouvernerez.

L'eunuque jeta un regard lourd sur le préfet de la capitale et sur le capitaine de la Garde, qui venaient de lui donner ce conseil après la tentative d'usurpation avortée. Il soupira mais ne dit rien ; ils avaient raison : son rôle serait toujours de demeurer en retrait.

Quelques jours plus tard, dans la grande salle du trône, où tous les dignitaires avaient été réunis en assemblée plénière, Tchao le Haut traduisait l'abandon de ses prétentions sous la forme d'une requête pour une plus grande humilité du Ts'in :

— Il faut être réaliste ; nous nous trouvons désormais réduits à notre territoire propre et le titre d'empereur me paraît inadéquat vu l'exiguïté du Ts'in ; restaurons donc le terme de roi, qui avait prévalu jusqu'au règne du Premier Empereur ; il convient mieux aux circonstances présentes.

C'est ainsi que l'eunuque, face au nord, le buste incliné devant le trône vacant, présenta sa requête, dans l'attitude d'un vassal.

Le cousin de Barbare, Tseu-ying, se tenait lui aussi la nuque inclinée, mais c'était sur une vasque que, méditatif, il se penchait ; des gros poissons gris s'y ébattaient. Dans un fugitif éclair, participant à l'indicible joie qu'ils manifestaient de ne pas se sentir exister, il lui parut que la conscience de son être, exacerbée dans la volonté de saisir celle d'autrui, s'abolissait dans l'appréhension même de l'inconscience de leur joie — il devenait carpe.

A l'instant où, inondé d'un plaisir sublime dans son humilité, il gonflait ses joues comme des branchies, un serviteur vint lui communiquer la décision du conseil, prise au terme de l'inclination du gros corps de Tchao devant la vasque vide du trône à pourvoir. Il n'était plus poisson mais dragon ! On l'avait affublé d'ailes. Toute sa joie reflua ; il fut effrayé comme un ver de terre brusquement propulsé au-dessus des nuages.

S'ébaudissant dans la mare d'une médiocrité dorée, il avait été l'un des rares parents de Barbare à avoir été épargné ; et voici que brusquement, tel un aigle saisissant une grenouille dans ses serres, la gloire et les honneurs le happaient. Un vertige le saisit. Ses jambes se dérobèrent ; il perdit connaissance. Son évanouissement lui servit de prétexte pour faire remettre les cérémonies d'investiture. Il se claquemura dans ses appartements, refusant de recevoir quiconque et particulièrement Tchao le Haut. L'eunuque s'impatientait. Le Ts'in ne pouvait rester plus longtemps sans maître. Il était prêt à le tirer de force et à le placer, fût-il mourant, sur le trône. Tseu-ying se concerta avec ses fils et l'un de ses fidèles serviteurs.

— Tchao le Haut a assassiné le Second Empereur pour prendre sa place. L'hostilité de la cour l'a contraint à remettre ce projet à plus tard ; il vous a donc désigné, pensant qu'il vous éliminerait quand il le voudrait. On prétend qu'il vient de s'entendre avec l'un des chefs rebelles, Taillefer, pour se partager entre eux les dépouilles du Ts'in. Votre tête serait le gage de sa bonne foi. S'il a tellement hâte que vous accomplissiez les rites de purification, c'est qu'il compte vous tuer au moment où vous entrerez dans le temple, sans armes et sans escorte.

— Je suis perdu !

— Non, jouons de son impatience. Si vous refusez de

sortir, vous l'obligerez à entrer ici et c'est nous qui le tuerons !

Dix jours plus tard, Tchao le Haut réussissait à forcer la porte du malade. Au moment où il rappelait Tseu-ying à ses devoirs de monarque, un serviteur surgit d'une tenture et lui passa son épée en travers du corps.

Tseu-ying refusa tout d'abord le trône que tous lui offraient, comme le seul digne de s'y asseoir et le plus apte en raison de sa modération et de sa sagesse à traiter avec les révoltés. Soit faiblesse, soit attrait secret pour le pouvoir, il finit par céder aux sollicitations de ses proches. Il se purifia et accomplit les rites d'investiture.

Par un mystérieux phénomène de résonance, le mot proféré dans la noire salle du trône de Double-Lumière avait retenti sous les poutres à arabesques rouge et or du palais de Tch'en.

Humilité — c'étaient des lèvres royales elles aussi qui prononçaient le mot devant un conseil —, Esprit, roi de Tch'ou, l'exaltait comme la vertu dont dépendaient toutes les autres. Dans la bouche de cet homme chez qui le rêve vain et glorieux d'un fugitif présent avait réduit l'humble épaisseur de son passé à l'inconsistance d'une virtualité non accomplie, le terme se dilatait, se gonflait jusqu'à ce que, débordant de la cavité rose où il s'articulait, il emplît le grand vide laissé par l'anéantissement de sa réalité, dans l'acte même de son énonciation. Certes, cette modestie, Esprit ne se l'attribuait pas, il l'exaltait chez un autre, mais elle l'aspergeait néanmoins, tels les embruns projetés par une forte lame se brisant sur des roches déchiquetées.

Taillefer, disait-il, ne se laissera pas griser en cas de succès, c'est un homme pondéré, qui a le sens de ses limites et de ses manques. S'il l'envoyait avec une armée franchir les passes, il ferait la conquête du Ts'in sans effusion de sang. On pourrait, bien sûr, objecter que Plumet, qui possédait d'indéniables talents de soldat, qui jouissait d'une grande popularité parmi ses hommes, semblait à première vue le mieux qualifié pour cette mission; mais c'était un homme violent qui ne saurait qu'exaspérer le ressentiment de la population par sa superbe, en l'écrasant sous le poids de son mépris et de sa haine. Et puis, comme au terme de la convention qui avait été signée entre eux, le Ts'in appartiendrait au premier qui y pénétrerait, il serait dangereux que la province la plus riche de l'Empire revînt à un chef trop prestigieux; il chercherait à coup sûr à avaler tous les autres et rien n'aurait changé.

Taillefer s'engagea sur la route de l'Ouest et, subissant de nombreuses défaites, n'avança pas d'un pouce, jusqu'à ce que dans sa marche oblique vers les passes il plantât son bivouac au pied des murs de Kao-yang et reçût la visite du surveillant de quartier, lequel n'était autre que Li Yi-k'i, le lettré qu'il avait offusqué à P'ei. En s'élevant, Taillefer avait fait de très notables progrès dans le métier de Grand Homme; il sut le flatter en se rabaissant. Li Yi-k'i avait gloussé de contentement et avait chuchoté quelques mots à l'oreille de Taillefer dont la face s'était éclairée d'un sourire.

Deux jours plus tard, le frère de Li Yi-k'i, Li Chang, rhéteur sans emploi qui s'était fait brigand, montait, à la tête de ses deux mille hors-la-loi, un audacieux coup de main contre les greniers et les entrepôts du Ts'in. Taillefer entama ainsi l'avancée fulgurante contre l'Ouest qui le mena jusqu'aux abords de Double-Lumière où Tseu-ying l'attendait, dans la posture du suppliant.

Taillefer y vit l'occasion de manifester sa magnanimité. Relevant le prince, il le couvrit de son manteau et psalmodia, comme le faisaient les princes des chroniques, le chant *Non, tu n'es pas tout nu* du *Livre des Odes*, soit que ce fût celui qui répondît le mieux à la situation et à ses desseins secrets, soit que ce fût le seul dont il se rappela. Quoi qu'il en soit il chanta :

> *Non, tu n'es pas tout nu,*
> *n'avons-nous pas même tunique ?*

146

Si tu lèves ton armée,
je fourbis mes épées,
nous avons même ennemi.
Non, tu n'es pas tout nu,
n'avons-nous pas même chemise ?
Si tu te mets en guerre,
je fourbis ma rapière,
nous agirons unis.
Non tu n'es pas tout nu,
n'avons-nous pas mêmes culottes ?
Si tu te lances à l'attaque,
mon bouclier j'astique,
nous irons en amis.

Tseu-ying, soit simple politesse, soit qu'il eût percé les intentions de son vainqueur, se crut obligé de répondre :

Qu'y a-t-il sur les monts de la capitale ?
Il y a l'armoise et le santal.
Vous êtes arrivé jusqu'à nous,
tunique de brocart roux,
pelisse de renard, visage vermeil.
Votre gloire est sans pareille.
Qu'y a-t-il sur les monts de la capitale ?
Il y a l'ajonc, la digitale.
Vous êtes venu jusqu'ici
en chatoyants habits.
Des sceaux de jade le tintement
puissiez-vous en jouir éternellement !

Un sourire éclaira la large face de Taillefer et il pria les gardes d'assigner le roi à résidence en lui manifestant tous les égards.

Les répons en vibrant dans l'air cristallin de l'hiver retentirent dans les cœurs des lieutenants de Taillefer. Le chant *Non, tu n'es pas tout nu* et la réponse de Tseu-ying

147

vibrèrent dans la tête de maître Li Yi-k'i comme une entente secrète entre les deux hommes contre les coalisés. Il avait donc demandé à Taillefer de faire garder la frontière.

Plumet, à des centaines de lieues de là, était englué lui aussi dans le jeu de l'orgueil et de l'humilité. Sans doute se fût-il laissé emporter par la griserie de la victoire s'il n'avait eu, pour l'inciter à la circonspection, l'exemple malheureux de son oncle Poutre et les admonestations de Song le Juste, qu'il n'aurait voulu, à aucun prix, voir se réjouir dans sa tombe. Il redoubla de prudence, modérant l'ardeur de ses généraux. Après avoir remporté deux victoires sur le Ts'in, il accepta de négocier avec le général en chef, Tchang Han, et lui promit un royaume au Ts'in en échange de sa reddition. Les régiments de Tchang Han furent intégrés aux armées du Tch'ou auxquelles ils devaient servir d'avant-garde. Toutefois, la révolte ne tarda pas à gronder chez les soldats et les officiers subalternes du Ts'in en butte à toutes sortes de vexations de la part des insurgés.

S'il se montra précautionneux, Plumet fut aussi expéditif. Il voulait entrer par les passes avant que le pouvoir de Taillefer s'y fût affermi. Il craignait d'être retardé par une révolte des armées qui avaient capitulé. Lors d'une halte de nuit, il attaqua par surprise les deux cent mille hommes du Ts'in et les massacra jusqu'au dernier. Puis il fondit sur l'Ouest avec le général Tchang Han et se heurta au cordon de troupes que Taillefer y avait déployé pour lui en interdire l'accès.

Le cœur de Plumet se gonfla de fureur quand il vit qu'on voulait l'empêcher de pénétrer au Ts'in. Il lança ses quatre cent mille hommes à l'assaut, bouscula les défenses de Taillefer, franchit les défilés, installa son bivouac à la Porte des Grues et se promit de demander dès le lendemain des explications à Taillefer.

Le chant *Non, tu n'es pas tout nu* avait aussi résonné dans la tête du général de Gauche, Ts'ao Sans-Blessure ; il y avait tinté comme une trahison. Ts'ao vouait aux souverains de l'Ouest une haine mortelle. Sa famille avait été exterminée jusqu'au troisième degré au titre de la responsabilité collective, et lui seul, encore dans les langes, avait échappé à la fureur des juges, grâce au dévouement d'un client qui avait tué son fils en bas âge et lui avait substitué Sans-Blessure afin de déjouer les recherches.

Il participa à la révolte dès la première heure, puis se rangea sous la bannière des Hsiang après la mort de Saute-le-Pas. Lors de la campagne commune de Plumet et de Taillefer, il était passé sous les ordres de ce dernier qui, appréciant son impétuosité au combat, avait demandé à le garder comme lieutenant. Il se peut que son attitude fût dictée par un reste de fidélité à l'égard de son ancien maître.

Il envoya un de ses hommes de confiance dénoncer les menées de son chef auprès de Plumet. Celui-ci se trouvait à ce moment-là en discussion avec son conseiller Accroisseur :

— Il n'y a pas si longtemps, ce Taillefer était connu pour être un chef de police vénal et débauché. Lorsqu'il a fait campagne à l'est des passes avec vous, il ne pensait qu'à brûler, violer et piller. Mais le voici qui joue à la sainte nitouche depuis qu'il est entré au Ts'in. Savez-vous qu'il n'a enlevé aucune fille, qu'il a laissé tous les trésors intacts, se contentant d'y mettre les scellés ; il s'est même abstenu de loger dans le palais de Double-Lumière et a installé son camp sur les rives du Fleuve. Il a aboli la loi du Ts'in, la remplaçant par trois articles très bénins, partout il a placardé dans Double-Lumière et dans les districts de la capitale des proclamations rassurantes pour se concilier la population. Cela montre bien que ses ambitions ne s'arrêtent pas à des vétilles comme les femmes ou l'argent.

Plumet hésitait. Il souffrait. Si sa raison lui montrait la justesse des propos d'Accroisseur, son cœur répugnait à agir contre ses amitiés. Il lui était presque impossible de se retourner contre quelqu'un qu'il avait reçu à sa table, comme si sa sympathie le marquait d'un sceau protecteur.

Toutefois, l'amulette perdit de sa vertu quand Plumet apprit de la bouche de l'émissaire de Sans-Blessure que son ami s'apprêtait à régner sur les passes en prenant Tseu-ying comme ministre ; le chant qu'il avait entonné au moment de l'abdication du roi de Ts'in ne laissait aucun doute là-dessus.

Oncle Hsiang n'oubliait pas ses amis. Tchang le Bon lui avait sauvé la vie, l'avait hébergé, entretenu lorsqu'il était dans la détresse. Dès qu'il fut mis au courant de la menace qui pesait sur son bienfaiteur, il se rendit à l'insu de tous au bivouac du préfet de P'ei pour presser Tchang le Bon de s'enfuir et de se mettre au service de son neveu. Mais Tchang le Bon ne voulut rien entendre.

— Ma fidélité à la maison des Han m'a poussé à me mettre au service de l'homme que je croyais le plus capable d'abattre le Ts'in, et vous voudriez que, prétendant agir au nom de la loyauté, j'abandonne le maître que je me suis choisi, à la première alerte! Non, je m'en voudrais toute ma vie d'avoir renié tout sens du devoir!

— Vous voulez donc mourir?

— Laissez-moi en toucher un mot à Taillefer; il y a peut-être moyen de réparer le mal qui a été fait.

Tchang le Bon courut à la tente de son chef et lui raconta tout.

— Nous sommes perdus! s'exclama Taillefer devenu livide.

— Qu'est-ce qui vous a pris de commettre une ânerie pareille?

— C'est Maître Li Yi-k'i qui m'a conseillé de garder les passes!

— Et vous l'avez écouté. Ah! j'aurais dû m'en douter, après le chant du *Livre des Odes*! Mais dites-moi, avez-vous réfléchi qui est meilleur général de vous ou de Plumet et qui dispose de quatre fois plus de troupes?

— C'est lui!

— Etes-vous prêt à jouer de votre seul atout? Alors, allez donc vous humilier devant Oncle Hsiang qui attend dans ma tente.

Sitôt Oncle Hsiang introduit auprès de lui, Taillefer lui adressa une profonde révérence, l'appela son frère aîné, versa du vin et but en son honneur; il proposa même qu'ils unissent leur famille par un mariage. Puis il se mit en devoir de se justifier. Il n'avait touché à rien depuis son entrée au

Ts'in, se bornant à mettre les scellés sur tous les bâtiments administratifs, les arsenaux, les greniers et les magasins, attendant avec impatience la venue de l'auguste généralissime ; s'il avait posté des soldats à la garde des passes, c'était par simple mesure de précaution : pour arrêter les bandes de pillards qui auraient pu profiter de la confusion pour s'introduire au Ts'in et se livrer à des rapines. Jamais il n'avait eu l'intention de s'opposer à celui qu'il considérait comme son prince, et dont l'arrivée avait été ardemment espérée. Il souhaitait que son frère aîné dissipât cet affreux malentendu en plaidant sa cause auprès de Plumet.

Oncle Hsiang y consentit, mais le prévint qu'il ne pourrait se dispenser de se rendre en personne auprès de Plumet pour faire amende honorable.

RÉJOUISSANCES

Propice à l'établissement des princes et à la guerre.

Ils étaient cinq réunis pour le banquet de la réconciliation :
Plumet et Hsiang l'Aîné, côte à côte, s'étaient placés face à
l'est, laissant la natte d'honneur, face au sud, au plus âgé de
l'assistance, Accroisseur. Taillefer avait tenu à s'asseoir face
au nord, à la place du vassal, tandis que Tchang le Bon le
servait et l'assistait face à l'ouest. Les serviteurs apportaient
la vaisselle de laque où s'entassaient gibiers, poissons et
viandes, les échansons versaient le vin dans les larges coupes
ciselées. Sous l'effet du vin, des sucs douceâtres des mets, les
traits des deux généraux s'animèrent. L'alcool déversait dans
leurs veines sa flamme joyeuse et chacun, à écouter la voix
ferme et pleine de l'autre, à contempler la large trogne de son
voisin, sentait son cœur fondre sous la chaude haleine de
l'amitié. Tout au plaisir de la camaraderie retrouvée, enserré
dans le palpitant cocon tissé par des élans, des espoirs et des
goûts partagés, Plumet ignorait les battements de paupières
d'Accroisseur, dont le visage s'allongeait et blêmissait au fur
et à mesure que se prolongeaient leurs agapes. Le vieillard
soulevait les jades qu'il portait à la ceinture et les faisait
tinter. Les yeux brillants comme ceux d'un phénix, la joue
allumée, Plumet riait aux éclats, offrait encore du vin à son
ami. Tchang le Bon jetait des regards perplexes sur les gestes
menaçants qu'exécutait son homologue de sa main sèche et
longue, crispée sur la pierre trigrammatique à veinures
vertes et blanches. Il étudia du coin de l'œil la physionomie

de Plumet qui rayonnait d'un éblouissement pourpre de dragon; il comprit qu'il se trouvait en face du seul homme qui pût menacer la carrière de Taillefer; s'il ne prenait ses précautions, celle-ci risquait de se conclure au milieu du banquet.

Accroisseur sortit de la tente. Tchang le Bon en profita pour manifester à Oncle Hsiang, par un battement de cils, qu'il se sentait en danger.

Lorsque Accroisseur regagna sa place, il était escorté par le petit-cousin de Poutre, Hsiang le Fort. On lui offrit une coupe. Il la vida en l'honneur de leur hôte, puis déclara qu'il aurait fallu que le festin s'accompagnât de musique et de danse pour que leur joie fût complète. Hélas il n'y avait ni musiciennes ni chanteuses dans l'armée, toutefois, il se proposait d'y remédier par une danse de sa façon.

Tandis que le luth dont Accroisseur s'était saisi jouait un hymne martial, le Fort prit place au milieu de l'espace délimité par les tables et devint le centre inquiétant et mobile du banquet; les épées, tirées de leur fourreau, exécutèrent d'abord une danse gracieuse, où le jeu sans cesse mouvant des lames d'acier tricotait autour de lui une jolie vapeur aux reflets bleutés; puis le rythme s'accéléra, les deux barres flexibles exécutèrent des moulinets vertigineux, cependant que par une progression dont le lent ondoiement fournissait un étonnant contraste avec le ballet fébrile du métal, le Fort se rapprochait de la table de Taillefer, qui manifestait les premiers signes de l'angoisse. Au milieu de la tension que l'égrènement des notes décochées par les cordes du luth rendait presque palpable, Oncle Hsiang se leva et deux nouveaux éclairs d'acier luirent méchamment. Les deux parents eurent des dandinements d'ours jongleurs; on eût dit de ces fauves dont parlent les classiques sautillant en mesure sous l'effet irrépressible de la musique.

Le Fort cherchait à contourner Oncle Hsiang, mais toujours se dressait entre lui et sa cible la large poitrine de son aîné, auréolée des vipères de métal qui traçaient autour de lui une pluie de fleurs blanches. Taillefer restait pétrifié, tandis que son hôte dodelinait de la tête en cadence sous

153

l'envoûtement agressif de la pantomime guerrière. La violence tout à la fois masquée et dévoilée par les gracieuses et mortelles évolutions des danseurs réveilla la sourde animosité de Plumet, son iris prit une inquiétante coloration jaune tandis que les coins de ses yeux s'étiraient démesurément, comme s'il allait mordre. Il ne fit pas un geste pour arrêter le ballet meurtrier.

Soudain un courant d'air frais s'engouffra dans la tente, gonflant les lourdes draperies du baldaquin ; une silhouette colossale se découpait dans l'embrasure de la porte, les cheveux dressés, les yeux étincelants. L'intrusion interrompit le pas de deux.

— Quel est cet énergumène ? s'écria Plumet.

— C'est Fan K'ouai, le commandant de la Garde ; j'ai pensé qu'il pourrait se joindre à la danse ; il n'a pas son pareil pour faire tournoyer les épées ! expliqua d'un ton mordant Tchang le Bon, qui, redoutant une issue fatale pour son maître avait appelé le brave en renfort.

— Ah, je n'en doute pas ! un fier gaillard qui doit avoir la dalle en pente, qu'on lui verse donc à boire !

Et il lui tendit un lourd cratère que le soldat vida d'un trait. Puis il fit monter des cuisines un cuissot de sanglier que le géant engloutit en quelques bouchées.

— Une autre coupe ne te fait pas peur ? demanda d'un ton suave Plumet, qu'émerveillaient les capacités stomacales de Fan K'ouai.

— Je ne recule pas devant la mort, alors pensez, devant une coupe de vin !

La plaisanterie détendit l'atmosphère. La bouffée d'animosité qui s'était emparée de Plumet se dissipa ; il ne pensa plus qu'à jouir en plaisante société de la joie de la victoire et de l'ivresse du festin.

Ils burent comme des trous. Sous l'effet conjugué de l'alcool et de la peur, les tripes de Taillefer furent secouées de spasmes. Il eut juste le temps de se lever précipitamment pour soulager ses intestins dans les latrines. Il resta longtemps, haletant, accroupi sur le baquet dans lequel se vidait le flux nauséabond de son angoisse. Dans la tente, Plumet s'impatientait. Il ne voulait pas que son ami lui faussât compagnie au milieu de si agréables réjouissances. Il le fit mander par Fan K'ouai.

— Prince, fit celui-ci, ne restez pas enfermé ici, à la merci d'un mauvais coup d'Accroisseur ou de Hsiang le Fort ! Regagnez la salle ; vous bénéficierez de ma protection et de celle d'Oncle Hsiang.

— Je me sens pas bien.

— N'avez-vous pas compris qu'ils ont tenté de vous assassiner ! Ils ne vont pas renoncer si vite à leur projet. Fuyez !

— J'vais pas me sauver comme un voleur !

Ki le Sincère, un des lieutenants de Taillefer, qui alliait à une grande vigueur physique le plus complet dévouement pour Lieou, les avait rejoints. Il présentait une certaine ressemblance de traits et de stature avec son maître ; il crut avoir trouvé une occasion de manifester une loyauté qu'il n'avait pu montrer dans ses faits d'armes :

— J'ai bénéficié de vos largesses sans avoir jamais rien accompli. Échangeons nos vêtements et je saluerai Plumet à votre place pendant que vous regagnerez vos lignes. Si le généralissime a vraiment décidé d'attenter à vos jours ou si la supercherie est découverte, c'est avec joie que je sacrifierai ma vie pour sauver la vôtre ! proposa-t-il généreusement.

— Non, jamais Plumet sera dupe ! et cela fera qu'attiser sa colère ! Il faut que j'aille prendre personnellement congé...

— C'est le large qu'il vous faut prendre ! Vous n'allez pas vous arrêter à ces vétilles ! Tchang le Bon se chargera de vous excuser ! s'exclama une voix derrière leur dos.

Lieou et Fan K'ouai sursautèrent en reconnaissant un des généraux de la suite de Plumet, Tch'en Apaisant. Celui-ci, dépêché auprès de son hôte pour lui enjoindre de regagner la salle du banquet, gardait rancune à son maître de ne pas l'estimer à sa juste valeur et désespérait de ne jamais pouvoir, à le servir, déployer tous ses talents. Aussi vit-il une occasion de se ménager ses entrées chez un autre Grand Homme au cas où Plumet continuerait à le faire végéter à un poste de simple commandement. Au lieu de ramener Taillefer, il le pressa de quitter les lieux au plus vite, ajoutant, pour les rassurer définitivement sur ses intentions : « On ne met pas tous les œufs dans le même panier », et s'en fut.

Taillefer dit d'une voix blanche :

— J'aurais besoin de changer de vêtement... j'ai souillé ma robe !

Sincère se dépouillait déjà de sa tunique, mais Fan K'ouai l'arrêta et, se tournant vers son supérieur s'écria, impatienté :

— Allons ! assez de simagrées ! ce n'est pas votre cheval qui s'en formalisera ! Et quand vous galoperez à travers la campagne par les chemins de traverse, vous ne rencontrerez que des démons. Il le saisit par le bras, le conduisit à son cheval et lui tint l'étrier. Taillefer fila ventre à terre vers son camp. Fan K'ouai, l'ancien boucher, Poupon, l'ex-cocher, Hsin le Costaud, marchand d'eau de riz, et Ki le Sincère couvraient sa fuite, loin derrière, avançant à pied, l'épée dégainée et le bouclier brandi.

Plumet eut une moue dépitée :

— Ah, Taillefer me déçoit ; trois coupes et le voilà malade ! Si je m'attendais à ce qu'il tienne si mal le vin !

— Je crois aussi qu'il a eu peur de votre courroux. Tenez, il n'a même pas osé vous remettre les cadeaux qu'il avait préparés à votre intention et à celle d'Accroisseur.

Et Tchang le Bon présenta à Plumet une paire d'anneaux de jade blanc et à Accroisseur deux tasses en agate.

Plumet haussa les épaules, mit les anneaux dans sa manche, se leva et, d'un pas chancelant, gagna sa couche pour cuver son vin. Tchang le Bon se tourna alors vers Accroisseur et lui exhibant les pierres à veinures blanches et vertes qu'il portait à la ceinture lui souffla :

— J'ai pris parti pour Taillefer qui se trouve de ce fait sous la protection des Trigrammes. Vous ne pouvez donc agir contre lui !

— Erreur ! Depuis la chute des Ts'in, nous avons carte blanche. Le cerf de l'Empire bat la campagne ; il est au premier qui l'attrape ! Vous avez misé sur Taillefer et moi

sur Plumet ; de sorte qu'en dépit de notre commune appartenance au cercle, nous nous trouvons en rivalité !

— Vous vous trompez ! Nous devons tenir compte des
décrets du Ciel !

— La belle blague ! Vous savez comme moi qu'on peut
déduire n'importe quoi des manifestations célestes !

— C'est précisément parce que les signes sont ambigus
qu'il faut attendre des instructions ! Faites-moi la faveur de
vous abstenir de convaincre Plumet d'attaquer le camp de
mon maître. C'est bien peu de chose et c'est la meilleure
façon de s'en remettre au destin !

Accroisseur ne répondit rien. Mais lorsque Tchang le Bon
l'eut quitté, il tourna dans la salle comme un tigre pris au
piège et d'un geste rageur fracassa contre le sol les coupes
d'agate.

Un mois plus tard, soit à la première lunaison, lorsque le
tonnerre, en grondant, sort du sein de la terre, les seigneurs,
réunis dans la plaine à l'est de la capitale du Ts'in que
Plumet avait mise à sac puis rasée, banquetaient nuit et jour
afin de célébrer leur victoire. L'Empire était à l'encan ; il y
avait pour chacun, généraux, capitaines, préfets, gouverneurs, compagnons des chefs de bandes, des terres à gagner,
des fiefs à glaner, des âmes à se partager, des titres à recevoir,
des prébendes à cueillir, des émoluments à prendre... Et les
cris d'allégresse, les vivats qui saluaient la nomination des
nouveaux rois et des nouveaux ducs, les accents criards de la
musique au rythme desquels se déhanchaient les danseuses
raflées dans les palais du Ts'in, les rires et les claquements
des mâchoires déchirant les viandes couvraient du brouhaha
de la fête les murmures de dépit de ceux qui s'estimaient
lésés dans la distribution des récompenses.

Le roi du Tch'ou, Esprit, avait été élevé par l'assemblée
unanime à la dignité d'empereur ; mais ce n'était qu'un vain
titre, dénué de tout pouvoir. Tchang Han, pour s'être
soumis, Tung Yi, pour l'y avoir incité, et Sin, l'ancien

directeur des Affaires criminelles de Yo-yang, pour avoir intercédé en faveur de Poutre, se partageaient le Ts'in ; les brigands Face Tatouée et Tsang Tou, qui s'étaient ralliés à la bannière des Hsiang, avaient hérité eux aussi d'une couronne ; Oreille jouissait d'une réputation de sagesse ; il avait suivi Plumet dans ses campagnes contre l'Ouest ; on lui avait donc octroyé une portion du royaume de Tchao. Taillefer, en revanche, n'avait eu droit qu'aux provinces reculées du Chou et du Han ; encore devait-il s'estimer heureux de s'en être tiré à si bon compte. La bouderie de Rogaton, qui s'était retiré dans les marais de Peau-du-Sud sans plus participer aux combats, avait été sanctionnée par l'attribution d'un simple marquisat ; tandis que les descendants des anciens rois s'étaient vu concéder chacun un lambeau de la terre de leurs ancêtres.

Sur l'heure, tous ne pensaient qu'à célébrer en de joyeuses ripailles la chute du tyran et l'avènement, pour eux qui l'avaient chèrement payée de leur sang, d'une ère de prospérité et de gloire. Une immense tente avait été dressée au milieu du camp et, sous un dais jaune filigrané de fils d'or bruni, Plumet traitait ses capitaines. Ils avalaient à plein gosier dans de fins gobelets de laque noir et rouge des vins de riz aux tons ambrés, de pâles nectars tirés de pétales de fleurs, des bières de mil fermenté, de capiteuses liqueurs de fruit. Leurs fortes dents de carnassiers broyaient, avec la placidité de tigres dépeçant leur proie, des cochons de lait rôtis, des sangliers en sauce, de l'émincé de crocodile, des tranches de cerf ; leurs langues aspiraient bruyamment le bouillon des trois viandes mêlées : bœuf, mouton et porc, servi dans les immenses chaudières de bronze. Les baguettes happaient dans leurs pinces d'ivoire les pâtés de lamproie, le ragoût de chien, le sauté de serpent, le bouilli de mouton aux graines de lotus et aux jujubes, les huîtres chaudes aux algues sèches, les coquilles revenues aux pointes de bambou d'hiver, cependant que les mains saisissaient, pour les enfourner dans les noires cavernes des bouches qu'ombraient des moustaches de félins, des galettes de haricot frites, de petits pains de froment gonflés à la vapeur, des feuilletés au beurre de jument ou de fines crêpes fourrées de poireaux. Accroupis autour des dessertes chargées des mille friandises que propose un festin royal, ils rotaient de satisfaction et de satiété tout en contemplant, les yeux dilatés de gourmandise, les évolutions des concubines du palais impérial.

Au-dessous de l'estrade où trônaient leurs chefs, le commun des généraux, les lieutenants et les familiers, accoudés à des escabeaux bas qu'encombraient des platées de fèves et de bouillie de mil, se disputaient les reliefs de la table des ducs et des rois, comme ils s'étaient partagé les bribes de terre, tandis qu'au-dehors du couvert du dais jaune, le reste des troupes, répandu à travers le camp, se consolait de ses peurs et de ses blessures en se gorgeant de vin servi dans de gros pichets de bois brut et en engloutissant de pesants ragoûts. De temps à autre, lorsqu'un souffle de vent plus violent réveillait les foyers d'incendie qui couvaient encore sous les cendres de la capitale, des flammèches rouges, dardant leurs langues sulfureuses par-dessus la ligne des collines de Double-Lumière, éclairaient d'une lueur sanglante les festins. Et une odeur de chair brûlée, un relent douceâtre de charnier carbonisé se mêlait au fumet appétissant des viandes rôties, à l'entêtant parfum des vins capiteux, à la saine et chaude exhalaison des aisselles en sueur qui s'élevaient dans l'air froid pour rappeler, au milieu du bruit des paroles, des chants, des rires, du tintement des coupes, des glouglous de liqueurs dans les gosiers, les massacres et la destruction qui fournissaient le prétexte à cette joie tapageuse et factice et jetaient sur ces agapes l'ombre trouble de la mort.

Plumet ne pensait pas à la mort. Il se laissait bercer par le spectacle chaque jour renouvelé de sa puissance. Il détenait la réalité du pouvoir et chaque fief distribué, loin de le dépouiller d'une parcelle de son autorité, la renforçait de sa continuelle mise à l'épreuve. Les investitures, au lieu d'enrichir leurs bénéficiaires, les diminuaient, les ravalaient à l'état de vassaux et de sujets, par l'aveu qu'elles constituaient de leur état de dépendance. Il se délectait avec une joie d'avare de prendre tout en donnant.

Un soir, lors d'un de ces banquets, des notes extrêmement aiguës creusèrent comme un silence dans l'air épaissi par les respirations des convives. Le regard de Plumet se porta sur l'estrade. Elle était menue, mais sa chevelure très abondante, qu'elle portait relevée en un étagement de chignons vaporeux retenus par des peignes d'écaille et des épingles dont les têtes de jade affectaient la forme de haches — comme pour rappeler l'orientation belliqueuse de l'époque —, accentuait sa sveltesse et lui conférait un air de gravité soulignant son extrême jeunesse. Son cou blanc et flexueux comme celui d'un cygne supportait un visage à l'ovale un peu long dans lequel s'ouvrait la grenade de sa bouche, et les flaques brillantes de ses yeux très étirés et très noirs étaient comme deux gouffres obscurs et profonds où l'âme s'engloutissait ; ses narines minces palpitaient comme les naseaux d'une pouliche.

Il l'appela et le soir même épuisa avec Joie — car tel était son nom — la joie des nuages et de la pluie. Il eut la sensation exaltante d'une chevauchée, avec sa crinière de cheveux noirs dont la masse luisante retombait sur ses reins neigeux. Elle avait des frémissements de jument ; Plumet aimait passionnément les chevaux ; il lui semblait monter Vif-Argent, son blanc coursier à queue noire, fils de la fringante pouliche de Face Tatouée et du bel étalon blanc de son oncle, de sorte que le plaisir charnel se confondit avec ses frénésies guerrières. En retour, ses longues parties de chasse sur le dos de Vif-Argent étaient comme des étreintes ; le cheval et la femme, par le rappel répété qu'ils s'offraient, accaparèrent toutes ses pensées.

Joie était de P'eng-tch'eng ; elle n'aimait pas le Ts'in et soupirait après les douces et brumeuses campagnes de l'Est. Sa nostalgie se communiqua à Plumet. Il eut envie de revoir les lacs et les rivières de son pays. Des donneurs de conseils lui représentaient ses fautes. Il n'aurait pas dû tuer le roi du Ts'in, Tseu-ying, pas dû massacrer la population, pas dû piller le trésor impérial, pas dû incendier la ville. Il avait eu tort de partager le Ts'in entre les anciens généraux vaincus.

C'était un pays puissamment défendu par des barrières naturelles qui dominait les autres provinces ; le sol en était fertile, la population docile et dure à l'ouvrage. Au lieu de raser Double-Lumière, n'aurait-il pas mieux fait de s'y établir afin de tenir tous les autres seigneurs sous sa main et peut-être, qui sait, de régner sur l'Empire. Tout n'était pas encore perdu, ils connaissaient le moyen de retirer à Tchang Han et aux autres leurs possessions et de s'y installer à leur place. Il y avait naturellement la convention au terme de laquelle le Ts'in revenait à Taillefer, mais là encore ils avaient leur plan, « il suffisait de, il suffisait que... ». Bruit de mouches importunes toujours à bourdonner quelque conseil à l'oreille des Grands Hommes. Mais lui n'écoutait plus les rhéteurs ; dans sa tête retentissaient les propos de Joie, qui chaque jour le pressait de rentrer au Tch'ou et de régner sur l'est des passes. Pourquoi s'attardait-il dans ce pays glacé et triste ? Et puis, qu'avait-il à gagner en restant dans cette contrée où nul ne l'avait connu quand il n'était encore qu'un homme comme les autres, un proscrit ? C'était comme de se revêtir de ses plus beaux atours et de rester claquemuré chez soi ou de se pavaner en carrosse doré dans la nuit noire. A quoi bon se couvrir de gloire si personne de sa connaissance ne le sait... Au Tch'ou, il reviendrait en triomphateur, il déchaînerait l'adulation du peuple, etc.

L'un de ces maîtres de haute stratégie, piqué par le peu d'intérêt qu'éveillaient ses vues subtiles chez le nouveau protecteur de l'Empire, se répandit en propos aigres sur Plumet :

— Ah, ces gens du Tch'ou ne sont que des singes affublés d'un bonnet !

La phrase revint à ses oreilles. Il fit précipiter l'insolent dans une marmite bouillante et le servit à manger au cours d'un festin pour faire un exemple. Puis, afin de couper court à d'autres tentatives de persuasion et satisfaire le désir de Joie, il congédia les seigneurs, dispersa leurs troupes et regagna l'Est.

GENS QUI SUIVENT

On suit celui que sa vertu grande et belle,
sa bienfaisance, sa persévérance mettent à l'abri du malheur.
Tonnerre au milieu de l'étang : tel est « gens qui suivent » :
le sage rentre se reposer au coucher du soleil.

Les hommes allaient sans ordre, par détachements isolés, et la colonne s'étirait sur la route dont la pente s'accusait au fur et à mesure qu'ils s'enfonçaient vers l'ouest. Les montagnes dressaient toujours plus haut leurs étagements de verdure et de rocs, et les champs de mil en terrasse mettaient des taches claires dans la végétation. Çà et là, une maison troglodyte trouait les falaises de son œil noir et, au pied des collines, de pauvres villages protégeaient leur misère derrière des murs de boue ocre.

Ils étaient peut-être dix mille à avoir suivi d'un cœur fervent le roi Taillefer, à s'être portés volontaires pour l'accompagner dans ce qu'il fallait bien appeler un exil (puisque c'était au Chou que le Ts'in avait coutume de reléguer les familles influentes dont il voulait briser la puissance). Il y avait les compagnons de toujours, ceux qui l'avaient connu chef de police ou repris de justice et qui nourrissaient une confiance d'autant plus grande en ses capacités qu'ils en avaient douté dans les jours difficiles.

Parmi eux figuraient son ministre Siao Portefaix, l'ancien inspecteur des mérites, et son surintendant Ts'ao l'Examinateur, autrefois directeur des Affaires criminelles de la préfecture de P'ei. L'enthousiasme avec lequel ils adhéraient à sa

162

cause était comme l'expiation de leur condescendance de jadis ; cependant Taillefer avait su reconnaître dans ces deux hommes, férus de Code pénal et rompus à la pratique administrative, de précieux auxiliaires. Ils nourrissaient un véritable culte pour l'organisation du Ts'in et, ayant appris à la dure école des lois, ils n'avaient pas leurs pareils pour régler l'intendance et ces infimes détails qui, si on les néglige, grippent la délicate machinerie des armées. Ils tenaient la comptabilité des fournitures militaires, des grains et des fourrages, consignaient dans leurs livres les distributions de vivres et les soldes, s'occupaient des approvisionnements et des communications, de l'emplacement des greniers, des magasins, des arsenaux et même des latrines.

Quand l'armée des rebelles avait investi Double-Lumière, tandis que le premier mouvement des généraux, Taillefer en tête, avait été de se ruer sur les trésors des palais, ils n'avaient eu souci que de retrouver les comptes et les statistiques déposés dans la salle des archives de la bibliothèque impériale, persuadés que la domination des hommes passait par leur dénombrement.

Il y avait encore Tcheou Pao, un vannier de P'ei qui, pour arrondir ses fins de mois, jouait de la flûte dans les enterrements. C'était d'ailleurs à l'occasion de funérailles qu'il avait rencontré Taillefer — souvent chargé de les organiser — et avait découvert en lui un homme remarquable. Devenu un de ses plus fervents partisans, il l'avait suivi dans sa révolte et avait participé à ses campagnes où il avait révélé de grandes capacités militaires, couronnées par un titre de général de la Garde des Officiers-Tigres. Il avait pris la route du Han-tchong derrière son maître sans une hésitation. Poupon, l'ancien charretier de la sous-préfecture, promu secrétaire adjoint et qui, après avoir volé fort opportunément au secours de Taillefer lorsque celui-ci était tombé dans le traquenard tendu par le préfet de P'ei, avait participé par la suite à toutes ses campagnes et montré des dispositions particulières dans la manœuvre des chars. Ces talents lui valurent le grade de général des Équipages ; Taillefer avait su se l'attacher par ses libéralités et Poupon, qui avait reconnu en son chef un de ces êtres favorisés par le destin, l'aurait suivi au bout du monde. On dénombrait encore Kouan Ying, un paisible marchand de soie du village voisin qui, voyant passer les troupes de Taillefer, s'était joint à elles, Cordon, l'ami de toujours, le gigantesque et fidèle Fan K'ouai, qui se serait brûlé pour lui, Li Yi-k'i le rhéteur et son frère le brigand, ainsi que Jen Ngao et bien d'autres, tels Fou le Large, Hsin le Costaud, T'ong le Ruban, Ki le Sincère, tous hommes valeureux ou dévoués.

Tchang le Bon suivait lui aussi Taillefer, mais il ne l'accompagnait que pour prendre congé. Appartenant à une lignée qui avait servi, des générations durant, les rois de Han, il croyait de son devoir d'assister leur descendant quand il mendiait son aide. Chaque acte de sa vie avait été guidé par cette fidélité qui venait se confondre avec ses devoirs filiaux. C'est pour les Han qu'il avait tenté d'assassiner l'Auguste Premier Empereur, pour eux qu'il avait mené des années durant une existence errante de proscrit, ne respirant, ne se sustentant que pour la vengeance ; c'est toujours pour l'accomplir qu'il avait été le disciple du vieillard de Hsia-p'i, avant de proposer ses services à Taillefer, le plus apte à abattre, pensait-il, les despotes. Ne pas se mettre à la disposition des Han, c'eût été trahir l'engagement de toute une vie, dont chaque acte avait été dicté par cette allégeance. Pourtant, s'il obéissait encore à cette impulsion primitive, ce n'était que par la force d'inertie : il ne croyait plus en une restauration des anciens fiefs.

Cette lente transformation qui s'était opérée en lui et dont il n'avait pas encore pleinement conscience était le fruit de sa lecture du grimoire des trigrammes, dans lequel il n'avait vu d'abord qu'un instrument de sa vengeance, mais dont les formules abstraites ouvraient la voie au désenchantement, désenchantement qui, paradoxalement, par le sentiment aigu de la futilité des buts terrestres, lui donnait la hauteur de vue nécessaire à l'accomplissement des objectifs dont il lui avait fait mesurer l'inanité. Il aurait voulu fuir son siècle, se faire ermite et cultiver l'absolu dont le grimoire, sous couvert d'application pratique, fournissait la révélation, mais ce désaveu, oblitérant les actes mêmes qui en étaient l'origine, eût sanctionné son propre anéantissement. Il ne lui restait qu'à continuer de servir, tout en réservant ses moments de solitude à sa quête.

Ils arrivèrent aux passes de Li qui mènent par des galeries de bambous suspendues au-dessus de gouffres abyssaux jusqu'à la capitale du Han-tchong. A l'entrée du défilé se dressaient cinq gigantesques rochers de schiste vert, qui faisaient comme des buffles accroupis. Taillefer s'étonna :

— Qu'est-ce là ? Ont-ils été sculptés de main d'homme ?

— On raconte, dit Tchang le Bon, que l'Auguste Premier Empereur projetait d'annexer le Chou, mais comme il n'y avait pas de route assez large pour le passage de ses chars, il fit accentuer par quelques traits de ciseaux habiles la ressemblance de ces pierres avec des buffles et plaça des lingots d'or sous leur derrière, puis il chargea ses services de propagande de répandre le bruit qu'un miracle s'était produit : les pierres s'étaient changées en buffles magiques qui chiaient de l'or. Les gens du Chou voulurent s'en emparer. Ils percèrent en secret une route pour les emporter chez eux ; mais quand celle-ci fut achevée, les troupes du Ts'in que l'Empereur avait massées aux abords des rochers l'empruntèrent et envahirent leur territoire. La route que vous allez prendre s'appelle le Chemin des Buffles de Pierre.

Taillefer eut un rire bref :

— Ah, n'est-ce pas la répétition de l'histoire de Tche-p'o et du roi des Tsieou-yeou ! Tche-p'o, qui convoitait ce territoire coupé de défilés, offrit au roi une gigantesque cloche de bronze afin qu'il ouvrît une route. Encore le prince des Tsieou-yeou avait-il un conseiller qui lui aurait permis d'éventer le piège s'il l'avait écouté !

Et d'une voix brusquement émue :

— Privé de votre concours ne vais-je pas tomber dans les pièges comme les maîtres du Chou, des Tsieou-yeou, en me laissant aveugler par l'appât des perles, des joyaux ou par un sourire de femme ?

165

— Convoitise qui guette les maîtres des hommes et leur fait oublier leurs possessions pour des biens illusoires! N'aurait-il pas raison, Han Fei, qui voulait que les princes soient sans passions, sans émotions, qu'ils se ferment comme des sacs aux sensations venues du monde extérieur; qu'ils s'identifient au néant! soupira Tchang le Bon.

Puis il ajouta, répondant à la pression de main de Taillefer :

— Vous qui êtes un homme avide, débauché et jouisseur, ne vous laissez jamais dominer par vos appétits; vous avez fort heureusement assez de fermeté de caractère pour renoncer à des bénéfices immédiats; vous saurez dédaigner des victoires qui cachent en elles la défaite!

Des larmes jaillirent des yeux de Taillefer, mettant sur son pourpoint écartelé de cinabre comme des perles d'argent; il serra fort contre lui son conseiller, qu'il subjugua de sa ferme, de sa chaude, de son amicale étreinte. Tchang le Bon sentit des picotements d'émotion lui brûler les paupières, bientôt ses pleurs se mêlèrent à ceux de son maître; il protesta de son indéfectible fidélité et, dans un mouvement de soumission absolue, il se proposa de le suivre; mais ce transport de dévouement lui rappela les intérêts de celui qu'il voulait servir. L'une des clauses du pacte négocié avec Accroisseur stipulait qu'il renonçât à suivre Taillefer sitôt que celui-ci aurait gagné un royaume à l'ouest des passes; ce qu'il avait accepté, à la condition que les souverains des Han fussent rétablis dans leur titre; il avait été joué. Bien que les royaumes excentriques du Chou et du Pa se trouvassent eux aussi à l'ouest des passes, on ne pouvait prétendre sans mauvaise foi que la convention avait été respectée. Il devait tout de même se plier; l'autre, s'il n'avait pas le droit, avait la force pour lui : derrière les vingt mille partisans de Taillefer, Tchang le Bon avait aperçu, en gravissant des cols d'où la vue s'ouvrait largement sur l'étagement des collines alentour, luire les piques des soixante mille soldats de Plumet, qui les talonnaient, prêts à les anéantir s'ils faisaient mine de s'attarder.

— Mon prince, nous sommes suivis par les hommes du

Tch'ou ; ne fournissons pas à Plumet un prétexte à nous éliminer. Il n'en serait que trop heureux ; nous devons nous quitter. N'oubliez pas, lorsque vous traverserez les gorges, de couper les routes suspendues après votre passage ; vous vous prémunirez ainsi contre vos poursuivants, tout en manifestant votre volonté de ne plus jamais revenir dans l'Est. Eh oui, il y a comme une morale dans tout cela : vous vous sauvez en détruisant la route ouverte par la convoitise à l'envahisseur. Et si jamais la nostalgie du pays natal devenait trop poignante, dites-vous qu'il existe un autre chemin qui passe par Kou-tao.

Taillefer le tint un long moment serré contre lui ; puis, poussant des soupirs à fendre l'âme, il le libéra. Il regarda le char de son conseiller disparaître au détour du chemin, essuya une larme et se remit en marche.

Le cœur lourd, il s'enfonça dans l'étroite gorge qui s'ouvrait comme une mâchoire de loup. Bientôt les falaises les écrasèrent de leurs murs rectilignes, aussi lisses que du métal ; ils cheminaient à flanc de montagne, au-dessus d'à-pics vertigineux. De temps à autre un torrent jetait du fond d'un gouffre des éclairs blafards ; quelques pins rabougris, accrochés à la paroi abrupte par des racines torses, tendaient vers le ciel leurs membres de suppliciés ; on eût dit qu'ils s'étaient rattrapés au dernier moment à quelque invisible anfractuosité du rocher après une chute du haut du ciel et qu'ils criaient leur angoisse de lâcher une prise dont la précarité se prolongeait depuis l'éternité. En avançant sur ces fragiles planches de bambou soutenues au-dessus du vide par des lianes, qui ployaient, balançaient, gondolaient, ondoyaient tel un immense dragon rétif, les soldats furent pris de vertige ; certains se laissèrent choir dans le vide, d'autres s'assirent et, cramponnés à la balustrade de corde, refusèrent de poursuivre. Et comme les sapeurs taillaient les routes derrière eux et les incendiaient, il leur semblait que le chemin s'évanouissait à leur passage et les laissait sans appui au-dessus du néant.

Les hommes, originaires de l'Est, oppressés par la sauvagerie des montagnes, découragés par la difficulté du chemin, eurent le sentiment poignant d'un voyage sans retour; ils songèrent aux femmes, aux enfants et aux amis qu'ils avaient laissés, aux tombeaux de leurs ancêtres qu'ils avaient abandonnés; ils eurent la nostalgie des riantes campagnes coupées de lacs et de fleuves paresseux, du damier des rizières miroitant au soleil entre les talus de terre noire, des villages assoupis derrière leurs palissades de bambou, bordés d'étangs où somnolent de grosses carpes. Et plus ils s'enfonçaient dans cette terre hostile, plus la position de celui qu'ils suivaient leur semblait être celle d'un vaincu.

Les rangs des fidèles de la première heure s'étaient grossis de nouveaux partisans, recrutés au hasard des batailles, des beuveries et des rencontres. Si quelques-uns avaient été éblouis par l'ascendant de Taillefer, la plupart s'étaient rangés à ses côtés dans l'espoir d'en retirer du profit; ils crurent qu'ils n'avaient rien à en espérer; ils n'eurent plus qu'une pensée : abandonner cet homme dont la royauté était une relégation, quitter cette contrée qui les enfermait dans ses murs de pierre comme une prison. Au fil des étapes ses troupes ne cessaient de fondre. Chaque jour, on déplorait de nouvelles défections. Taillefer eut peur de se retrouver seul dans la capitale du Han-tchong. Il ordonna que tout officier ou soldat qui ferait mine de déserter fût immédiatement passé par les armes. Pourtant, dès le lendemain de cette proclamation, vingt hommes encore avaient cherché à fuir. On les rattrapa. Poupon fut chargé de veiller à l'exécution. Dix-neuf condamnés avaient déjà eu la tête tranchée, il n'en restait plus qu'un; c'était Confiance. Son regard croisa celui du général des Chars. Il l'apostropha :

— La quatrième ligne de l'hexagramme « Gens qui suivent » ne dit-elle pas : « *Capturer ceux qui suivent est un présage néfaste; mais quelle issue défavorable pourrait-il y avoir lorsqu'on noue un serment avec un prisonnier!* »

— Que voulez-vous dire ?

— Votre maître veut dominer l'Empire, alors pourquoi se permet-il de se priver du concours d'un brave.

Poupon admira cette réponse; la prestance du soldat l'impressionna. Il le libéra pour s'entretenir avec lui, trouva ses propos remarquables et le présenta à Portefaix. Le ministre apprit que Confiance avait d'abord suivi Plumet, puis l'avait quitté parce qu'il n'avait pas été capable d'utiliser son talent ; il s'était mis alors au service de Taillefer, espérant qu'il saurait l'estimer à sa juste valeur, au lieu de quoi il ne lui avait accordé qu'un poste de chef de brigade. Ce n'était pas un Grand Homme et il ne méritait donc pas qu'on le secondât.

Portefaix, ébloui par la profondeur de ses vues, intercéda pour lui auprès de son roi. Celui-ci lui accorda un poste de commandant des Approvisionnements. Le ministre insista : ce n'était pas suffisant ; Confiance ne consentirait pas à rester s'il ne le nommait pas général en chef. Le visage de Taillefer s'empourpra :

— Quoi ! commandant des Approvisionnements, c'est déjà beaucoup trop bien pour lui ! Ne savez-vous pas que c'est un bon à rien, un pique-assiette et un lâche ! Il est allé jusqu'à ramper entre les jambes d'un boucher de Houai-ying qui l'avait pris à partie. Je tiens la chose de Plumet. Et s'il a quitté son armée c'est à cause du mépris unanime dont il était l'objet.

— C'est une preuve de plus de son étoffe exceptionnelle !

Taillefer crut que son ministre se moquait de lui ; furieux de se voir ainsi abandonné et bafoué, il sortit du relais où il avait planté ses quartiers, fit sceller son cheval et partit au galop dans la campagne pour apaiser les sursauts de son cœur.

Il longeait la rivière Han qui coule entre des lignes de collines tourmentées, coupées de précipices et d'à-pics, lorsque, au confluent de la rivière Vaste dont le cours paresse dans une large vallée quadrillée de rizières, un brusque détour du chemin le ramena tout au bord de l'eau ; il y avait une jeune fille qui conduisait une petite barque. Il ne vit pas son visage car elle regardait vers l'autre rive, mais seulement sa silhouette, dont le mouvement de la perche creusait la taille et accusait la hanche.

Elle devait être ravissante. Il voulut connaître sa frimousse. Il pressa son cheval pour la devancer.

Immédiatement en amont de la Vaste, la Han traversait une zone de collines aux pentes assez raides ; le chemin se séparait du cours d'eau et la silhouette lui fut dérobée par un promontoire rocheux. Le roi du Han-tchong pesta : il fallait tout de même qu'il sache, que diable ! si le visage tenait ce que le corps promettait. Il lui avait semblé que la vallée s'élargissait un peu plus loin ; là, il côtoierait la rivière... Il lança son cheval. La route, malaisée, faisait des tours et des détours à l'intérieur du massif montagneux. Il ne reverrait donc jamais le fleuve ! Il s'apprêtait à abandonner cette vaine et futile poursuite quand un nouveau coude du sentier le fit déboucher sur la rive, au moment précis où l'embarcation passait, lui offrant l'orbe d'une joue et le profil d'un nez ; sa curiosité en fut davantage émoustillée que satisfaite. Il éperonna son cheval pour se trouver face à elle, mais déjà la route repartait à l'assaut des pentes, tournant le dos à la Han. Poussant d'affreux jurons, Taillefer reprit sa chasse. Il l'entrevit encore deux ou trois fois, entre les rochers ou les bambous, avec lesquels elle rivalisait de sveltesse, avant qu'aux abords de la ville de Stable, un méandre du fleuve ne les mît nez à nez.

C'était le plus ravissant minois qu'il lui eût jamais été donné de contempler : un visage rond et blanc comme une pleine lune, des yeux brillants surmontés de deux sourcils minces incurvés en antennes de papillon, et une petite bouche aux lèvres de cerise. On aurait dit une fleur de prunier sous la neige.

La fille, qui avait remarqué le manège du cavalier, éclata de rire devant ses yeux ronds et sa bouche grande ouverte. Puis d'un ton mi-plaisant mi-fâché :

— Ah, n'auriez-vous pas de mauvaises intentions pour me suivre de la sorte ! Heureusement qu'il y a l'eau... pour arriver jusqu'à moi il faudra vous mouiller...

— Et vous, ne seriez-vous pas une renarde, pour aller ainsi toute seule et enjôler les pauvres voyageurs ?

— Peuh, les renardes ne vont pas en bateau !

— Mais les loutres, oui! d'une feuille de nénuphar elles font leur embarcation et d'une branche de saule leur ombrelle, et elles voguent sur les fleuves et les lacs, rendant amoureux fous les bateliers.

— Une feuille de nénuphar! ma cargaison de légumes la ferait couler! Et une loutre! voici qui n'est guère galant. Elles ont les membres courts et sentent le poisson. Enfin, pourquoi me comparer à toute force à un animal si ce n'est pas pour vous moquer...

— Ah, il est vrai, ce n'est pas vous rendre justice. Mais belle comme vous l'êtes, vous ne pouvez pas appartenir à notre espèce. Vous serez quelque fée. Peut-être la reine de la rivière Han ou une ondine de la Vaste?

— Si je suis la reine des eaux, vous devez être, avec votre taille de huit pieds, votre moustache de tigre et votre tunique brodée, le roi des brigands!

Taillefer rit:

— Roi, sans aucun doute; brigand, peut-être un peu!

— Il avoue! Brigand pour cela, ma foi je vous crois, mais quant à roi, je suis prête à vous accorder ma main si c'est vrai!

— Chose promise, chose due! je vous prends au mot!

— Oh là, c'est sans risque...

Et c'est ainsi qu'en devisant, ils avançaient le long du cours d'eau, lui sur son cheval, elle dans sa barque. Il apprit qu'elle s'appelait K'i, avait dix-sept ans, habitait le bourg de Yang-tch'ouan et allait vendre les produits de son jardin et de son industrie au marché de Stable. Sa famille, autrefois aisée, avait connu des malheurs et se trouvait maintenant ruinée. Son père était mort, emporté par une maladie, et ses frères étaient tous partis pour la corvée. On était sans nouvelles d'eux depuis des années maintenant...

Ils arrivaient en vue des murailles de Stable. Soudain, il y eut un bruit de cavalcade. Une petite troupe de gardes, arborant les oriflammes royales, les rejoignit. Reconnaissant leur seigneur, les cavaliers dégringolèrent de leur selle, mirent pied à terre et se prosternèrent, front contre terre. Cordon, qui menait le détachement, s'avança et s'exclama:

— Ah, on peut dire que vous nous avez fait une belle peur! Cela fait des heures que toute votre suite bat la campagne à votre recherche! Et que faites-vous ici? Est-il bien raisonnable de la part d'un roi d'abandonner ses ministres, ses officiers et ses soldats sans rien leur dire et d'aller à l'aventure tout seul à travers champs!

Ces mots furent accompagnés d'un grand plouf! La révélation de la dignité de l'inconnu avec lequel elle avait bavardé si familièrement avait fait tomber K'i à l'eau, de surprise.

Taillefer, sans un instant d'hésitation, se précipita dans la rivière avec son cheval. Il la repêcha et la ramena sur la berge, saine et sauve :

— Chose promise, chose due. Vous êtes à moi! fit-il.

— Sans l'accord de ma mère?

— Je vais lui envoyer un entremetteur. Je doute qu'elle refuse... Vous êtes toute trempée. Installons-nous à l'auberge du relais de Stable, qui n'est distante que de quelques lieues. Vous pourrez vous y sécher, changer de vêtements et vous restaurer en attendant que le char à tentures jaunes ne vienne nous prendre et ne nous conduise à mon palais de Nan-tcheng.

Taillefer était trop occupé de sa nouvelle conquête pour s'inquiéter sur le moment de la défection de son ministre Portefaix dont la disparition lui fut signalée dès son arrivée à table.

Les annales racontent que le roi Wen, fondateur de la dynastie des Tcheou, revint d'une promenade dans la campagne avec un sage qu'il avait rencontré pêchant au bord du fleuve. Taillefer, lui, ramenait une concubine; il avait ses ministres pour s'occuper des sages.

La disparition de Portefaix n'était pas due à une belle; il poursuivait un preux. A la tête d'un petit détachement, il galopait à vive allure en direction de Source-de-Pierre vers où on avait vu se diriger un groupe d'officiers fugitifs. Il avait presque une nuit de retard, mais grâce à son titre officiel, il pouvait espérer bénéficier des chevaux des relais des postes préfectoraux et rattraper les déserteurs.

Ce n'est qu'au coucher du soleil, au moment même où, à des centaines de lieues en amont, Taillefer trouvait la récompense de sa longue poursuite, qu'il aperçut un nuage de poussière annonçant un petit groupe de cavaliers. Le cœur serré par l'appréhension et l'espoir, il pressa son cheval et rejoignit les fugitifs. Confiance était parmi eux. Le ministre et sa troupe le capturèrent mais laissèrent échapper ses compagnons. Le visage de Confiance s'éclaira d'un sourire malicieux :

— Ah, voici qui correspond à la seconde ligne du dix-septième hexagramme : « *On s'empare de l'homme fait et néglige les enfants !* »

— « *Ils sont faciles à rattraper si l'on se donne la peine de les pourchasser* », enchaîna Portefaix en continuant la citation. Mais n'ayez crainte, nous ne vous réserverons pas le sort qui menace le captif dans la dernière ligne : « *Ils le prennent, ils le lient, et le forcent à les suivre ligoté, pour que le roi l'utilise dans un sacrifice à la montagne de l'Ouest.* »

— Vous auriez grand tort, la sentence n'implique pas une immolation mais une intronisation. Lorsqu'on veut distinguer un ministre ou imposer un général à son armée, on le présente solennellement aux dieux devant son peuple rassemblé !

— Oh, rien que ça ! vous ne manquez pas de souffle ! Et vous pensez que je vais le faire avaler à Taillefer !

— Il le faudra bien si vous voulez que je le suive. C'est la seule façon qu'il a de montrer qu'il m'estime enfin à ma juste valeur. Voici la condition que je mets désormais à mes services, qui ne valent d'ailleurs que par le prix qu'on leur attache.

VASTES DESSEINS

Grands et beaux sont les vastes desseins,
propices à la traversée des grands fleuves,
trois jours avant le commencement,
trois jours après le commencement du cycle.

Lorsque le héraut annonça dans la salle d'audience de la résidence préfectorale de Nan-tcheng, devenue palais royal, la visite de Portefaix, le visage soucieux de Taillefer s'éclaira. Et à l'entrée de son ministre, il le prit à partie d'un ton mi-fâché, mi-réjoui :

— Eh bien, on peut dire que vous m'avez flanqué une sacrée trouille ! Disparaître comme ça sans rien dire. Tout le monde vous portait déjà déserteur ! J'étais anéanti ; c'était comme si on m'avait coupé bras et jambes ! Peut-on savoir, sans être indiscret, la raison de cette escapade !

— Me pensez-vous homme à abandonner mon poste ! J'étais à la poursuite d'un fugitif, dont la défection nous eût causé un préjudice considérable !

— Bienheureux ? Je ne l'ai point aperçu parmi les officiers ces jours derniers. Il a été admirable dans ce qu'il faut bien appeler notre retraite au Han-tchong, sans lui nous aurions eu beaucoup plus de pertes à déplorer en coupant cette maudite route suspendue !

— Qui vous parle de cet incapable ! C'est Confiance que je vous ramène !

— Quoi ! Il y a bien une trentaine de généraux de valeur qui m'ont abandonné et vous m'avez mis dans les transes pour rattraper le plus médiocre ! Vous voulez rire !

— Aucun d'eux n'est irremplaçable en dehors de Confiance. Quant à Bienheureux, je le tiens pour franchement nuisible. C'est un homme qui ne suscitera jamais que le trouble et l'anarchie. Souvenez-vous des boîtes à suggestions merveilleuses et de ces maudits turbans verts ! A entretenir de pareils énergumènes à votre cour vous y perdriez votre couronne. D'ailleurs, à supposer même qu'il eût quelque valeur, comment escomptez-vous vous attacher un illuminé qui se soucie plus des autres que de lui-même. Jamais aucun titre, aucune dignité ou prébende ne lui fera oublier les va-nu-pieds de l'Est ! Mais avant de poursuivre, permettez-moi de vous poser une question : allez-vous vous contenter de régner sur le Han-tchong ou nourrissez-vous des projets plus ambitieux ?

— Vous savez bien que je désire m'étendre sur toute la plaine centrale !

— Dans ces conditions, vous avez besoin de Confiance au Han-tchong et de Bienheureux chez Plumet !

— Qu'est-ce à dire ?

— Lou et Ti ont fait perdre au comte Wen de Wei l'ouest du Fleuve ; Nao Tch'e fut responsable de la mort du roi Min ; tout au contraire, le fondateur des Tcheou domina l'Empire pour avoir pris Liu Wang et le roi Tchouang de Tch'ou régna sur les seigneurs grâce à Souen-chou Ngao !

— Soyez clair ! vous savez bien que les citations des classiques me donnent mal à la tête !

— Bienheureux est un fauteur de troubles ; il a Plumet en exécration depuis les grands massacres des turbans verts. Une fois rentré au pays, il fomentera des révoltes en rameutant des partisans et en cherchant à rétablir l'ère de la Grande Paix et autres fariboles. Je ne le crois pas de taille à inquiéter sérieusement Plumet, mais il peut être une épine dans la patte du tigre. Quant à Confiance, vous devez vous l'attacher absolument si vous avez réellement le projet de dominer l'Empire ; sinon, contentez-vous de régner sur votre bout de terre en attendant que Plumet ne vous en dépouille, et ne vous prive de la vie, par la même occasion !

— Vous ne m'ôterez pas de la tête qu'un homme qui s'est humilié comme il l'a fait ne peut être un homme remarquable !

— A vrai dire, je pensais comme vous il n'y a pas si longtemps, mais Tchang le Bon m'a fait comprendre la sublimité de son geste. Il dit qu'un homme capable de s'abaisser ainsi nourrit des desseins sublimes, qui lui interdisent de s'exposer dans des querelles futiles ; gros d'un destin exceptionnel, il a les prudences légitimes d'une reine qui doit mener à terme l'avenir du royaume qu'elle porte dans ses flancs ; souvenez-vous de K'ing Ko qui se laissa insulter à deux reprises par Ko Nie à Yu-tse et par Lou Keou-kien à Han-tan, avant de faire vibrer tous les preux d'admiration en tentant d'assassiner le tyran du Ts'in ! Et songez aussi à vous-même, qui avez subi des affronts à P'ei sans toujours y répondre, dans vos jours obscurs !

Taillefer baissa la tête, resta pensif un instant puis lâcha :

— Vous avez peut-être raison. Un grade de général, ça vous va ?

— Ce n'est pas avec ça que vous le retiendrez !

— Bon, vous avez gagné, je le nomme général en chef !

— A la bonne heure !

— Appelez-le, qu'on en finisse avec cette affaire !

— Non, vous n'en avez pas fini. Confiance est un homme susceptible et ombrageux, et dans les dispositions où je vous vois, vous allez l'offenser par une de ces grossièretés dont vous êtes coutumier. Est-ce une façon de nommer quelqu'un chef suprême de ses armées en le sifflant comme un petit garçon !

— Qu'est-ce que vous allez me demander encore ?

— Si vous avez réellement l'intention de le nommer à ce poste, choisissez par la divination un jour faste, faites élever un autel et après avoir accompli un grand sacrifice, conférez-lui cette dignité en grande cérémonie en présence de vos troupes. Ce n'est que si toutes les formes rituelles sont respectées que cette nomination aura un sens !

Lors du banquet qui suivit la remise des insignes de commandement, le roi invita Confiance à s'asseoir à la place

176

d'honneur, s'installa à ses côtés et lui manifesta toutes sortes de marques de prévenance. Puis lorsque de nombreuses coupes eurent été vidées, Taillefer se pencha vers le nouveau général et lui demanda :

— Tchang le Bon et Portefaix ne tarissent pas d'éloges sur vos mérites, aussi suis-je impatient d'entendre le plan que vous avez à me proposer.

— Qui donc d'autre que Plumet, à l'est des passes, est en mesure de s'emparer de l'Empire ?

— Personne, lui concéda Taillefer.

— Et qui de vous ou de lui l'emporte pour la vaillance, la générosité, la force ?

Taillefer resta un instant silencieux avant d'admettre, dans un souffle :

— Il n'est aucun de ces points où je le vaille.

Confiance sourit, eut une double inclination de la tête et s'exclama :

— A la bonne heure, je vois que vous vous jugez sans complaisance. Je pense comme vous que vous lui êtes inférieur sur tous ces plans. Cependant je l'ai servi et je crois bien le connaître. Je vais vous dire le genre d'individu qu'il est réellement. C'est un homme qui gronde et qui hurle si fort qu'il est capable de mettre en déroute une armée par ses vociférations ; mais il n'est pas fichu de donner un commandement à un officier compétent ; il a de la vaillance, mais c'est une vaillance de rustre. Plumet reçoit les gens avec courtoisie, il est plein de délicatesse ; il déborde de prévenances et d'attentions pour ses hôtes ; il sait tourner un compliment, trouve toujours le mot aimable, il pleure comme un veau quand on est malade, est toujours prêt à distribuer sa nourriture et son vin ; il se dépouillerait de son manteau pour un ami qui a froid ; mais dès qu'il s'agit d'accorder des fiefs et des titres pour récompenser les mérites de ses généraux, alors il se serre comme la bourse d'un avare. Certes il a de la générosité, mais c'est une générosité de bonne femme. Il domine l'Empire, mais il a commis la faute d'installer sa capitale à P'eng-tch'eng au lieu de rester à l'intérieur des passes, parce qu'il n'a pas su résister aux

177

supplications d'une concubine qui le plie à ses caprices. Les rois et les princes lui obéissent, cependant il n'a pas de véritable légitimité. Il a violé la convention des seigneurs et distribué des royaumes à ses proches, ses parents et ses amis, provoquant des remous chez les princes feudataires. Partout où il passe il sème la mort et la désolation, s'attirant la haine de la population. Oui, il a beau en apparence avoir conquis l'hégémonie, il a déjà perdu le cœur des hommes ; c'est ce qui me fait dire que sa force est faiblesse.

« Vous devez suivre la voie contraire. Donnez des emplois aux officiers vaillants ; distribuez des villes et des terres à vos généraux qui se sont couverts de gloire ; sous le prétexte de rétablir la justice, faites déferler vos braves qui soupirent après leur pays natal, et vous soumettrez vos rivaux et contrôlerez l'Empire ! Toutefois, il vous faut savoir que la conquête de l'Est passe par celle de l'Ouest. Le Ts'in est le point faible du Tch'ou. Les trois princes entre les mains desquels il a été partagé étaient fonctionnaires sous le Second Empereur. Non contents d'avoir trahi leur pays en passant à l'ennemi, ils ont laissé massacrer par Plumet les deux cent cinquante mille hommes qu'ils avaient sous leurs ordres. Je puis vous assurer que les gens du Ts'in ne les portent pas dans leur cœur. Ils les auraient déjà renversés sans la peur de représailles. Vous, tout au contraire, vous vous y êtes acquis une certaine popularité par votre pondération. Les termes du pacte pouvaient leur faire espérer qu'ils vous auraient pour maître. Hélas, il n'en a rien été et leur déception est immense. Vous devez la mettre à profit en revenant au Ts'in à la tête d'une armée. Vous n'aurez même pas à combattre.

— Voilà qui est puissamment conçu ! Oui, vous me faites regretter de ne pas vous avoir rencontré plus tôt ! Que de grandes choses nous aurions pu réaliser ensemble !

Mais Confiance tempéra son enthousiasme :

— Cela est bel et bon, reste à se prémunir d'une réaction trop vive de la part de Plumet ! S'il intervient à l'Ouest avant que nous le tenions solidement, nos entreprises seront sérieusement compromises.

178

— Que faire? s'inquiéta Taillefer, le visage soudain rembruni.

— Le fixer à l'Est, et pour cela nous avons besoin du concours de Tchang le Bon.

La tête appuyée sur les cuisses de K'i, Taillefer fredonnait une complainte des pays de l'Est lorsqu'un page lui annonça le retour de son émissaire secret auprès de Tchang le Bon ; la concubine eut un geste de contrariété et soupira : « Cela ne peut-il attendre ? » en lui jetant les bras autour du cou pour le retenir. Taillefer lui mit la main sur la bouche et lui murmura : « Ne voulez-vous pas que je travaille pour notre héritier ? » Un sourire creusa la fossette de K'i et elle le libéra. Il se redressa, rajusta sa tenue, gagna un petit cabinet et fit introduire Cordon.

A sa mine dépitée, Taillefer comprit que les choses n'allaient pas tout à fait comme ils l'auraient désiré.

— La position du roi de Han est des plus précaires, lui annonça son ami, entrant dans le vif du sujet, Plumet l'a gardé à la capitale, l'empêchant de rentrer dans son royaume, et vient de le ravaler à la position de simple marquis. Tchang le Bon redoute qu'il ne lui soit réservé le même sort qu'à Esprit, assassiné par Face Tatouée sur les ordres de Plumet. Aussi a-t-il fort à faire pour plaider la cause de son maître auprès de l'hégémon de Tch'ou et ne peut-il apporter tous ses soins à notre cause. En se chargeant à la fois de notre défense et de celle du roi de Han, il risquerait de nuire à tous deux. Pour la même raison il lui est impossible de quitter P'eng-tch'eng pour se rendre au Ts'i et au Tchao attiser la révolte par quelque habile discours dans le cœur de Rogaton et de T'ien Yong. Néanmoins, afin de vous montrer sa bonne volonté, il se propose de tenter de les convaincre par écrit...

— Ce n'est pas la même chose! Maudite fidélité de Tchang le Bon à une cause perdue! Mais bon sang! qui donc pourrait le convaincre d'abandonner cette planche pourrie des Han ? Ne sait-il pas qu'il les servirait mieux en me servant!

— Votre femme Liu la Faisanne est toujours à P'ei ?

— Pourquoi cette question ? Vous savez bien qu'elle y est restée pour veiller sur mes vieux parents.

— Elle a un grand pouvoir de persuasion, peut-être réussira-t-elle là où votre serviteur a échoué, d'autant que Tchang le Bon nourrit pour elle la plus vive estime. P'ei n'est pas loin de P'eng-tch'eng, et un envoi d'émissaire auprès d'elle n'attirera pas les soupçons.

— Il paraîtra suspect qu'elle lui rende visite.

— Qui vous parle de cela ? C'est lui qui se déplacera. Il accourra dès qu'elle le lui demandera.

Comme chaque fois, Tchang le Bon sentit sa volonté fléchir sous l'ascendant de cette femme dont le visage rectangulaire aux larges traits possédait une sorte de beauté massive ; on devinait en elle un appétit de pouvoir que les bornes mêmes de l'univers laisseraient insatisfait ; elle devait être capable des plus grandes abnégations comme des pires infamies.

— Ne nous abandonnez pas ; et même si vous n'avez pas pitié de nous qui sommes sans votre secours comme des orphelins désemparés, songez à l'Empire, que vous allez livrer sans défense à des hyènes sanguinaires ; auriez-vous cette cruauté ? suppliait-elle, agenouillée devant Tchang le Bon.

Celui-ci puisa dans sa loyauté aux Han le courage de résister à la pressante prière de la Faisanne. Elle eut un rire de dépit :

— Eh bien, malheureusement, puisque vous ne pouvez rien pour nous, je n'ai plus qu'à vous souhaiter de réussir dans vos efforts pour sauver votre maître.

Demeurée seule, elle resta plongée dans une méditation qui étendit sur son front blanc les ombres de vastes projets ensanglantés de desseins meurtriers. Car les grandes entreprises nécessitent souvent l'emploi du poison. C'est d'ailleurs ce qu'indique l'hexagramme dont le titre de *kou* signifie à la fois l'un et l'autre. Et cette pourriture secrète, qui est au principe même des manœuvres qui mettent les Grands Hommes sur les trônes, traverse toutes les lignes de la figure divinatoire. (Six en un : *il s'occupe de la vermine de son père...* Neuf en deux : *il s'occupe de la vermine de sa mère*, etc.)

Au cœur de l'été, quand la fermentation des matières animales et végétales suscitée par la canicule provoque l'apparition des fièvres, des miasmes, des insectes venimeux, les femmes des provinces du Sud s'en vont ramasser les scorpions, les serpents et les lézards pour confectionner des filtres mortels. On se trouvait au cinquième mois, au plus fort des pestilences, dont les exhalaisons méphitiques s'exacerbent sous la double action de la chaleur et de l'humidité. Et c'est ainsi que germa dans l'esprit de la Faisanne, un peu sorcière comme toutes les femmes du Tch'ou, l'idée d'utiliser la magie noire du *kou* pour la réussite de ses vastes plans.

Elle choisit un jour propice sur l'almanach et, par un après-midi torride, elle se glissa hors de chez elle avec un panier à vêtements, une large cuvette plate. Elle gravit une colline, choisit un lieu solitaire où surgissait une source, tira de la corbeille une robe de soie fraîchement lavée et parfumée d'armoise, l'étala soigneusement sur l'herbe, puisa de l'eau dans la cuvette, la plaça au centre de l'étoffe ; puis elle ôta une à une ses épingles, défit ses chignons, laissa retomber la masse épaisse de ses cheveux sur les épaules, se dépouilla de ses habits et lorsqu'elle fut entièrement nue, elle se mit à se trémousser en chantant : « Tss, Tss ! accourez crapauds, scorpions, serpents et scolopendres, vous toutes, immondes bêtes, de vos poisons infectez cette cuvette ! Le temps est chaud, les miasmes montent, qu'ils imprègnent toutes choses, pour la confection du *kou*. »

Bientôt, une grosse araignée descendit des feuilles pour se tremper dans le récipient, puis ce furent des vipères, des mille-pattes, des scorpions. Quand ils grouillèrent à la surface de l'eau, la Faisanne renversa d'un geste preste le contenu de la cuvette dans un coin humide et ombreux en récitant une incantation.

Deux jours plus tard, elle remontait sur la colline, cueillait les champignons qui avaient proliféré sur l'emplacement où elle avait répandu l'eau venimeuse, broyait leur pulpe et l'introduisait dans des tuyaux de plumes d'oie qu'elle glissait dans ses cheveux. La chaleur de son corps fit lever des vers ; ils ressemblaient à des larves de bombyx du mûrier ; elle les enferma dans un pot de terre qu'elle enterra dans un recoin obscur et chaud de la maison, attendant qu'ils deviennent nocifs. Car, dans les premiers jours, le *kou* n'est pas mortel ; tout au contraire, les femmes du Sud l'utilisent à ce stade pour la confection des filtres d'amour ; il faut au moins dix jours pour que les vers distillent leur poison.

Sitôt qu'elle se fut assurée de l'efficacité de la poudre qu'elle en tira, la Faisanne se rendit sous un déguisement à P'eng-tch'eng, parvint à se glisser dans les cuisines du marquis de Han, soudoya une des servantes en lui faisant entendre qu'elle agissait pour le compte du roi Plumet, et répandit sur la nourriture destinée au maître de maison un peu de la poudre qu'elle avait déposée dans une boîte, dissimulée dans son chignon.

Dans la petite salle des délibérations secrètes, Accroisseur, la mine soucieuse, n'arrivait pas à cacher son irritation en chuchotant à l'oreille de Plumet :

— Certes, j'admets que l'élimination de l'Empereur Juste s'imposait. Tôt ou tard il nous aurait causé des ennuis, mais vous venez de commettre une erreur monumentale en empoisonnant le marquis Tch'eng de Han. Ne savez-vous pas que vous venez d'offrir à Taillefer les services d'un homme remarquable, dont l'existence d'un rejeton des Han le privait ? Ce n'est pas seulement que la mort de Tch'eng délivre Tchang le Bon, elle fait de lui votre ennemi mortel ! Si vraiment vous éprouviez pour lui une haine telle que son existence vous était insupportable, il fallait à ce moment éliminer aussi son fidèle conseiller ! Je l'ai fait chercher pour tenter de réparer votre bévue ; trop tard, il s'est évanoui ; maintenant il doit être au Han-tchong hors de notre portée.

— Que me chantez-vous là ? s'emporta Plumet. Je n'ai

aucune responsabilité dans l'assassinat du marquis Tch'eng et son empoisonnement m'a surpris autant que vous. Le poison est l'arme des lâches, et il n'est pas dans mes habitudes d'y recourir. Il aura succombé à quelque mystérieuse maladie ou à une intoxication alimentaire...

— Non, les médecins sont formels et il suffit de l'avoir vu comme moi, la langue toute bleue et le ventre ballonné, pour qu'aucun doute ne soit permis.

— Assez là-dessus, je ne tolérerai pas ces soupçons. Et puis ce pauvre personnage ne mérite pas qu'on s'attarde sur son sort. Nous avons d'autres sujets de préoccupations. Taillefer vient de s'emparer du T'sin ; le Ts'i et le Tchao sont en ébullition. Tsang T'ou et son bras droit Louan Pou se sont emparés de tout le Yen ; T'ien Yong a tué deux souverains du Ts'i, chassé le troisième, s'est couronné roi du T'si unifié et défie mon autorité. Il a nommé P'eng Yue général en chef et l'a envoyé soulever le Wei. Rogaton, avec le concours des troupes du Ts'i a renversé Oreille, qui a trouvé refuge auprès de Taillefer ; et pour couronner le tout, dans les provinces de la côte, à l'instigation d'un illuminé appelé Bienheureux, les manants forment des bandes qui pillent et détruisent les préfectures sous couvert d'établir le règne de la Grande Paix ! Que dois-je faire ? Me tourner d'abord contre les rebelles de l'Est ou attaquer Taillefer ?

— Quels sont vos projets ? Vous contenter d'être l'hégémon du Tch'ou ? Mais c'est laisser l'Empire sans maître et attiser la convoitise de tous ces ambitieux qui n'attendent que l'occasion pour se jeter à la curée. Non, vous devez conquérir l'Empire et quand vous y aurez imprimé votre marque de propriétaire, la convoitise de ces prétendants leur rentrera dans la gorge ! Or, qui donc peut vous disputer l'Empire ? Un seul homme : celui que vous avez déjà une fois laissé échapper, Taillefer. Ne manquez pas votre cible une seconde fois, car le Ciel ne pardonne pas à ceux qui ne savent pas saisir par les cheveux la chance qu'il leur offre. C'est contre lui que vous devez tourner vos armes, immédiatement, sans vous soucier des autres, qui ne sont que des chacals.

A un autre moment Plumet l'eût sans doute écouté. Mais il éprouvait en cet instant une trop vive animosité à l'encontre de son conseiller qui osait le soupçonner de l'assassinat du marquis de Han. Il eut envie de le contredire :

— Et je livrerais mon territoire à ces charognards ? Ils seraient trop heureux. Non ! j'ai mon plan ; il ne me faudra pas plus d'une semaine pour venir à bout de cette poignée de séditieux. Et alors, avec mes troupes victorieuses je me retournerai contre Taillefer et lui ferai regretter amèrement sa traîtrise !

DOMINATION

La domination réclame de grandes,
de belles qualités d'endurance et de générosité.
Mais le huitième mois lui est néfaste.
La terre au-dessus de l'étang :
le sage enseigne et éduque sans relâche,
il soutient et protège le peuple sans trêve.

— Mes frères, disait Bienheureux à la foule déguenillée, dans le gouvernement du Ciel, le prince traite les anciens, même s'ils sont de modeste origine, comme ses maîtres et ses précepteurs, car il sait que chez les humbles peuvent se rencontrer les plus brillantes qualités ; il ne considère pas que ce soit s'abaisser que de leur demander leur avis. Et c'est ainsi qu'il instaure sa domination sur l'Empire sans châtiments ni massacres de manière que la Grande Paix puisse régner ; vient ensuite une forme de gouvernement moins parfaite, mais encore très accomplie, c'est le gouvernement de la Terre : les sujets ont même volonté, mêmes sentiments que leur souverain, on dirait ses compagnons ; et lui est une vraie mère pour eux. Il les chérit, les protège et parfois même les consulte. A un degré en dessous vient le gouvernement de l'Homme qui, comme vous le savez, frères et sœurs du Tao, est la troisième composante de la triade : dans le gouvernement de l'Homme, le souverain traite ses sujets comme s'ils étaient des enfants en bas âge. Il les soigne, il s'en occupe, il ne les moleste pas mais il ne leur confie pas ses projets. Voilà les trois formes de gouvernement, les trois formes qui correspondent aux trois états de l'univers, et c'est ce cycle qui aurait dû se perpétuer. Hélas, la vertu s'étant dégradée par la faute de la cupidité des hommes, une quatrième espèce de gouvernement est apparue dans l'Histoire et elle se prolonge depuis des siècles et des siècles ; cette sorte de gouvernement, c'est le gouvernement du mépris. Les sujets sont considérés comme des choses, on les traite pis que des chiens, des objets ou des plantes ; on leur fait subir toutes sortes de cruautés et d'avanies. C'est le règne du métal qui cause la guerre et les châtiments impitoyables. Le Ts'in s'est effondré et des prétendants à la domination de la terre-sous-le-ciel se sont levés. Qui sont ces prétendants ? Je vais vous les nommer — ne croyez pas que ce soient vos rois, leur temps est révolu. Non, les seuls qui peuvent prétendre à l'Empire sont au nombre de deux : ce sont Plumet et Taillefer. Or vous connaissez Plumet, vous l'avez vu à l'œuvre, semant la ruine et la désolation, égorgeant les femmes et les enfants. Quelle ordre va-t-il imposer ? Celui du mépris naturellement. Plumet est un bourreau, il répand la terreur et règne par le métal ; il poursuivra l'oppression du Ts'in !

« Il y a fort heureusement un autre prétendant, vous le connaissez. Il a été le lieutenant de notre sage souverain, Fulguration-du-pur-sang. Je l'ai connu lors des campagnes contre le Ts'in et je l'aurais suivi encore maintenant si je n'avais pensé qu'il était de mon devoir le plus sacré de vous faire connaître sa vertu. C'est Lieou ! C'est lui qui a le premier franchi l'ouest des passes. Il avait donc droit à l'Empire de par la convention. Et j'ai vu sur son passage les vieillards du Ts'in, qui subissaient depuis tant d'années l'oppression des tyrans, se jeter à ses pieds et pleurer. Et lui pleurait aussi au récit des misères qu'ils avaient endurées. Il a aboli les lois iniques ; loin de malmener les vieillards et de les enchaîner, il les a consolés, il a écouté leurs conseils dans les écoles, il les a régalés d'un verre de vin et de deux parts de viande dans les banquets communaux. Il leur disait : " Bons vieillards, quelles suggestions avez-vous à me faire, quels conseils avez-vous à m'adresser, je suis tout ouïe. " Lieou est-il le prince du gouvernement de l'Homme? Il est mieux : il ne traite pas le peuple comme des enfants en bas âge. Est-il le prince du gouvernement de la Terre? Il est mieux, car il considère le peuple plus haut que des compagnons ou des amis. Il est le prince du gouvernement du Ciel, car il prend les anciens des villages pour maîtres! D'ailleurs il est prédestiné : il a tué le Serpent Blanc, et son nom indique qu'il fera régner la vertu du printemps, Lieou, c'est Mao-tao-kin, Orient Taille-Fer!

Et la mer des turbans crasseux, creusée par la houle de l'indignation ou l'espoir, se mettait à moutonner. De cette foule jusque-là passive, accaparée par la lente et douloureuse digestion de la balle du grain et des herbes sauvages, dont les pets sonores et brefs et les longs rots plaintifs et douloureux comme des bêlements de chèvres — signe ambigu qui pouvait signifier tout à la fois une sourde et secrète protestation ou une approbation vécue dans leur corps même — constituaient ordinairement la seule manifestation aux discours qu'on lui adressait, de cette foule donc jaillit tout à coup un long cri articulé : « Vive Taillefer!! A bas Plumet! Tuons Plumet le Boucher et remettons sa tête à Taillefer! »

Les plus hardis voulaient reformer des milices et partir immédiatement en guerre. D'autres, pour qui l'univers se réduisait aux frontières du canton, parlaient de s'enrôler dans les armées de Taillefer comme si elles ne fussent qu'à une portée de flèche de leurs hameaux. Déjà on s'armait de bâtons, de larges faucilles de pierre, de méchantes bêches de fonte cassante, de longues houes à tranchant de coquillage.

Bienheureux, qui se souvenait encore avec épouvante des grands massacres des turbans verts, cherchait à modérer l'ardeur de ses partisans. De son passage dans les armées de Taillefer, il avait acquis le goût de la discipline, et ses visions idylliques avaient été contaminées par les rêves d'ordre de l'ancien chef de police d'arrondissement.

Cette évolution, toutefois, devait peut-être plus au changement des temps qu'à l'influence de Taillefer. L'aspiration à la liberté née en réaction de la prétention des Ts'in d'enfermer le devenir dans la tyrannie du prévisible avait fait peu à peu place, devant les monstrueuses tueries auxquelles elle avait abouti, à un intense désir de normes et de contraintes, fût-ce au prix de l'abdication de l'inattendu retrouvé — celui-ci ne leur réservant que de mauvaises surprises —, et rien de tel pour la remise en ordre que l'action méthodique d'un policier. En un mot, le mouvement général de l'époque s'accordait à la mentalité de Taillefer et appelait sa prééminence.

Bienheureux les mit en garde. Il ne fallait pas comme la dernière fois aller au massacre en montrant trop de précipitation. Ils avaient besoin d'organisation — ce qui leur avait manqué. Et pour cela il était nécessaire de se doter d'une force de police locale, afin d'éliminer la délinquance et le péché. Ce sont, en effet, les crimes des hommes qui provoquent la colère du Ciel et font pleuvoir sur eux les calamités de la nature, source d'appauvrissement, appauvrissement dont il avait expliqué dans ses prêches qu'il est la cause directe de la lutte acharnée des individus les uns contre les autres pour la jouissance de biens devenus trop rares. Il était également nécessaire, d'un point de vue tactique, puisque Taillefer était trop éloigné pour qu'ils pussent le rejoindre, de faire allégeance au nouveau roi de Ts'i, bien qu'il fût le fils de ce T'ien Yong qu'ils ne portaient pas particulièrement dans leur cœur. Mais il avait levé l'étendard de la révolte contre Plumet et c'était là le meilleur moyen d'assurer le triomphe de leur libérateur, le roi Lieou.

On organisa des assemblées pour développer le bien et punir le mal, qui associaient dans la répression des infractions à la loi ou à la morale toutes les classes de la population, depuis les fonctionnaires provinciaux jusqu'aux simples paysans.

Un magistrat se rendait, à date fixe, dans tous les villages où un délit était signalé et convoquait dans la salle de la Promotion de la Vertu les habitants du district qui prenaient place selon leur catégorie. Les anciens fonctionnaires et tous ceux qui avaient exercé une responsabilité dans l'administration s'asseyaient face à l'est, dans la partie ouest de la pièce, qui est le point cardinal de la justice, pour manifester que même s'ils n'étaient plus en fonction on leur demandait, en tant qu'ex-magistrats, de collaborer avec la justice en montrant où se trouvait le droit par leur position même. Les lettrés, ceux qui avaient étudié les classiques ou jouissaient d'une réputation de vertu, s'installaient face au nord, le long du mur sud de la salle, sur le point cardinal de la pénétration, car leurs lumières pouvaient contribuer à la découverte des fautifs ; dans la portion est, face à l'ouest, se tenaient les fils pieux et les frères obéissants, à l'emplacement de la racine, de l'origine, la bonté étant retour sur soi. Les zélés laboureurs s'adossaient au coin sud-est, direction de la croissance et de la germination — en leur assignant cette place on manifestait le contentement de les voir vaquer aux tâches fondamentales et de s'y adonner avec ardeur. Aux chenapans était réservé le coin sud-ouest : point où les désirs mauvais s'éveillent et où commencent à s'infliger les châtiments, parce qu'il marque le renversement du yang en yin : les singes roublards et profiteurs le recherchent d'instinct.

Et ainsi, une fois que chacun dans l'assistance s'était installé dans la salle au point exact correspondant à sa nature, les hommes vertueux au premier rang, les garnements en retrait, on distribuait du vin, et, s'il en manquait, on y suppléait en réchauffant les cœurs par quelques bonnes paroles ; puis on adressait une exhortation à l'assemblée pour que chacun secondât de son mieux les efforts de la justice. Le magistrat chargé de l'enquête s'introduisait alors dans une sorte de cabine de bois construite au nord de la salle, afin qu'il eût le visage tourné face au sud, dans la position du souverain qu'il représentait, et appelait chaque participant à tour de rôle dans le confessionnal où il pouvait communiquer ses informations sans crainte d'être entendu de ses compagnons — il ne fallait pas que les citoyens honnêtes s'exposassent à la vindicte des vauriens. On procédait à la confrontation des dépositions, on cuisinait les témoins dont les versions divergeaient, afin de découvrir les menteurs et les voyous, et une fois l'instruction achevée, on levait la séance. Les garnements, enrôlés aux côtés des magistrats et des excmpts, partaient à la chasse aux malfaiteurs qui n'avaient pu être appréhendés au cours de l'interrogatoire. Dans l'idée de Bienheureux, l'institution valait surtout par la teneur éducative conférée par les correspondances entre la morale et le cycle naturel qu'elle mettait en scène. Les notables et les magistrats y adhérèrent avec enthousiasme ; elle leur fournissait un extraordinaire instrument de contrôle sur les villageois. Quant à ces derniers, ils y consentirent, poussés par la peur et la haine de Plumet, qui enchaînait vieillards, femmes et enfants pour les traîner en esclavage, incendiait les villes, rasait les hameaux, massacrait les soldats qui s'étaient rendus. Et toute la population des commanderies de mer de l'Est et de mer du Nord se trouva liguée en un bloc unanime contre l'hégémon sanguinaire.

Habitué à dominer par la violence militaire, en chef de guerre qu'il était, Plumet ne comprenait pas, en dépit des admonestations d'Accroisseur, qu'en période de restauration la surveillance policière lui est supérieure dans la maîtrise des populations.

Et de fait, l'ex-chef de police de canton, le roi Taillefer, semblait sur le point de lui arracher la suprématie sur l'Empire. Il avait soumis les trois rois du Ts'in et installé sur le trône du Han un de ses hommes liges, vaguement apparenté à l'ancienne maison royale. Le frère cadet de Wei le Calamiteux, Wei la Panthère, qui espérait hériter du royaume de son frère, après la victoire sur le Ts'in, furieux de se voir relégué à P'ing-yang par la convoitise de Plumet, s'était rangé aussi aux côtés du roi de l'Ouest. Le royaume de Yin, prélevé sur une portion du Wei pour être donné à un général du Tchao, échappa bientôt au contrôle de l'hégémon du Tch'ou. Le Ts'i, le Tchao et le Yen basculèrent à leur tour dans l'autre camp. Et le roi Taillefer marchait sur la capitale de l'ami devenu rival à la tête d'une armée de cinq cent soixante mille hommes.

Signe de cette domination, même les compagnons de Plumet, qu'il avait favorisés, se tournaient vers Taillefer.

Face Tatouée, inquiet de la tournure des événements, avait prétexté une maladie pour se terrer dans son royaume des Neuf-Rivières après s'être contenté d'envoyer quelques troupes en renfort. Tch'en Apaisant avait jeté ses sceaux de commandant aux orties pour rejoindre sous une identité d'emprunt les troupes de Taillefer.

Ils avaient exhumé de vieilles rancunes pour justifier à leurs propres yeux leur défection : Face Tatouée grinçait des dents en ressassant la façon dont Plumet avait voulu s'emparer de sa jument, puis par la suite, en dépit de ses supplications, lui avait arraché Vif-Argent, le poulain, dont la naissance avait coûté la vie à sa mère. Si intimement étaient associés, dans son esprit, en raison de la prédiction, le cheval et le trône qu'il avait conquis, qu'il lui semblait que son suzerain avait voulu le dépouiller de son royaume en lui ravissant l'enfant qui continuait la lignée de la jument. Apaisant s'étiolait sous le couvert trop touffu des talents guerriers de son maître. Les honneurs qu'il lui prodiguait, loin de l'élever, le rabaissaient, car si Plumet lui attribuait de hautes fonctions, il veillait jalousement à ce qu'il n'y pût déployer ses dons.

Autres signes qui ne trompaient pas : Wang Ling, le riche potentat de P'ei qui avait toujours refusé de se mettre sous l'autorité d'un parvenu, avait offert sa préfecture de Nanyang et son bras à Taillefer. Rogaton, débauché par les soins d'un rhéteur qui lui avait remis, de la part de Taillefer, une tête qui semblait celle d'Oreille, était venu grossir les rangs de la ligue. Même Barrière des Dents, qui occupait un poste éminent auprès de Wei la Panthère, lui faisait des ouvertures.

Taillefer décréta le deuil de l'Empereur Juste. Il fit revêtir à ses soldats des cuirasses blanches et lança une proclamation pour que l'acte abominable perpétré sur la personne du souverain que les seigneurs unanimes s'étaient choisi fût châtié comme il convenait. Il cajola les vieillards, les veuves et les orphelins dans les villages où passaient ses armées. Des proclamations lancées à la population se répandaient en résolutions vertueuses. On ne parlait que de secours, d'amnistie et de bonté. Les troupes des coalisés arrivèrent presque sans coup férir devant les murs de P'eng-tch'eng vidés de ses défenseurs partis mater les séditieux à l'est, et l'emportèrent en un tournemain.

Taillefer s'installa dans le palais de Plumet à P'eng-tch'eng, il s'empara de ses femmes, de ses chevaux et de ses trésors, fruits de ses pillages, mais il ne put mettre la main ni sur Joie ni sur Vif-Argent que l'hégémon chevauchait dans toutes ses campagnes.

Il se jeta avidement sur les Dames du palais, Filles Splendides, Épouses choisies et Concubines de premier grade de Plumet, non tant parce qu'elles l'attiraient que pour imprimer la marque de son triomphe. Ses infidélités le ramenaient invariablement à K'i chaque fois un peu plus épris. La taille de la favorite s'arrondissait, lui laissant espérer la naissance d'un héritier. Pour que ce fût un garçon, on avait accroché sur les vantaux des portes des apparte-ments intérieurs des têtes d'ours et de tigres, et Dame K'i avait aménagé une chapelle dédiée à une certaine Kou-tche, une femme morte en couches devenue la divinité protectrice des femmes enceintes de Stable. Goûtant tous les délices d'une véritable vie de cour, Taillefer se prélassait sans paraître songer que Plumet était toujours en vie et qu'il disposait encore d'une armée, même si elle était retenue à l'est par la révolte du Ts'i.

Plumet ne décolérait pas. Il ne parvenait pas à réduire les insurgés et la guerre qu'il menait était de celles qu'il avait en horreur : des escarmouches, des sièges qui s'éternisaient. A la pensée que Taillefer se vautrait dans son palais avec ses femmes, montait ses chevaux et buvait dans ses coupes, il lui prenait des envies de meurtres et de carnages, mais il savait qu'il devait attendre que son ennemi s'amollît dans les plaisirs, qu'il relâchât sa vigilance et crût à sa faiblesse. Pour l'abuser, il se laissa infliger des revers. Les bulletins de victoires du Ts'i, démesurément gonflés, achevèrent de rassurer Taillefer. Il restait à P'eng-tch'eng, guettant l'épuisement de Plumet pour lui porter l'estocade finale. A vrai dire son immobilité, qu'il justifiait par des considérations stratégiques, était aussi dictée par la peur inavouée que le sort des armes laissât éclater la supériorité de Plumet, et il retardait toujours le moment décisif de la confrontation qui ferait la preuve de leur valeur respective.

L'offensive de Plumet prit Taillefer au dépourvu. Contournant à l'ouest la ville de P'eng-tch'eng après avoir fait le tour de la péninsule de Ts'i par le sud-est, il bouscula, avec ses trente mille hommes, les troupes chargées de la défense des lignes d'approvisionnement, fondit sur la ville le jour même, écrasa les armées de Taillefer qui lui furent opposées, les refoulant dans les rivières Sse et Kou, où cent mille soldats trouvèrent la mort, puis traquant les débris de l'armée vaincue, il les accula sur la rive de la Souei et les précipita dans le fleuve, faisant une fois encore plus de cent mille morts.

Il ne restait plus rien de la puissance de Taillefer. Le vaincu se replia sur Yong-yang, où il se fortifia. Plumet semblait à nouveau devoir dominer l'Empire ; car si son adversaire l'emportait par ses capacités d'organisation, il lui était nettement inférieur quant au génie stratégique, et comme la domination sur l'Empire était aussi tributaire du sort des armes, les chances de Taillefer s'en trouvaient compromises. Après sa défaite, les princes qui s'étaient enrôlés sous sa bannière désertèrent ; tout penauds et repentants, ils vinrent quémander leur pardon au vainqueur.

Rogaton découvrit tout à coup qu'il avait été berné et que c'était la tête d'un sosie qu'on lui avait présentée pour celle d'Oreille, lequel bien vivant avait toujours la sienne sur ses épaules et jouissait de la considération du roi. Jouant la bonne foi outragée, il rompit avec Taillefer et mit le Tchao au service du Tch'ou. Wei la Panthère trouva urgent de rejoindre ses vieux parents malades qui dépérissaient à P'ing-yang sans un fils pieux pour les servir. Dès son arrivée dans sa terre, il coupait les gués sur le fleuve Jaune et ouvrait des pourparlers avec Plumet pour nouer un nouveau pacte d'alliance. Il repoussait fermement les propositions d'ouverture de Taillefer qui lui avait dépêché Maître Li Yi-k'i :

— Maître Li ! Maître Li ! La vie d'un homme passe aussi vite que l'ombre d'un cheval au galop entr'aperçue dans l'embrasure d'une porte ! Elle est trop courte pour que je la gaspille à supporter les coups de gueule d'un homme grossier et vulgaire qui me houspille et me malmène comme si j'étais un esclave ! Taillefer ignore les règles les plus élémentaires de la courtoisie. Il n'est donc pas possible de le servir.

Même sa base arrière de Ts'in était ébranlée : Sse-ma Hsin, qu'il avait laissé à la garde de Yo-yang, s'enfuit des passes pour se joindre à Plumet. Tchang Han leva le drapeau de la révolte à Yong. Taillefer dut détourner le cours d'une rivière et inonder la ville pour venir à bout de la sédition.

Et pour comble, une partie des siens étaient tombés aux mains de l'ennemi.

Plumet était assez grand général pour se contraindre à attendre le moment opportun, mais trop vindicatif pour ne pas chercher un assouvissement immédiat à sa fureur. Aussi, lorsque Taillefer avait occupé sa ville, avait-il tout naturellement pensé se venger sur les membres de la famille de son ennemi. Ceux-ci se trouvaient tous réunis à P'ei, exposés à sa colère avec une belle insouciance.

Le détachement qu'il y avait envoyé arriva trop tard : Tchang le Bon, inquiet pour la Faisanne et ses enfants, l'avait devancé. Toutefois, des pelotons d'éclaireurs patrouillaient sans arrêt sur les routes menant à P'eng-tch'eng ; craignant d'être reconnus et arrêtés s'ils s'y engageaient, les fugitifs préférèrent se cacher dans un hameau plus au sud. Au moment de la débâcle, Taillefer avait rencontré ses deux enfants qui fuyaient, sous la garde d'un fidèle serviteur ; sa femme et ses parents avaient pris un autre chemin et avaient été rattrapés par une patrouille de Plumet. Et maintenant, celui-ci le narguait en le menaçant sans cesse de lui faire goûter un bouillon de sa façon, composé des carcasses des trois membres de sa famille qu'il avait capturés !

VISIONS D'EN HAUT

*Il y a libation de vin sans offrande,
mais la sincérité et le respect sont là.*

La colonnade du kiosque ouvrait sur un vaste horizon de crêtes abruptes d'où se détachaient les cimes des pics ouest et sud du mont Fleuri ; des volutes de nuages qu'empourpraient les derniers rayons tantôt s'effilochaient en longues écharpes accrochant aux parois des traînes d'argent, tantôt se condensaient en boules floconneuses et encadraient les dômes de houppes blanches. Six vieillards, accoudés à la balustre de marbre, contemplaient ce spectacle d'un air méditatif ; leurs fronts hauts et protubérants se couronnaient des filaments grisâtres d'une chevelure clairsemée, de sorte qu'ils figuraient comme six sommets miniatures avec leur couronne de nuages roussie par le couchant de l'existence.

Ils portaient la longue robe à larges manches des devins, agrémentée de curieuses hachures blanches et noires agencées en dessins trigrammatiques, et les revers de leurs cols s'ornaient de galons brodés des motifs héraldiques des orients. Après un long silence, celui qui semblait le plus âgé — bien qu'ils fussent tous d'âge vénérable — articula d'un ton profond :

— Ce spectacle qui se présente à nos yeux du haut de cette terrasse bâtie entre ciel et terre ne vous évoque-t-il pas le vingtième hexagramme : « *Tout en haut de son observatoire, modeste et souple, mais gardant toujours sa rectitude, il contemple l'Empire* » ?

— Encore faudrait-il qu'il répondît à la seconde acception de la figure qui est « Point de mire » ainsi que le manifeste la glose du jugement divinatoire : « *Les inférieurs le contemplent et en sont transformés* », ergota un second vieillard.

— Ce second sens est impliqué dans le premier puisque le maître ajoute : « *Lui contemple la voie divine qui règle le cours immuable des saisons ; c'est ainsi que le saint la prend pour modèle de son enseignement et soumet tout l'Empire* », intervint un troisième.

— Nous n'allons pas nous disputer pour des choses sur lesquelles nous sommes tous d'accord ! Allons, passons aux affaires sérieuses, cette marche m'a creusé l'appétit, il se fait tard, buvons donc quelques coupes de vin pour nous réchauffer, en regardant le soleil s'abîmer derrière les montagnes, s'exclama joyeusement le quatrième.

Répondant à son injonction, ils prirent place autour de la table basse sur laquelle leurs jeunes esclaves avaient déjà dressé les gobelets et fait tiédir le vin. Et tandis qu'ils vidaient leurs coupes en grignotant des baies sauvages, des pignons et des agarics séchés, la nappe de brume soyeuse se teignait des derniers feux du couchant.

Les serviteurs apportèrent des torches et allumèrent les brûle-parfums de bronze aux formes tourmentées et les faces graves des six hommes, baignées de clair-obscur par la flamme fantasque des lampes à huile, émergeaient des vapeurs diaprées de l'encens telles des effigies de sages dans un temple.

On reconnaissait là le Maître du Verger de l'Est, le Maître du village de Kiao, le Vénérable du village de K'i, le Maître Pierre Jaune, qui formaient le cénacle des quatre lettrés à la tête chenue, auxquels s'étaient joints deux autres vénérables patriarches, Fleur de Réalité et Préserve-ta-vie.

On parla de choses et d'autres, de diverses méthodes d'accommoder le *Polygonatum giganteum* et le *Pachimas cocos*, des mérites comparés des drogues minérales et végétales, de divination, mais aussi de diététique, de mouvements de gymnastique qui permettaient d'éliminer les vers intestinaux. On aborda les rites et la musique, s'étonnant qu'ils fussent différents sous les trois saintes dynasties et se lamentant qu'ils eussent dégénéré depuis les Tcheou. Ce qui fournit une transition pour évoquer les grandes affaires du moment.

Maître du Verger de l'Est, désigné sous son nom hexa-grammatique de Trait Supérieur, rappela la nouvelle orientation donnée à la secte depuis la réunion de l'ère Kao-lie au cours de laquelle les six agents infiltrés qui avaient pris la place des trigrammes avaient été confondus. Depuis lors, Terre et Ciel avaient mis fin à leurs réunions masquées avec les membres du second cercle, se contentant de communiquer leurs directives par des messagers, tandis que le nouveau conseil se voyait réduit à six vénérables (représentant désormais non les trigrammes, mais les positions) recrutés parmi les sages de l'Empire et qui devaient se connaître. Leur rôle consistait principalement dans le choix d'hommes remarquables ; ils serviraient de guides aux Grands Hommes, qui n'allaient pas manquer de surgir dès que la dynastie du Premier Empereur, dont on avait favorisé l'ascension, afin de museler les écoles rivales qui menaçaient l'enseignement du Maître, se serait effondrée.

Toutefois, si la première partie du programme qu'ils s'étaient tracé avaient pleinement réussi, ils devaient s'avouer que quelque chose grippait en ce qui concernait la deuxième étape. Les événements s'enlisaient dans des guerres et des rivalités interminables, de sorte que loin d'en sortir renforcée, la doctrine du Maître menaçait de sombrer dans l'oubli. Pis, aucun des deux prétendants les plus sérieux vers lesquels tous les regards étaient tournés ne pouvait être décemment qualifié de sage...

Le Maître Pierre Jaune se sentit visé par ce réquisitoire : son protégé, Tchang le Bon, à qui il avait remis jadis le grimoire des huit trigrammes, servait Taillefer, c'était donc sa perspicacité qui était en cause. Il se récria, invoquant la conduite exemplaire de Taillefer lors de l'invasion des passes et sa grande soif de s'entourer d'hommes avisés. Et pour mieux faire ressortir ses qualités, il les mit en contraste avec la férocité de Plumet. Plumet qui égorgeait les femmes et les enfants en bas âge, Plumet qui précipitait les lieutenants fidèles de Taillefer dans des marmites bouillantes, dévorait leur chair et envoyait leurs restes à leur maître !

Ce fut au tour de Fleur de Réalité de se sentir offusqué, car sous le sobriquet de Vieux Sage du Sud, il avait instruit Accroisseur, entré au service de Plumet. Il fit valoir l'urbanité de Plumet, ses actes de générosité à l'égard de ses amis, son extrême vaillance et son respect de la hiérarchie. Il souligna en regard les nombreuses tares de son adversaire : débauché, grossier, vantard, sans réel talent d'aucune sorte.

Et puisqu'il était question de cruauté, ce cher Maître Pierre Jaune ignorait-il le dernier exploit de son protégé ? Avec des hoquets de rire qui lui faisaient cracher sur sa barbiche des bouts de pignons, il raconta comment lors de la déroute de P'eng-tch'eng, Taillefer, ce calme héros, avait rencontré en chemin ses deux enfants qui fuyaient. Son cocher les avait pris sur son char malgré les protestations de son roi qui ne voulait pas s'encombrer d'un poids supplémentaire ; et au bout de quelques lieues, comme le nuage de poussière que faisaient au-dessus des arbres les chars de leurs poursuivants semblait se rapprocher, il les avait poussés à bas de l'attelage ! Poupon avait arrêté les chevaux et les avait repris dans ses bras en dépit des hurlements de Taillefer qui menaçait de lui trancher la tête. Le manège s'était reproduit bien trois ou quatre fois avant que le roi les laissât tranquilles, les assaillants semblant avoir été distancés.

Le plus beau c'est que le danger était parfaitement illusoire, car il n'y avait pas le moindre soldat ennemi à ses trousses ; c'était un troupeau de buffles qui fuyait, affolé par le bruit des combats ! Et la voix de Fleur de Réalité s'enfla : comment un homme qui était prêt à sacrifier ses enfants dans un mouvement de panique pouvait-il servir de modèle au peuple de l'Empire, comment osait-on présenter un tel homme comme un parangon de toutes les vertus ? N'y avait-il pas quelque impudence à voir en lui le Grand Homme capable de diffuser l'enseignement des saints rois transmis par le Maître ? Un individu d'ailleurs qui, chaque fois qu'il voyait un lettré, ne savait que pisser dans son bonnet et recevait les sages en se rinçant les pieds. Mais de qui se moquait-on ?

Maître Pierre Jaune pâlit sous l'insulte. Il y eut des mots échangés. Les autres vénérables, échauffés par les nombreuses libations, ne tardèrent pas à prendre parti ; un bras maigre se détendit et lança un horion, un coup de chausson lui répondit ; les six vieillards roulèrent sur le sol, parmi les cruches et les plats renversés, ils s'attrapèrent par les barbes, se tordirent la peau des joues, s'arrachèrent des touffes de cheveux. Préserve-ta-vie fut le premier à recouvrer son calme. Il fit honte à ses compagnons qui, un peu penauds, rajustèrent leur tenue et reprirent leur place sur les nattes.

Le Maître du village de Kiao — Troisième Trait de son nom de secte —, qui était resté jusque-là silencieux, rappela les consignes du noyau dirigeant : « Le cerf de l'Empire a échappé des mains du Ts'in, il est au premier qui l'attrape. » Ni Terre ni Ciel n'avaient jamais fait allusion à la vertu des prétendants, la possession de l'Empire étant là pour la prouver, de sorte qu'il ne fallait pas dire : « L'Empire doit revenir au plus vertueux », mais « qui obtiendra l'Empire aura été le plus vertueux » ; les qualités morales en effet ne pouvaient se mesurer qu'à l'aune des résultats. Les actes de Plumet comme de Taillefer n'étaient blâmables que parce qu'ils n'avaient pas encore abouti ; et la possession d'une pauvre moitié de la terre sous le ciel, menacée par des rivaux, ne suffisait pas à justifier des actes que la précarité des résultats éclaboussait d'infamie. Sitôt, en revanche, que l'un d'eux serait monté sur le trône du dragon, aurait déployé ses ailes de phénix, tout ce qu'il avait pu faire en bien comme en mal serait lavé, sanctifié, sublimé, le moindre de ses gestes prendrait un sens caché, secret dont l'apothéose fournirait le fin mot et la justification. La prédestination à une grande carrière n'était que la vision rétrospective d'une conduite nimbée de la lumière de sa gloire future.

Quatrième Trait — le Vénérable de K'i — s'insurgea contre cette conception pragmatique, qui n'était d'ailleurs qu'un sophisme sinon une tautologie. La belle découverte que le plus apte à posséder l'Empire était celui qui le posséderait! Et l'étrange profession de foi pour un devin, censé connaître le futur, que de proclamer son impuissance non seulement à déchiffrer l'avenir, mais encore le présent qui ne serait lisible que devenu passé! Lui croyait aux signes annonciateurs; il y avait des indices révélateurs du destin pour qui savait les interpréter. Et tout en Taillefer laissait présager une fortune remarquable. De Plumet aussi, il est vrai, émanaient des influx extraordinaires; quoi de plus normal puisqu'il se montrait capable de disputer la suprématie à Taillefer.

Alors Trait du Commencement prit la parole. On raisonnait comme si l'Empire devait être Un, et pourquoi donc ne se fragmenterait-il pas? L'appendice de Confucius au *Livre des Mutations* ne s'ouvrait-il pas sur la formule « Un temps de yin, un temps de Yang, c'est le Tao », exprimant l'alternance nécessaire de l'ombre et de la lumière, du chaud et du froid, de l'union et de la division? Et le *Livre de la Voie et de la Vertu* disait : « Le Un donne naissance au Deux, le Deux produit le Trois d'où sont issus les dix mille êtres » pour montrer que l'une des manifestations de l'unité est la division, qui l'englobe comme elle est sous-jacente à l'unité.

Les convulsions qui agitaient l'Empire n'avaient d'autre cause que la volonté de lui imposer une structure qui ne correspondait pas au cours des choses. Naturellement, tant qu'il y aurait deux prétendants à la possession de la terre sous le ciel, la dualité étant le mode de l'instabilité, l'Empire ferait nécessairement retour à l'unité; cependant, pour peu qu'on en suscitât un troisième, l'Empire trouverait une stabilité plus durable dans la partition; et il soutiendrait envers et contre tous que, contrairement à l'opinion commune, la forme la plus achevée du Tao n'était pas l'unité mais la trinité puisqu'elle embrassait les deux états de l'unité (le Un) et de la dualité (le Deux) — c'était d'ailleurs pour cela qu'elle était trois, non pas un se fragmentant en trois, mais Un et Deux coexistant et s'accouplant dans le Trois.

— Tout cela est bel et bon, sourit finement Trait Supérieur, mais je ne vois pas qui pourrait rivaliser avec Plumet et Taillefer ! En sorte que ce ne sont là que des exercices d'école !

Le visage de Préserve-ta-vie s'éclaira à son tour d'un sourire énigmatique et moqueur : ils avaient tous les yeux rivés sur Plumet ou sur Taillefer sans remarquer qu'à côté d'eux se dressaient d'autres personnages hauts comme des tours, solides comme des piliers, droits comme des colonnes, qui pouvaient accomplir de grandes choses, voire fonder des dynasties, à commencer par Liu la Faisanne, l'épouse de Taillefer. A ce nom les Cinq Traits se récrièrent. Mais Préserve-ta-vie poursuivit avec véhémence :

— Oui, oui, la Faisanne, dont l'horoscope est aussi brillant que celui de son mari ! Elle pourrait fort bien dérober l'Empire aux Lieou pour le remettre aux mains des Liu ! D'ailleurs, cher Maître Pierre Jaune, vous n'êtes pas sans savoir que votre disciple nourrit pour elle la plus grande estime et il s'est mis autant à son service qu'à celui de Taillefer !

— Sa carrière, l'interrompit Second Trait, me semble des plus compromises : Plumet menace de la précipiter dans un chaudron et d'envoyer sa carne à manger à son époux.

— Simple forfanterie, Plumet sait fort bien que pour posséder l'Empire, Taillefer serait prêt à dévorer son père, sa mère et ses deux enfants. Et maintenant que Dame K'i qui l'a ensorcelé vient de lui donner un héritier, c'est avec joie qu'il se repaîtrait de la viande de sa vieille épouse !

— Ce n'est pas tant à la Faisanne que je pensais — car alors les choses resteraient en famille —, mais à d'autres preux, Bienheureux...

— Ce fourrier de désordre, tout juste bon à semer la pagaille et à renverser la hiérarchie. Sa victoire sonnerait la ruine de la doctrine du Maître !

Trait du Commencement sourit : il avait prononcé ce nom pour les taquiner. Non, en réalité, il pensait à Confiance ; il devait malgré tout confesser qu'il avait cru à la bonne étoile de Plumet et avait été jusqu'à lui proposer des plans ; hélas, le général s'était révélé incapable de les comprendre. Il s'était alors tourné vers Taillefer qu'il n'avait pas trouvé plus digne d'admiration ; il avait finalement rencontré en Confiance un homme tout à fait remarquable, qu'il fallait prendre en considération. Il le croyait capable d'entraîner les hommes derrière lui, de les civiliser et de les transformer par son exemple, à l'image du vingtième hexagramme qui dépeint le modèle du Grand Homme : « *Le sage contemple la loi divine et tous se soumettent à son enseignement... Vent au-dessus de la terre : conformément à ce symbole les anciens rois inspectaient les fiefs, examinaient le peuple et diffusaient leur enseignement.* »

— Pour le moment il est sous les ordres de Taillefer !

— Tout fondateur est vassal avant d'être souverain !

— Il manque d'humilité ! fit Fleur de Réalité.

— Il n'a pas assez d'ambition ! s'exclama en même temps le Vénérable de K'i.

— Et il n'a su s'attirer aucune sympathie ! lança le Maître du village de Kiao.

— Je vous demande pardon, il a su émouvoir une lavandière de Nan-yang !

— Peuh, une femme ! et du peuple de surcroît !

— Mais qui montre bien qu'il peut drainer la confiance et les espoirs d'une nation.

— Pouvez-vous citer le nom d'un seul homme remarquable qui l'estime !

— Justement, il y a K'ouai Compréhension !

— D'où sort-il celui-là ?

— C'est mon disciple. Un rhéteur de Fan-yang. C'est lui qui par la vertu de sa seule langue a obtenu la soumission du Tchao, alors qu'Oreille et Rogaton piétinaient devant chaque place forte ! Il a suivi Oreille comme conseiller dans son fief du Tchao, puis lorsque son maître a été défait par Rogaton, il l'a persuadé de se mettre au service de Taillefer, en raison du rassemblement d'étoiles de première grandeur dans la constellation du Puits qui préside aux territoires du Ts'in et du Chou. C'est à sa cour qu'il a rencontré Confiance en qui il a reconnu un homme supérieur. Il attend l'occasion pour lui parler et lui faire part des grands desseins qu'il médite pour lui, et alors on verra Confiance prendre son envol telle la grue et égaler les deux autres phénix !

— Barrière des Dents ! hennit le Maître du village de Kiao en découvrant le gouffre béant d'une bouche, laquelle, démunie de l'élément anatomique qu'elle venait d'évoquer sous l'espèce d'un nom de personne, livra le tréfonds de ses entrailles aux regards curieux et inquisiteurs des cinq autres qui, se conformant à la recommandation de la dernière ligne de l'hexagramme dictant la configuration du moment : « *Le sage ne considère pas comme néfaste de se repaître du spectacle du vivant* », n'en détournèrent pas les yeux, mais l'explorèrent sans retenue.

— Oui, reprit le Maître du village de Kiao, vous oubliez Barrière des Dents. Il a déjà fait ses preuves en s'opposant à Taillefer et en réussissant pour un temps à lui prendre la ville de Fong où il était plus populaire que lui ! Maintenant, accroupi sur la frontière entre le Wei et le Tchao, calme et silencieux, tel un tigre aux aguets, il attend l'heure propice pour bondir sur sa proie !

— Un coq de village qui n'a pas un seul conseiller compétent à son service !

— Mieux vaut n'avoir personne que d'être servi par un Li Yi-k'i !

— Erreur ! ce n'est pas le conseiller qui compte, mais ce qu'on fait de ses conseils ; faut-il que je rappelle à cette docte assemblée la formule du *Livre des Documents* : « Le sage sait faire servir de bas propos à de hauts desseins » ?

— Je sais, mais ce principe ne vaut pas tripette !

— Vous faites erreur, dit Fleur de Réalité, volant au secours de Li Yi-k'i qui avait été l'un de ses disciples favoris, si les conseils de Maître Li ne valent rien, c'est qu'il cherche à nuire à Taillefer à qui il n'a jamais pardonné la grossièreté avec laquelle il l'a reçu la première fois, et sert en réalité Plumet !

Cette intervention provoqua les véhémentes protestations du Maître du village de Kiao, qui avait lui aussi enseigné le rhéteur : il connaissait assez bien Li Yi-k'i pour savoir quels étaient ses liens et ses relations ; s'il y avait trahison, ce ne pouvait être qu'en faveur de Barrière des Dents, dont il avait été très ami avec le père...

— Ça suffit avec Barrière des Dents ! glapit Maître Pierre Jaune, à qui la fureur donnait cette teinte crayeuse que l'on voit aux pierres chauffées à blanc. Ce n'est pas sérieux. Vous dites n'importe quoi ! Vous vous conduisez comme des gamins ! Vous qui vous dites versés dans les arcanes divinatoires, méditez donc sur cette formule : *« Spectacle d'enfants, sans danger pour l'homme de peu, néfaste pour le sage. »* A ce compte-là pourquoi ne pas faire entrer en ligne de compte les P'eng Yue, les Face Tatouée, les Tsang T'ou, ou le roi des sauvages Wou Jouei, qui tels des chacals attendent de se repaître des dépouilles des tigres qui s'entre-déchirent ! Ce n'est pas ce que nous devons souhaiter pour l'Empire ! Il a besoin d'un guide qui sache réunir autour de lui les hommes capables et, s'appuyant sur les efforts de tous, civiliser le peuple et améliorer ses mœurs. Mettons-nous d'accord sur un nom et prenons une décision. N'êtes-vous pas excédés de ces discutailleries sans fin !

— Je ne vois pas pourquoi ! Chacun est libre de miser pour qui il veut. La consigne est claire, nous n'avons pas à intervenir mais à laisser faire l'Histoire !

— Autant dire que notre rôle est parfaitement inutile, alors à quoi riment ces réunions ! s'emporta Troisième Trait.

— Tu n'as pas encore compris que notre rôle est essentiel non parce que nous agissons mais parce que tous le croient.

— Qui sait, d'ailleurs, ajouta Trait du Commencement, si le destin ne se fraie pas plus sûrement sa route à travers nos désaccords que par notre action concertée...

Les torches achevaient de se consumer et ne jetaient plus que par intermittence des flammes fuligineuses, dans la lumière blafarde du jour commençant. Une lueur rougeâtre entoura d'un halo sanglant la ligne de crêtes. Il y eut un roulement de tonnerre et un rayon passant par-dessus les cimes vint frapper les six devins, qui se ployèrent puis se détendirent, formant six lignes, les unes brisées, les autres pleines, et qui, tels six dragons, prirent leur envol avant de disparaître dans la nue.

L'aurore éclaboussait de rouge les tentes des bivouacs plantés devant Yong-yang dont Plumet avait resserré le siège ; les soldats venaient d'achever leur riz matinal et le tambour et les trompes sonnaient la charge. Et la très vieille femme, réveillée en sursaut, chercha à redresser la tête. Ses yeux las, sur lesquels l'âge avait déposé une taie grise, se portèrent vers les lointains, en direction des créneaux de la ville de Yong-yang où Taillefer se trouvait assiégé. Au seuil de la mort, pouvait-elle être rassurée par son rêve sur la destinée de son fils ? Il était si absurde, comme tous ses rêves d'ailleurs. Ah, le dragon allait-il s'écraser à peine pris son envol ! Elle n'en saurait rien ; peu importait, il y avait trop longtemps qu'il l'avait fait attendre — et puis, dût-il triompher et monter sur le trône de jade, cela ne changerait pas sa nature profonde, il avait toujours été et serait toujours un mauvais fils. Sa tête retomba sur sa poitrine, son corps s'affaissa, et elle sombra dans l'inconscience, les pieds trempant dans la bassine de ses ablutions matinales.

Tchang le Bon entra dans l'oratoire et jeta un coup d'œil circulaire à la pièce. Les murs étaient badigeonnés de frais, le sol de terre battue, soigneusement damé, était propre, une couverture épaisse et moelleuse recouvrait le lit de méditation. En dehors du lit, il n'y avait pour tout ameublement qu'une armoire à livres, une table basse, un petit fourneau d'alchimiste et un brûle-parfum de bronze doré en forme de montagne d'où s'échappaient des volutes d'encens.

Il s'assit sur le lit, ajusta sa tunique, exécuta quelques exercices gymniques et respiratoires et entra en méditation. La drogue d'orpiment commençait à faire son effet. Il sentait une chaleur intense lui brûler la poitrine, il visualisa ses viscères et lorsqu'il fut entouré des génies héraldiques des orients, il fit jaillir de sa poitrine les vapeurs jaunes et rouges du soleil et de la lune et se laissa porter par leur flux. Il montait à l'intérieur de lui-même ; il rencontra ses trois âmes éthérées, tout de rouge vêtues, coiffées de bonnets rouges et tenant à la main des sceaux rouges, et les mena dans le palais du Un Supérieur où ils rencontrèrent les cent dieux du cerveau, et ils sortirent tous ensemble de son corps.

Le souffle primordial des trois champs de cinabre émettait une lumière blanche qui éclairait la salle de méditation d'un éclat aveuglant. Il s'élevait dans l'éther, gravissant les différents étages des cieux, croisant au passage des milliers et des milliers de divinités de toutes sortes, certaines grimaçantes et grotesques, quelques-unes sans tête, portant leurs yeux sur la poitrine. Il y en avait de minuscules, d'énormes, d'effrayantes ou d'une beauté merveilleuse ; beaucoup avaient les cheveux épars, comme du chanvre emmêlé, et leurs yeux ouvraient des gouffres béants dans leurs orbites caves. Il n'eut pas peur.

Il montait toujours, toujours plus haut, et il fut bientôt sur une sorte de montagne d'où la vue plongeait sur le monde grouillant des génies des sphères inférieures. Levant la tête, il aperçut, le surplombant, deux figures affrontées, blanche et verte. Elles se tenaient l'une sur l'aile gauche, l'autre sur l'aile droite d'une immense pie dont la tête était pelée. Il reconnut le Duc d'Orient et la Reine Mère d'Occident, qui sont soleil et lune, yin et yang ; le père et la mère. Le Duc d'Orient portait un vêtement de perles de cinq couleurs et un chapeau à trois crêtes jetant des éclats irisés ; il tenait à la main un guidon vert frappé des armes du printemps avec des soleils ardents. La Reine Mère d'Occident appelée aussi Impératrice du Grand Yin, vêtue d'une robe jaune soufre dardant des rayons incandescents, portait un diadème de perles noires en forme de bobine de tisserande, sa main agitait négligemment un éventail de plumes blanches à long manche d'ivoire.

Entre eux apparut l'Enfant d'Immortalité, qui n'était que

son propre moi. Il se concentra sur cette image et lui fit téter le lait primordial, distillation des essences mystiques de la source de jade; mais tandis qu'il approchait sa bouche du téton de la Reine d'Occident, il crut reconnaître sous la défroque de la déesse Liu la Faisanne. Alors qu'il rejetait avec effroi la tête en arrière, son regard se posa sur la face du Duc d'Orient, qui s'était mis à ressembler étrangement à Taillefer. Un affreux rictus tordit leurs faces blêmes; leurs orbites se creusèrent, leur chair partit en lambeaux; ils ne furent bientôt que deux squelettes qui entrechoquaient leurs os avec un bruissement de feuilles sèches. Ils partirent d'un horrible rire et croassèrent : « Les images naissent de ceux qui les contemplent; pour toi nous ne serons jamais que pourriture. » Et des vers infects, des insectes innommables, des reptiles gluants, des parasites monstrueux leur surgirent par tous les orifices, les recouvrant d'un abominable grouillement.

Les âmes éthérées de Tchang le Bon, frappées par l'horrible remugle de céréales que dégageait cette vision, furent saisies d'effroi et se dispersèrent; le souffle qu'il retenait prisonnier dans son ventre s'échappa avec un sifflement sinistre par le nez et la bouche; il se sentit précipité dans un abîme sans fond.

En une chute vertigineuse il vit tourbillonner dans un carrousel infernal toutes les divinités des parties du corps qu'il redescendait à une folle vitesse, les dieux des cheveux clignaient comme des étoiles mauvaises, le soleil et la lune allumaient leur lueur torve dans les grottes des orbites, il dépassa en un éclair les galeries labyrinthiques du cerveau où se tenaient tapis des dieux rougeâtres, il s'engouffra dans la nuque, passa dans le thorax, croisant les deux lobes spongieux des poumons, dans lesquels aboyaient deux chiens à poils blancs, vit filer le cœur dans un éclair pourpre, puis la rate jeta une lumière verte, et il sombra dans un éclaboussement d'écume dans la mer du souffle, entre les deux rochers noirs des reins, du haut desquels les six divinités des heures l'accueillirent avec un ricanement. Elles avaient toutes les traits de la Faisanne. Elles levèrent haut à son passage leurs registres de mort et lui cochèrent des années de vie.

Il se fit brusquement un grand remous, et il se sentit soulevé. Il se trouvait sur le dos d'une immense tortue, dont la carapace s'ornait des sept étoiles de la Grande Ourse ; il remonta du nombril dans l'estomac : un soleil ardent y brillait ; il s'enfonça à nouveau dans le champ de cinabre inférieur, où il surprit, dans un repli des reins, Confucius lâcher son sperme dans le ventre d'une femme sombre aux boucles brillantes, et son vagin s'ouvrit pour lui donner naissance...

Alors il sortit de son propre corps, couvert de sueur, haletant. L'aube blanchissait déjà les collines et le brûle-parfum ne lâchait plus que sporadiquement des bouffées de vapeur odorante. Quelque chose comme une boule remua dans ses intestins, il eut juste le temps de relever sa robe et de s'asseoir sur le pot et la chose descendit avec un bruit mou. Il l'examina devant la fenêtre. C'était une sorte de pâte sanglante, où se mêlaient des filaments jaunâtres, comme de la fiente de poulet, il en émanait un fort relent de céréales fermentées. Il reconnut sans aucun doute possible l'enveloppe du cadavre inférieur, démon produit par le souffle des nourritures céréalières. C'était lui qui troublait ses méditations. La drogue l'avait affaibli, mais n'était pas encore parvenue à l'éliminer. Il soupira, l'enveloppa soigneusement dans un sac de coton ; sortit furtivement du palais et le jeta dans un affluent de la Sse en marmottant : « Cadavres sanglants, retournez à la terre à laquelle vous appartenez ; moi je m'élance vers le ciel, qui est ma patrie », et il s'en revint par un autre chemin, en prenant soin de ne pas regarder en arrière.

Lorsqu'il eut regagné son oratoire, il se sentit apaisé et comme lavé de ses désirs terrestres, de ses passions troubles et mauvaises. Mais il se prit à songer, avec ce désabusement qui de plus en plus l'habitait, que ces personnages en vue dont la stature dominait l'Empire et attirait ses regards cachaient peut-être, comme ses visions, sous leurs brillantes défroques, des charognes pleines de vers. En voyant l'orient s'embraser des premiers rayons de l'aurore, il ne put s'empêcher d'y diriger son regard, en pensant à Taillefer encerclé dans les remparts de Yong-yang, et à sa femme prisonnière sous ses murs à quelques dizaines de lieues de lui et qu'il ne pouvait secourir. Était-ce un songe prémonitoire ?

RUMINATIONS

Il est bon de ruminer.
Cela résout favorablement les conflits.

La guerre s'éternisait. Et nul ne voyait lequel des deux phares qui illuminaient l'Empire de leur gloire allait l'emporter. Taillefer sur la défensive à Yong-yang ; son allié, Face Tatouée, avait été contraint de se replier derrière les passes après une sanglante défaite sur la Houai ; Plumet était constamment harcelé sur ses flancs par P'eng Yue et Bienheureux. Chacun, du haut de sa grandeur, contemplait l'Empire ravagé par la guerre et méditait sur l'inconstance de la victoire. Un intense bruit de mâchoires, produit par la rumination des Grands Hommes aux abois, s'élevait de la configuration du moment et dominait de ses grincements jusqu'au fracas des armes.

C'était sur un morceau coriace de volaille boucanée que s'exerçait l'action masticatoire de Taillefer, ses dents mordaient précautionneusement dans la chair filandreuse, s'arrêtaient bien avant l'os, autour duquel la viande était avariée, et broyaient avec une lente application cette pauvre nourriture dont chaque bouchée, par la résistance qu'elle opposait, lui faisait sentir sa détresse. Et, tandis que la preuve tangible en était malaxée entre ses joues, son esprit, comme mis en branle par le mouvement des dents, ruminait lui aussi son échec sans y trouver d'issue. Tout à ses sombres méditations, il enfourna machinalement un large morceau ;

un goût douceâtre de pourriture lui emplit soudain la cavité du palais. Il recracha, se récita mentalement en manière de dérision la troisième ligne de l'hexagramme Rumination : « *En mangeant de la viande séchée, il tombe sur un morceau pourri.* » Un trait femelle y occupait une position mâle, à l'image d'un homme exerçant une responsabilité au-dessus de ses capacités. Dans un brusque accès d'humilité, il se dit qu'elle s'appliquait à son cas. Il avait voulu s'élever trop haut, avait trop préjugé de ses forces ; n'aurait-il pas dû se contenter de son rôle de vassal de Plumet ! Après tout, ce n'était pas si mal un titre de roi pour un chef de police de district en rupture de ban.

Mais non, il aurait été à la merci de son suzerain qui n'aurait pas tardé à l'éliminer ; il aurait connu une fin piteuse au milieu des éclats de rire des seigneurs. Nul pourtant ne pouvait lui reprocher de ne pas avoir fait tout son possible pour illustrer sa famille ; le Ciel en avait décidé autrement, et quoique chacun eût le devoir d'agir comme si son destin ne dépendait que de lui-même, on ne pouvait s'opposer à sa volonté. Il avait beau retourner les données du problème dans sa tête, il ne trouvait aucun moyen pour desserrer l'étau ennemi. Il se mit à ressasser les termes de la réponse qu'il allait envoyer à Plumet après le rejet de ses propositions de paix, afin de donner un exutoire à sa rancœur impuissante. L'autre croyait le narguer en lui proposant de soulager sa faim en lui envoyant ses parents accommodés en ragoût. Il lui dirait : n'étaient-ils pas frères jurés au terme de la convention ? Son cher frère tenait absolument à faire cuire dans une marmite ses vieux parents ; il serait ravi d'en goûter une tasse de bouillon, non pour calmer sa faim — Yong-yang regorgeait de vivres — mais par curiosité, pour connaître le goût de la chair humaine.

Tout en cherchant à chasser la vision des crânes de son père et de sa mère le regardant de leurs yeux cuits au fond d'une grande soupière de métal, à demi enfouis sous une garniture de navets, il renifla un autre morceau de viande et l'introduisit avec méfiance dans sa bouche. L'entrée de Li Yi-k'i interrompit le cours de ses rêveries. Taillefer s'épan-

211

cha. Le rhéteur eut un plissement d'yeux rusé et énigmatique :

— Après tout, vous avez plutôt sujet de vous réjouir. L'augure n'est pas défavorable ; il n'annonce qu'un désagrément passager. Vous me voyez ici pour vous tirer de ce mauvais pas.

Et Li Yi-k'i se mit en devoir d'expliquer comment il convenait de faire graver des sceaux d'investiture et de les distribuer à tous les princes spoliés par le Premier Empereur et déçus par Plumet, en leur promettant de leur rendre leurs royaumes. Les seigneurs lèveraient une armée, attaqueraient les assiégeants sur leurs arrières et, pris entre deux feux, Plumet essuierait une cinglante défaite. De joie, Taillefer faillit s'étrangler avec un pilon.

D'un pas alerte le rhéteur le quitta pour aller s'occuper de la confection des sceaux. Les mâchoires de Taillefer, avec une allégresse retrouvée, reprirent leur besogne, meulant activement les restes du repas. Tch'en Apaisant vint lui rendre visite à l'improviste. Taillefer, tout joyeux, lui fit part de sa trouvaille. Apaisant crut s'étouffer de colère :

— Quelle idiotie ! Vous voulez précipiter votre ruine !

— Et pourquoi ?

— Parce qu'il faut être sûr de la victoire pour promettre des terres. Tous les fondateurs de dynastie n'ont procédé à des distributions de fiefs qu'après avoir conquis l'Empire ! Acculé comme vous l'êtes, qui donc peut attacher la moindre valeur à vos investitures ? A supposer même qu'on vous prenne au sérieux, vous rendez-vous compte que c'est le meilleur moyen de disperser vos partisans, dont une large partie est formée d'anciens serviteurs des Six Royaumes, à commencer par Tchang le Bon, qui n'auront qu'une hâte, retourner auprès de leurs anciens maîtres !

Le roi, de dépit, en recracha le morceau qu'il mâchait :

— L'imbécile, me donner de faux espoirs ! Mais alors comment sortir de ce guêpier ?

— C'est Accroisseur qui a convaincu Plumet de refuser votre offre de paix et le presse d'en finir avec vous. Ruinez son crédit auprès de son maître, faites en sorte qu'il nourrisse des soupçons. Plumet est un de ces souverains qui aime à faire tout par lui-même et supporte fort mal la compétence chez ses subordonnés, elle lui porte ombrage. Bien qu'il semble lui faire une entière confiance, il serait ravi d'avoir un motif pour l'écarter ou le rabaisser. En outre, tant de ses partisans l'ont trahi qu'il a dû perdre toutes ses illusions sur la loyauté de ses conseillers. Donnez-moi quelques dizaines de milliers de pièces d'or et je me fais fort de répandre des ragots qui sèmeront la suspicion dans son esprit !

Le front plissé, Taillefer, écoutait Kouan Ying et Tcheou Pao, le marchand de soie et le vannier, tout en cherchant à savourer encore sa pêche dont la pulpe fondait entre ses joues ; la peau duveteuse crissait entre ses dents et le jus lui emplissait délicieusement la bouche. Mais déjà, les remontrances de ses deux généraux transformaient sa délectation en remâchement. Les deux hommes, rouges et compassés dans leurs habits de cour, s'indignaient qu'il pût avoir confiance en un individu comme Tch'en Apaisant. Remettre quarante mille livres d'or à un escroc ! Tout cela parce qu'il était bel homme, blanc et gras. Mais par les démons, fallait-il s'attendre à trouver des joyaux dans un bonnet parce qu'un jade le décore à l'extérieur ? Apaisant avait vécu aux crochets de sa belle-sœur, il avait été chassé de sa maison quand son frère s'était aperçu qu'il le volait. Après avoir roulé sa bosse sans rien faire de remarquable, ce vaurien avait proposé ses services au Wei qui n'en avait pas voulu ; il s'était tourné vers le Tch'ou qui n'avait eu que faire de ses plans. C'est alors qu'il s'était réfugié au Chou en désespoir de cause. Taillefer savait-il que le drôle profitait de son grade pour se livrer à un trafic d'influence dans l'armée, distribuant les tâches selon les pots-de-vin qu'il recevait de ses subordonnés ? Il devait avoir amassé un joli magot.

— Vous oubliez qu'il m'a sauvé la vie lors de la rencontre de la Porte des Grues !

— En trahissant son maître, le bel exploit !

Taillefer songea qu'effectivement il pouvait avoir mis,

comme pour Plumet, des œufs dans d'autres paniers et, désabusé, il retomba dans ses ruminations, ruminations auxquelles répondaient celles d'Apaisant, fort dépité que son maître revienne sur sa décision. Le roi remâchait ses échecs et ses désillusions, et ses hommes les peines subies et les dangers affrontés. Et tous ruminaient ainsi parce qu'ils sentaient rôder la faim, cette pourvoyeuse de la défaite. Ils broyaient de noires pensées entre leurs gencives enflées, ils les roulaient entre des dents qui ne pouvaient plus mâcher que des regrets, ils les faisaient claquer contre leurs palais, comme pour relever d'une saveur amère la fadeur des bouillies.

C'est au milieu de ce ressassement général qu'un lourd convoi de vivres, réussissant à forcer le blocus de Plumet, s'engouffra dans le camp des assiégés. Il était escorté par une armée que menaient Tchang le Bon et Face Tatouée.

Les ruminations cessèrent pour faire place au bruit joyeux des mâchoires meulant des viandes, croquant des os, coupant des choux, mastiquant des raves. Il y eut des rires et des chansons chez les soldats qui oublièrent un instant leurs soucis sous l'effet généreux du vin et de la bière de mil.

Ce secours inespéré ne calma pas les inquiétudes de Taillefer. Il ne pouvait comme ses soldats se réfugier dans l'instant pour fuir l'avenir ; celui-ci demeurait toujours sombre. Face Tatouée l'alla trouver alors qu'il se faisait laver les pieds ; préoccupé, le roi ne prit pas la peine de rajuster sa tenue. Il fut grossier, distant, hautain. Face Tatouée l'avait servi en faisant diversion au moment de l'annexion du Ts'in ; le grain qu'il apportait soulageait sa détresse, mais il n'avait aucun secours à espérer de ses lumières. Le futur accaparait trop son attention pour qu'il prît la peine de remercier des mérites qui appartenaient au passé. Face Tatouée, qui revoyait Taillefer pour la première fois depuis la distribution des fiefs, pensait être accueilli en triomphateur. Cette réception le glaça ; il eut le sentiment d'avoir été joué. Il avait tout perdu : son royaume avait été envahi par le Tch'ou et ses armées défaites ; Oncle Hsiang avait exterminé tout son clan : parents, femmes, enfants ; et tout cela pour un ingrat, un goujat, un rustre, et un sot de surcroît, qui risquait de perdre la guerre !

Dans les appartements du relais de poste où il avait installé ses quartiers, Face Tatouée ressassait ses griefs en compagnie d'Apaisant, survenu juste à temps pour empêcher le roi de Neuf-Fleuves de mettre fin à ses jours. Il s'était étonné de son geste. Face Tatouée lui avait ouvert son cœur ; Apaisant, sûr de trouver une oreille complaisante, s'était répandu à son tour en récriminations, et tous deux s'étaient mis à échafauder des plans de vengeance. Pourquoi ne pas profiter d'une audience pour s'approcher du roi et lui trancher la tête, et, la brandissant devant ses généraux terrifiés, les exhorter à se soumettre à Plumet. Celui-ci leur en saurait gré, il leur offrirait des charges, les rétablirait dans leurs fiefs. Le plan, pour audacieux qu'il semblât, n'était pas irréaliste : nombre d'officiers de Taillefer en avaient gros sur le cœur ; beaucoup en outre s'interrogeaient sur ses chances de triompher. L'armée était en plein désarroi et ne ferait rien pour s'opposer à un coup de force.

Au même moment, la cause des ruminations des deux comploteurs était elle aussi assise à converser en tête à tête. C'était avec Tchang le Bon, à propos justement de ceux-là mêmes qui le prenaient pour cible de leurs ressentiments. Et si elle ne se livrait pas à proprement parler à la rumination — elle engloutissait voracement la nourriture —, toutefois, elle la manifestait sur le mode de l'image ou de l'allégorie par le saisissant parallèle qu'elle offrait à l'instant présent — son nez disparaissant à moitié dans un gros pain farci à la viande, blanc, lisse et rebondi comme un derrière d'enfant — avec la seconde ligne de l'hexagramme des ruminations : « *Son nez disparaît en mordant la viande, mais il échappe au malheur.* » Naturellement, d'aucuns pourraient arguer, en s'appuyant sur les gloses des commentateurs, que la figure divinatoire évoque la fortune d'un subordonné qui, s'étant emparé des juteuses prérogatives de ses supérieurs, s'en tire à bon compte en ne subissant que la peine de l'ablation du nez. Ils fonderaient leur interprétation sur l'image hexagrammatique dans laquelle la ligne féminine chevauche une ligne mâle, tel un inférieur cherchant à se hisser au-dessus de ses supérieurs. Mais ne s'applique-t-elle pas tout aussi bien à la vision d'un nez à l'arête dure s'engloutissant dans la pâte molle d'un pain qui le recouvre, pour que les dents puissent en mordre la farce, et les mâchoires, s'en étant remplies, la mastiquer ? Surtout quand ce nez était celui de Taillefer dont tous les efforts visaient à arracher le pouvoir des mains du monarque qui dominait l'Empire. De fait, conformément au pronostic, le geste de Taillefer marqua un retournement de la situation. Le visage s'extirpa de la boule mafflue où il avait plongé et sa bouche esquissa un sourire de contentement aux dernières paroles que venait de prononcer Tchang le Bon.

— Mais, mon cher Face Tatouée, que faites-vous dans ce relais de poste ? s'exclama Tchang le Bon. Nous vous avons cherché partout pour vous conduire à vos appartements ! Pensez-vous que le roi soit assez ingrat pour ne pas avoir songé à vous installer plus luxueusement ; votre char vous attend en bas, prenez quelque repos pour secouer, comme on dit, la poussière du voyage et restaurer vos forces pour le banquet que Taillefer a préparé en votre honneur.

Puis se tournant vers Apaisant :

— Je suis ravi de vous trouver ici, le roi est impatient de discuter des dernières modalités de l'affaire que vous savez. Les sommes sont à votre disposition. Naturellement, votre présence est ardemment souhaitée au festin ; Taillefer compte vous y illustrer devant toute la cour afin de mettre un terme aux médisances. Car après tout, ajouta-t-il avec un clin d'œil malicieux, comme dit le proverbe, « Qui regarde à la couleur du chat, pourvu qu'il attrape les rats ! »

Ki Pou, l'ambassadeur que Plumet avait dépêché à Taillefer pour lui annoncer le décès de sa mère dans son camp, ruminait les implications des morceaux de bœuf coriaces et filandreux, résistant à tous les assauts de ses mâchoires pour les broyer, qu'on lui avait présentés. Il avait pris note de l'affolement des serviteurs quand ils avaient compris qu'il était l'émissaire particulier de Plumet. Ils avaient débarrassé précipitamment la vaisselle des grands banquets, roulé les nattes de jonc souple et rapporté en hâte les chaudrons de cérémonie où était servi le bouillon noble des trois viandes de sacrifice. Comme s'il y avait eu un quiproquo ; et pourtant il ne pouvait y avoir de confusion ; il s'était bien présenté comme l'émissaire du Tch'ou. Et il n'y avait pas deux royaumes de Tch'ou... mais il pouvait y avoir deux ambassadeurs. Le second dépêché par qui ?... Des bruits couraient sur Accroisseur... A moins que ce ne fût une manœuvre de l'adversaire pour semer la division dans leur camp — faire croire qu'ils nourrissaient des intelligences avec un dignitaire de l'entourage du roi du Tch'ou, dont on feignait de fêter l'intermédiaire devant lui. Mais Taillefer, cet homme fruste, aurait-il eu la présence d'esprit de monter cette comédie alors qu'il venait d'être frappé de douleur et d'hébétude par l'annonce de la mort de sa vieille mère ? Sa peine semblait sincère. Il avait offert un saisissant tableau de douleur filiale : la tête ceinte du bandeau de chanvre tressé, les cheveux épars, le bras gauche dénudé, il n'arrêtait de sautiller et de se frapper la poitrine que pour se prosterner face contre terre devant les visiteurs venus lui présenter leurs condoléances. Sa voix était un long gémissement plaintif et ininterrompu ; ses yeux semblaient deux trous sanglants à force d'avoir pleuré, il refusait toute nourriture jusqu'à de la bouillie claire. Même s'il exprimait plus de peine qu'il n'en ressentait, la manifestation d'une telle douleur l'accaparait trop pour qu'il eût pu concocter un stratagème si profond... De toute façon, sa tâche à lui se bornait à rendre compte à son maître ; à celui-ci d'aviser.

Accroisseur n'avait plus que quelques chicots rongés dans la mâchoire. Il se nourrissait de bouillies de riz, de viandes extrêmement tendres, de poissons à chair délicate et blanche et surtout de chair de cerf frite ; broyée, aromatisée au miel puis séchée, elle présentait alors l'aspect d'une sorte d'étoupe, au fort pouvoir nutritif, qui fondait dans la bouche sans qu'il fût besoin de mastiquer. Pourtant, Plumet pouvait entendre le bruit des six dents de son conseiller frotter l'une contre l'autre, non qu'il mâchât quoi que ce fût : la rage les faisait grincer. Son maître se défiait de lui, il le sentait ; sous prétexte qu'il devait se ménager, il l'écartait des responsabilités importantes. Et il y avait toutes ces rumeurs qu'il devinait dans son dos, ces murmures, ces airs entendus ou ces silences sur son passage. Il s'écria d'un ton aigre :

— Tout est paisible dans l'Empire ; vous pouvez assurer à vous tout seul les affaires du gouvernement. Comme vous dites, je suis vieux et j'aspire au repos. Je vous serais reconnaissant de me décharger de mes fonctions et de me permettre de retourner chez moi pour achever paisiblement mes jours à cultiver mes quelques arpents de terre.

Plumet, l'air indifférent, continua à faire craquer dans sa bouche les os tendres d'un poussin encore dans l'œuf. Il pensait à Joie, restée à P'eng-tch'eng, dont ce siège stupide le tenait éloigné. Il ne protesta pas et regarda s'éloigner le vieillard, l'enviant presque de regagner la capitale où vivait son aimée alors que lui se trouvait cloué à des milliers de lieues. Il décida qu'il retournerait auprès d'elle si dans les quatre jours il n'avait pas enlevé Yong-yang.

Le patriarche de Nid aimait Plumet comme un fils ; son ingratitude l'ulcéra. Tout au long du voyage, il retourna son humiliation et sa rancœur ; elles formèrent comme une boule de pus entre ses joues, il les ravala dans le gosier, elles descendirent par l'œsophage dans l'estomac où, se mêlant à l'air, elles furent expulsées hors du corps sous forme de pets violents ; mais leur masse était trop compacte pour être entièrement éliminée, des souffles traversèrent le tube digestif, glissèrent le long de la colonne vertébrale, s'amassèrent entre les omoplates. Et comme il ruminait sans trêve ses griefs que, jour et nuit ses gencives édentées les remuaient, les malaxaient, les pétrissaient entre leurs branches violacées et saignantes, les humeurs corrosives du dépit et de la rage ne cessaient de s'accumuler ; une énorme tumeur lui poussa sur le dos. Elle le faisait horriblement souffrir ; la souffrance exaltait son ressentiment. Lorsqu'il vit se dresser sur les collines qui s'étagent au sud de la ville de Nid les délicats pavillons et la fraîche terrasse que Plumet avait construits pour Joie et pour Vif-Argent, il se remémora ces princes de l'ancien temps qui sacrifiaient leurs favorites pour reconquérir l'estime du dernier de leur client. Plumet, lui, n'aurait pas hésité à tuer le plus avisé des conseillers, si cela avait pu faire plaisir à son cheval — et jusqu'où n'irait-il pas pour sa concubine ! Brandissant sa canne dans la direction de la résidence d'été de Joie, il maugréa : « Plumet ne sera pas vaincu par Taillefer, mais par toi, Joie, par toi, Joie ! » Une bouffée de rage l'envahit ; sous la pression des humeurs l'abcès creva, un pus noirâtre gicla tout le long de son dos, ses vêtements et jusqu'à son bonnet en furent maculés ; un trou béant s'était creusé dans son échine. Il perdit connaissance et rendit l'âme avant que le cortège fût arrivé à P'eng-tch'eng.

PARURE

Feu au bas de la montagne.

On dit que les sages sont la parure du Grand Homme ; Plumet, avec la mort d'Accroisseur, venait de perdre l'un de ses plus beaux joyaux. Un joyau travaillé et orné par les ans : son intelligence s'était affinée par un long contact avec les hommes et les choses ; le temps avait saupoudré sa barbe des jolies paillettes d'argent de la vieillesse et déposé la poussière d'or de l'expérience dans les replis de son cœur. Il aurait pu auréoler de gloire son maître — à l'image de la seconde ligne de l'hexagramme : « *Barbe fleurie aide son prince à s'élever.* »

Pourtant Plumet l'avait dédaigné, soit qu'il se crût d'une trop belle eau pour être enchâssé dans une monture dont la richesse risquait de ternir son solitaire éclat, soit que l'autre fleuron de sa couronne l'accaparât exclusivement.

Car il possédait un second trésor, dont la jeunesse faisait le prix. Joie avait cette pureté de traits qui se passe de tout artifice, comme une belle perle ou un beau jade qu'un habile joaillier s'abstient de sculpter ou d'incruster. Nul besoin de céruse pour que sa peau parût blanche, ni d'encre pour rectifier l'arc de ses sourcils. Ses lèvres étaient vermeilles et ses joues roses sans le secours des fards. Néanmoins, de même qu'une gemme demande à être extraite de sa gangue et polie, qu'une monture finement ouvrée rehausse l'éclat d'un bijou, des parures délicates exaltaient sa beauté. C'étaient de minces anneaux d'or ciselé soulignant la finesse de ses doigts, des bracelets et des pendants d'oreilles dont le tintement chantait sa grâce à chacun de ses gestes, des peignes d'écaille incrustés de perles fichés dans ses chignons artistement défaits et des aigrettes de plumes de martin-pêcheur vibrant au rythme de son pas. C'étaient encore des châles de soie bigarrée caressant son cou blanc, des robes de crêpe ou de gaze, des vestes à larges manches brodées de nénuphars ou de faisans, de longues ceintures de brocart fermées par des agrafes de jade, des escarpins à talons hauts au bout retroussé, des sachets à parfums pressés sur sa taille, du nard et du musc qui l'oignaient d'effluves suaves et forts.

Il n'y avait pas deux jours qu'Accroisseur avait rendu l'âme que Plumet, torturé par l'image de la concubine, regagnait la capitale. Il voulut la surprendre ; sans passer par le palais il se rendit directement au pavillon de Nid. Aux abords des collines, il congédia son escorte et galopa seul dans le parc jusqu'aux appartements de Joie. Le dos tourné à la fenêtre, elle se peignait. Sa chevelure tombait jusqu'à terre en une seule masse brillante et épaisse. Elle aperçut Plumet dans le miroir, se retourna et lui sourit. Ni les cheveux ni les dents ne font la beauté mais ils la rehaussent. Et, parée du double rang de perles de ses dents sur le lit de corail de ses lèvres, sertie dans le cadre de mica de ses cheveux, elle semblait la vivante illustration de la formule hexagrammatique « *Sans apprêt sa beauté est irréprochable...* »

Les tentures l'enveloppaient d'un cocon de soie mousseux tandis que la courtepointe entourait son corps de mille fleurs et d'oiseaux. Et ainsi alanguie sur la soie crissante des coussins cornus, dans le simple appareil d'une beauté que seul avivait le feu de la passion, l'imprégnant d'un onguent plus gras qu'une crème, aiguisant ses joues d'un incarnat plus vif et plus tendre que les fards, mouillant ses yeux d'un élixir qu'aucune chimie sinon l'amour ne saurait distiller — « *gracieuse et humide* » —, elle était le seul trésor qui valût que Plumet lui sacrifiât sa vie ; elle était plus précieuse que l'Empire, car elle en résumait toutes les merveilles.

Parée « *du feu qui brûle sur la colline* » la peu considérable touffe, la femme est parure de l'homme, forêt allumant les fusées vertes des arbres sur les pentes raides et noires d'une montagne ; mais une parure trop lourde ruine ce qu'elle orne ; d'accessoire de ses plaisirs et d'agrément de ses nuits, la concubine devint le centre de la vie de Plumet. Il ne pensait faire qu'une brève visite ; il resta des jours, des semaines auprès de Joie.

Autour de Yong-yang, privé de leur chef, les capitaines relâchèrent le siège. Taillefer en profita pour quitter la ville ; sans tambours ni trompettes, il sortit par une nuit dont le ciel noir ne se constellait d'aucune étoile, abandonnant les ornements royaux, la voiture à tentures jaunes, la garde des Officiers-Tigres et les haches à franges pourpres.

On eût pu croire que la fuite piteuse de Taillefer, dépouillé des insignes magnifiques et éclatants du pouvoir, contredisait la tendance hexagrammatique du moment, mais en réalité elle entretenait avec les six lignes de secrètes et intimes correspondances, qui allaient éclater quelques mois plus tard, dans une ville toute proche et dans des circonstances identiques. Mais pour qu'elles se manifestassent au grand jour, il fallait que s'en développât d'abord l'autre modulation latente avec laquelle les thèmes apparents allaient tresser la corde du destin.

Dès son retour dans les passes, Taillefer procéda à de nouvelles levées de troupes tandis que les généraux restés dans la place de Yong-yang le rejoignaient par petits groupes. Comme il avait toujours eu le dessous contre Plumet dans les affrontements directs, il décida d'épuiser son adversaire en multipliant les fronts ; s'il lui était inférieur comme chef de guerre, il avait sur lui l'infinie supériorité de son chapelet de serviteurs remarquables ; ils ornaient son trône de leurs talents étincelants et variés, brillants accessoires qui donnent précisément sa grandeur au souverain vraiment grand, de même que les pierres plus que la monture font le prix d'une couronne.

Tandis que lui-même immobiliserait le gros des armées du Tch'ou dans une guerre de position, ses lieutenants le harcèleraient sur les pourtours du royaume. P'eng Yue fut chargé de ravager le bassin de la Souei ; Confiance se joignit à Oreille pour conquérir le Tchao et entrer en contact avec le Yen et le Ts'i et y appuyer les mouvements de rébellion.

Rogaton jeta un regard hautain sur son subordonné, le comte Grandeur Militaire, et lâcha avec une lippe dégoûtée :
— Je n'en ferai rien !
— Mais, s'impatienta l'autre, ne voyez-vous pas que c'est la seule chose à faire ! Comment voulez-vous résister à la poussée d'une armée victorieuse ? Elle a toutefois le lourd handicap d'opérer à des milliers de lieues de sa base en terrain accidenté. Laissez-moi attaquer ses fourgons et couper ses lignes de ravitaillement et je me fais fort de la réduire en moins de dix jours. Il vous suffira de vous retrancher solidement dans la place forte.
— Nous alignons deux cent mille soldats alors que l'ennemi ne nous oppose que des effectifs nominaux de cinquante mille combattants — ce qui veut dire qu'ils ne sont pas plus de dix mille —, et vous me demandez de me dérober, voudriez-vous que je me ridiculise devant l'Empire ! En outre, un homme de bien combat à la loyale et n'emploie ni artifices ni pièges, même si ceux-ci peuvent lui être profitables. Lorsque Confucius tomba sur l'hexagramme Parure, il tordit la bouche et dit : « Néfaste. » Son disciple Tseu-kong s'étonna : « Mais il passe pour bon ! » « Le blanc doit être blanc et le noir noir », répliqua le Maître. Il voulait dire par là qu'il est toujours mauvais de travestir la nature d'une chose.
L'autorité de Confucius ferma la bouche à Grandeur Militaire.
Dès qu'il apprit d'un espion que les suggestions du comte avaient été repoussées, Confiance marcha sur la ville, embusqua deux détachements de chevau-légers à ses abords et déploya un régiment devant la citadelle, dos au fleuve. Le jour suivant, il débouchait par le val de Faille-du-Puits, sa

bannière de commandement déployée; l'armée du Tchao, qui voulait capturer le général en chef ennemi, ne se rua qu'à ce moment-là au-dehors des fortifications. La ville se trouva dégarnie. Les troupes de Confiance ployèrent sous le choc et refluèrent derrière les soldats adossés à la rivière qui, acculés, se battirent avec une énergie farouche. Pendant ce temps, les chevau-légers réussissaient à forcer un passage dans le système des fortifications de Faille-du-Puits, arrachaient les bannières du Tchao et pavoisaient les murs de la ville des deux mille gonfanons dont ils s'étaient munis.

N'ayant pu mettre la main sur les officiers du Han et désespérant de faire céder les soldats de Confiance, Rogaton battit le rappel; en se repliant, ses hommes s'aperçurent que la ville était entièrement tapissée des drapeaux rouges du Han qui dévoraient ses remparts d'une flamme ardente; ils crurent que le camp retranché était tombé; ils s'égaillèrent sans que leurs officiers pussent enrayer leur fuite. Confiance passa à la contre-attaque, trancha la tête de Rogaton et toute l'armée du Tchao déposa les armes.

Lorsqu'il vit la tête de son ancien ami fichée sur une pique, Oreille ne put s'empêcher de verser des larmes tout en grimaçant de plaisir. On l'interrogea sur son étrange comportement, un sourire agita sa barbiche maigre de vieillard sur laquelle s'était déposée la poussière grise des ans et il soupira :

— Je me réjouis de la mort d'un ennemi et pleure la mort d'un sage; un homme qui a refusé d'user d'artifices est digne d'éloges !

— Balivernes ! s'emporta Confiance, celui qui ne sait pas écouter les conseils d'un subordonné avisé est un sot ! Qui répugne à la ruse ne se fait pas général en chef, lorsqu'on sait que tout l'art de la guerre est fondé sur la duperie ! Monsieur voulait rester pur ? Et pourquoi ne s'est-il pas fait ermite; comme si pour commander aux hommes il ne fallait pas se salir les mains ! Cela me fait penser au prince Song qui conduisit son pays au désastre parce qu'il n'attaquait pas un adversaire avant qu'il se fût rangé en ordre de bataille ! Non, ces hommes qui se parent des oripeaux de la vertu pour masquer leur incapacité foncière ne m'inspirent ni respect ni pitié, mais mépris et dégoût. De tels gens sont une calamité pour leur peuple s'ils sont princes et un fléau pour leur seigneur s'ils sont ministres. Anes bâtés revêtus de la défroque des grands principes et que raille la première ligne de l'hexagramme dont ils prennent prétexte pour couvrir leur nullité : « *Ils abandonnent leur char pour montrer leurs belles chaussures !* » Le comte Grandeur Militaire, lui, mérite d'être épargné. Il n'est pas responsable de la bêtise de son maître. Luxe encombrant et inutile au service d'un incapable, il pourrait illustrer un monarque avisé.

Taillefer, fort des succès de P'eng Yue et de Confiance, s'aventura trop tôt dans une guerre de mouvement. Il voulut prendre Plumet à revers en massant des troupes à Tch'eng-kao ; il se découvrit et son rival anticipa sa manœuvre ; bousculant P'eng Yue, il fondit sur Yong-yang, l'emporta et mit le siège devant Tch'eng-kao. Taillefer n'y disposait alors que de fort peu d'hommes. Confiance et Oreille auraient dû faire leur jonction avec lui dans la place, avant que les troupes stationnées au Sud ne la regagnent. Mais ils s'attardaient au Tchao pour en pacifier toutes les provinces, comptant bien en faire leur propre base territoriale.

Le roi de l'Ouest se trouvait à nouveau pris au piège, enfermé par ce diable de Plumet. Et cette fois-ci il n'avait, en dehors de sa garde personnelle et de la garnison de la ville, aucune armée à lui opposer. Comme à Yong-yang, il s'abandonna au désespoir. Ce désespoir affectait cruellement Ki le Sincère, le seul officier de haut rang qu'il eût avec lui. Ki avait pour son prince le dévouement du chien. Avant chaque bataille il répandait des torrents de larmes et se tordait les mains, suppliant Taillefer de ne pas s'exposer imprudemment. C'est d'ailleurs cet amour pour son maître qui lui avait valu ses galons, plus que ses prouesses guerrières ou ses talents de stratège qui à vrai dire étaient des plus médiocres. Les affres de Taillefer lui faisaient ressentir cruellement son incompétence et son inutilité. Et tout en cherchant à le remonter en lui faisant valoir que la situation ne pouvait être sans issue puisqu'il pouvait encore compter sur le secours de ses habiles stratèges : les Tchang le Bon, les Apaisant, les Confiance qui sauraient le tirer de ce mauvais pas, il ne pouvait s'empêcher d'être amer en songeant qu'en trois ans de campagne il n'avait pas remporté un seul réel succès, et qu'il jouissait d'un grade et d'émoluments injustifiés.

Les circonstances étaient pressantes. Il lui fallait trouver un subterfuge pour fuir la nasse où ils s'étaient laissé prendre. La cervelle de son maître était vide et la sienne plus encore. Il avait cependant quelques notions de divination. Il décida de tirer les sorts. Il tomba sur l'hexagramme Parure, non mutant. Il y vit comme un cadeau du Ciel ; la figure lui indiquait le moyen de manifester sa loyauté à son seigneur par un sacrifice grandiose et de se rattraper de l'occasion manquée de la Porte des Grues. Ce qu'il n'avait pu être par sa vie, il le deviendrait par sa mort : un des fleurons de la couronne du Grand Homme, mais qui ne luirait que d'un fugitif éclat, avant d'offusquer sa lumière dans les ténèbres définitives. Il s'empressa de le soumettre à Taillefer et de le lui interpréter :

— « *Feu au-dessous de la montagne* » : un incendie de forêt s'attaque à tout indistinctement. Nous devons donc semer la confusion et faire passer des vessies pour des lanternes. La décomposition de l'image se fait de la façon suivante : en bas, un trait yin entre deux traits yang qu'il embellit composant le feu, qui est éclat, chatoiement et beauté ; en haut, deux traits yin sur lesquels se pose un trait yang pour former la montagne, laquelle est l'ornement de la terre. Ainsi « *le tendre vient assister le dur ; le dur se pose sur le tendre pour l'orner* ». La situation atteint son point critique et l'hexagramme, stable, manifeste la culmination de la tendance : à son stade paroxystique la parure est travestissement. Nous sommes en guerre ; la cuirasse est au guerrier ce que la parure est à la femme ; ainsi des femmes recouvertes d'armures et un sujet déguisé en son prince apporteront une issue favorable.

Taillefer croyait aux signes ; il n'avait pas d'autre plan à proposer. Il donna son accord.

Sur le terrain d'exercice, Sincère haranguait les deux mille jeunes filles ; on les avait revêtues de pantalons courts et de molletières, de vestes à manches étroites ; elles portaient des cuirasses de peau de requin, tenaient de courtes lances et des boucliers légers en bambou tressé.

Il les menaça tout d'abord en leur racontant comment Maître Souen avait mis au pas les concubines du roi de Wou qui pouffaient, en décapitant les deux favorites chargées de faire exécuter la manœuvre. Puis il les fit évoluer au signal des guidons et du tambour, leur apprit les rudiments du maniement de la lance.

Après trois jours d'exercices, quand elles surent marcher en cadence, la nuit on ouvrit la porte est de la ville et on les lâcha dans la campagne. Le char royal suivait derrière.

Les cuirasses et les armes enflammèrent leur ardeur belliqueuse. Telles des louves, elles se ruèrent à l'assaut ; comme si la tendance recelée dans l'appellation du symbole eût profité de la défroque militaire dont elles avaient été affublées pour se donner carrière et subvertir à ses propres fins la part de tricherie qu'elle contient. On eût dit une charge d'Officiers-Tigres, cette garde d'élite à parements rayés, belle et féroce comme des fauves qui fondent sur leur proie.

Profitant de l'effet de surprise, elles bousculèrent les troupes de Plumet et enfoncèrent profondément ses lignes ; elles allaient réussir leur percée — et faire échouer la ruse, car de moyen le déguisement devenait fin —, quand du char royal partit le signal de la retraite, provoquant un flottement dans leurs rangs. Les troupes du Tch'ou se ressaisirent et passèrent à la contre-attaque, de nouveaux renforts affluèrent ; assaillies de tous côtés, les guerrières opposèrent tout d'abord une résistance farouche ; il y eut de terribles corps à corps ; les casques tombèrent, les armures furent arrachées ; et au moment où ils leur passaient leur épée au travers du corps, les soldats du Tch'ou découvrirent le sexe de leurs adversaires ; des cris fusèrent : « Ce sont des femmes ! »

Cette constatation dissipa comme par enchantement la fougue de ces filles que l'habit militaire avait métamorphosées en lionnes ; les hommes gloussèrent de soulagement ; libérés de toute crainte, ils leur arrachèrent leurs armes ; certains cherchèrent à leur enlever leurs vêtements ; cela finit à la façon de la quatrième ligne de l'hexagramme : « *Tout paré et tout blanc ; le cheval s'en vient en galopant ; est-ce la guerre ? Non, une noce.* »

A la lueur vacillante des torches, les officiers de Plumet aperçurent le char royal du Han, tout tendu de soie jaune, avec le grand guidon à ombres de soleils ardents sur fond de gueules écartelées de phénix et de dragons claquant du côté gauche. Une silhouette, surmontée du haut bonnet à douze pendeloques, se pencha et cria : « La ville est à court de vivres ; et il n'y a pas de soldats dans la place ; nous avons tenté une sortie désespérée avec ces filles, elle a échoué ; le roi du Han remet sa soumission au roi de Tch'ou. » Ce fut dans les rangs des soldats une explosion de joie. Une immense clameur se propagea dans le camp des assiégeants : « Le roi se rend ! le roi se rend ! il n'a que des femmes comme soldats ! » Et tous, abandonnant leur faction aux autres points de la ville, se précipitèrent vers le mur est pour jouir du spectacle de Taillefer et de ses femmes-soldats.

Pendant que toute l'armée du Tch'ou était massée devant les tours orientales, une troupe d'une vingtaine de cavaliers se glissait hors de Tch'eng-kao par la porte opposée et se fondait dans la nuit.

Le chariot jaune fut escorté jusqu'à la tente de Plumet ; le vaincu en descendit et marcha à genoux, l'échine ployée, jusqu'à l'estrade au haut de laquelle trônait le roi de Tch'ou ; celui-ci lui fit signe de se relever. Il découvrit son visage ; ce n'était pas Taillefer mais Sincère.

— Où est ton maître ? tonna Plumet.

— A l'heure qu'il est, il a quitté la ville !

— Certes la guerre repose sur la duperie ; mais ceci est déloyauté et parjure !

Il donna ordre à ses gardes de dresser un bûcher et l'y fit brûler vif. Les flammes illuminèrent les collines avoisinantes, les parant d'une beauté éclatante et tragique.

DÉPOUILLEMENT

Montagne reposant sur la terre : bien qu'il y ait érosion,
la partie supérieure repose sur une base stable.

Le cavalier qui s'arrêta au relais de poste de Préparation-Militaire, au Tchao, avait dû parcourir une longue étape ; sa monture était fourbue et une croûte de poussière jaune recouvrait ses vêtements et son bonnet. Ce devait être toutefois un notable car tout dans son allure et ses manières trahissait l'habitude d'être obéi.

Sans attendre qu'on lui nettoyât sa chambre, le voyageur monta à l'étage, s'y installa, commanda un repas et un bain, et appela les servantes pour qu'elles l'aidassent dans sa toilette ; l'homme portait les insignes de messager royal ; le chef de poste s'exécuta sans protester. Lorsque, un peu plus tard, un valet lui monta les mets, il fut accueilli par une paire de pieds que frottaient énergiquement deux filles d'auberge au-dessus d'une cuvette...

Le courrier se leva avant l'aube, réveilla le garçon d'écurie, et, son cheval sitôt sellé, fila ventre à terre en direction du bivouac du roi Oreille et du général Confiance. S'étant fait reconnaître pour l'estafette de Taillefer, l'inconnu franchit le portail du camp dont l'arche était formée de deux timons de char accolés, se dirigea droit sur la tente de l'état-major, y pénétra et, s'introduisant à pas de loup dans la pièce où dormaient les deux chefs, s'empara des sceaux, ressortit, saisit le grand guidon du commandement suprême qui claquait au centre du camp et l'agita pour battre le rappel des officiers. Quand il les eut tous réunis, il leur communiqua leurs nouvelles affectations.

Entre-temps, Oreille et Confiance s'étaient levés ; ne trouvant plus leurs sceaux, ils se précipitèrent hors de la tente. Un individu de stature imposante, revêtu de la robe garance des grands officiers, haranguait les troupes ; les sceaux pendaient à sa ceinture.

Les deux hommes se jetèrent un regard inquiet. Taillefer les fixa d'abord d'un air sévère, puis sourit :

— Alors, c'est comme ça que l'on pose des lapins à son maître ! Je parie que déjà vous vous apprêtiez à fêter ma disparition !

Le visage de Confiance et d'Oreille se couvrit de sueur ; ils se prosternèrent devant leur roi et cherchèrent à se justifier. Le souverain les fit taire :

— Je plaisantais ; à la guerre rien ne se passe jamais comme prévu et s'il fallait sévir à chaque cafouillage, je n'aurais plus un seul officier. En attendant, je vous prends votre armée. Je vais me porter à la défense de Trois-Rivières qui commande l'entrée du Ts'in. Oreille assurera la garde du Tchao et Confiance fera campagne contre le Ts'i en enrôlant tous les conscrits qui ne sont pas encore sous les drapeaux.

Maître Li Yi-k'i crut saisir l'occasion de reprendre un peu du terrain perdu dans l'estime de Taillefer après ses initiatives malheureuses de Double-Lumière et de Yong-yang. Une de ces terribles et mystérieuses crises retenait Tchang le Bon enfermé dans sa chambre ; la plupart des capitaines et des conseillers du roi se trouvaient au loin, soit qu'ils menassent campagne à l'est, soit qu'ils fussent restés en arrière du front pour veiller sur l'intendance ; Taillefer était désemparé après son nouvel échec. Le rhéteur fit irruption dans la tente, agita ses manches et interpella son maître d'un mouvement énergique du menton :

— Le Wei, le Tchao, le Yen vous sont acquis ; seul le roi Kouang de Ts'i est hostile. Vous avez envoyé Confiance pour le soumettre. Grossière erreur ! Le Ts'i est un pays puissant où la famille T'ien est solidement implantée depuis des siècles ; le roi Kouang dispose de deux cent mille hommes massés à Passage, prêts à faire face aux troupes de votre général. Il possède une frontière commune avec le Tch'ou qui ne manquera pas de lui envoyer des secours ; et même si Confiance remporte la victoire, les gens de la péninsule sont versatiles et remuants et il faudra des années pour les pacifier.

Et, se penchant vers Taillefer, il ajouta d'un air entendu :

— Et puis, serait-il souhaitable que la gloire militaire d'un de vos généraux vous éclipsât ? Il aurait beaucoup mieux valu y dépêcher un ambassadeur pour traiter avec lui.

Taillefer hocha la tête :

— Mais qui pourrait se charger d'une telle mission ?

— Je vous demande cette faveur.

C'était le neuvième mois ; à travers les peupliers et les saules que les souffles hivernaux avaient dépouillés de leurs feuilles, le fleuve Jaune roulait des eaux sales sur lesquelles le ciel plombé jetait des taches livides. Les ponts flottants s'élevaient et s'abaissaient au rythme des vagues soulevées par le vent du nord, en un muet et inutile appel au passage des troupes ; aucune botte de soldat ne les franchirait. L'envoyé secret de Taillefer avait réussi dans ses tractations avec le Ts'i.

De la berge, Confiance lança un regard d'envie vers l'est où la plaine s'étendait à perte de vue et rebroussa chemin jusqu'à son camp en maugréant des injures à l'intention du rhéteur qui venait de le spolier d'un nouveau succès.

— Comment, on me dit que vous renoncez à votre campagne ?

Compréhension fixait le commandant de l'expédition de l'Est avec un regard lourd de déconvenue.

— Li Yi-k'i nous a devancés ; avec sa petite langue pointue, il a réussi à extorquer au roi de Ts'i une promesse d'alliance.

Le lettré fit un geste en direction de l'entourage du général. Il pouvait y avoir des créatures du Ministre de

Gauche Ts'ao l'Examinateur, que Taillefer avait dépêché auprès de lui pour le surveiller.

Confiance pria l'assistance de se retirer.

Resté seul sous la tente avec son interlocuteur, il ne cacha plus son ressentiment. Ses succès portaient ombrage au souverain ; et ce rat gluant de Li Yi-k'i en avait profité pour lui souffler les lauriers qui lui revenaient. On voulait le dépouiller de tout mérite ; mais il n'avait pas dépensé tant d'énergie et bravé tant de dangers pour rester éternellement un subalterne dont un monarque soupçonneux pouvait subtiliser les insignes en se glissant dans sa chambre pendant qu'il dormait.

Compréhension l'arrêta :

— Mais qui vous demande de mettre un terme à l'expédition ?

Confiance resta interloqué. L'autre poursuivit :

— Taillefer traite avec le roi Kouang ; libre à lui, mais en quoi cela vous concerne-t-il ? Vous avez une mission à accomplir et rien ne doit vous arrêter sinon un ordre de votre roi !

Confiance éclata de rire :

— Et nous veillerons à ce qu'aucune directive ne nous parvienne !

Puis il ajouta :

— Il ne sera pas dit qu'un lettré sans autre arme que sa langue et sans autre protection que ses larges manches puisse soumettre en un jour plus de villes que moi en deux ans de campagne avec une armée de cent mille hommes.

Les troupes de Confiance avaient installé leur camp à deux journées de marche à l'ouest de la capitale du Ts'i. Herbe Parfumée et Offrande du Dragon, que Plumet avait envoyés au secours du Ts'i après la prise de Lin-tse par Confiance, avaient planté, eux, leur bivouac au sud de Haut-Secret, où ils devaient faire jonction avec les deux cent mille hommes du roi Kouang.

Ils se trouvaient à discuter du plan des opérations, dans la grande tente décorée des emblèmes rutilants et barbares des armées du Tch'ou auxquels la lueur incertaine et tremblante des lanternes, diffractée par le brouillard de la nuit, prêtait des formes tourmentées et fantasques.

— Nous n'arriverons pas à arrêter l'élan de l'armée de Confiance, expliquait Herbe Parfumée. Ses soldats opèrent à deux mille lieues de leur base et leur meilleure chance de revoir le pays est encore la victoire, tandis que les nôtres, qui combattent sur leur propre sol, se disperseront au premier choc pour regagner leur village. Retranchons-nous solidement, pendant ce temps le roi du Ts'i fera connaître aux villes conquises qu'il est toujours en vie et qu'il continue le combat ; si la population du Ts'i se révolte, les troupes ennemies, privées d'approvisionnement, se disloqueront.

Offrande du Dragon eut un mouvement dédaigneux des sourcils :

— Je connais ce Confiance ; c'est un faible. Un homme qui s'est laissé entretenir par une lavandière et a rampé sous les pantalons d'un boucher n'a rien dans la tête ni dans le ventre. Et puis, si l'armée de Taillefer se soumet sans coup férir, où serait mon mérite ?

Il ajouta avec une grimace gourmande :

— Si nous livrons bataille, j'arracherai au roi de Ts'i la moitié de son royaume...

Herbe Parfumée dut s'incliner.

Offrande du Dragon, ayant ainsi arrêté son plan de bataille, congédia son lieutenant et alla se coucher. C'était un homme corpulent et le lit était rongé par l'humidité ; en s'allongeant, une des traverses se brisa.

Lorsque le lendemain Herbe Parfumée apprit l'incident par l'ordonnance du général en chef, il tordit la bouche et murmura la seconde ligne de l'hexagramme Dépouillement :

— *« Le lit est privé de ses traverses : destruction de la persévérance ; hautement néfaste. »*

Du haut de la colline qui dominait le fleuve, le chef du régiment des sapeurs de Confiance observait le déploiement des deux armées dont les soldats se trouvaient réduits par la distance à la taille de fourmis. Il vit des taches flamboyantes traverser le gué après un tir nourri des arbalétriers, prendre pied sur la rive est, puis tomber à terre ; elles s'éteignaient comme des torches qu'on mouche. Les points colorés revenaient sur leurs pas dans un éclaboussement d'écume. D'autres taches, d'un rouge plus sombre, leur donnaient la chasse : l'armée du Tch'ou passait à la contre-attaque. Un tiers avait déjà franchi le cours d'eau quand le chef des sapeurs fit signe de son drapeau aux hommes qui se tenaient sur les sacs de sable dont la rivière avait été obstruée. Ils soulevèrent « *la lourde traverse qui barrait le lit* » du fleuve libérant les eaux qui se ruèrent avec force à travers la brèche et emportèrent la digue. La vague déferla.

Tous les soldats du Tch'ou qui se trouvaient au milieu du gué périrent noyés ; les régiments sous les ordres du général Herbe Parfumée passèrent à l'ennemi et les soldats du Ts'i, restés sur la berge orientale, se rendirent sans combattre ou se dispersèrent.

— Vous connaissez la nature versatile des gens du Ts'i : toujours prompts à se ranger du côté du plus fort, à tromper et à intriguer. Jamais Confiance ne parviendra à y maintenir l'ordre avec l'autorité que lui confère son grade de ministre. C'est pourquoi il m'envoie auprès de vous pour vous prier de lui accorder le titre provisoire de roi afin d'être en mesure d'assurer la stabilité de cette région.

Le roi Taillefer en resta d'abord muet de stupeur, puis ses joues prirent une teinte violacée ; il aboyait déjà : « Dire que je me trouve dans la merde jusqu'au cou et cet animal de Confiance... », quand il sentit qu'on écrasait son pied droit, tandis qu'il recevait un coup de genou dans la cuisse gauche ; il jeta un regard surpris sur ses deux conseillers, Apaisant et Tchang le Bon, qui, légèrement en retrait, l'encadraient. Il comprit qu'il gaffait et se rattrapa : « ... me demande de régner à titre intérimaire, alors qu'il vient de pacifier trois royaumes et de me libérer de l'étau », et martelant ses mots : « C'est un titre définitif qu'il lui faut ! »

Lorsque le courrier de Confiance se fut retiré, Taillefer eut une discussion animée avec ses deux conseillers :

— Sur le moment, je vous ai écoutés, mais je ne sais pas ce qui me retient de réduire ce paltoquet en hachis en attendant de mettre la main sur Confiance et de dévorer son foie ! Non content d'être responsable de la fin terrible de Li Yi-k'i que le roi de Ts'i a précipité dans une marmite d'huile bouillante, il faut encore qu'il réclame un royaume, rien que ça, une couronne ! Mais si tous les généraux faisaient comme lui, j'aurais même plus une chemise !

— Vous n'avez pas à regretter Li Yi-k'i. Ce n'était qu'un sot et un intrigant. Ha ! il voulait ravir sa gloire à Confiance et arracher un fief au roi de Ts'i ? Il se croyait assez fort pour régner sur une principauté, mais il ne méritait que de finir dans une terrine !

Ayant ainsi réglé ses comptes avec Li Yi-k'i, dont il supportait mal qu'il ait pu partager avec lui la réputation de subtil politique, Tchang le Bon poursuivit :

— Pourquoi croyez-vous qu'on vous serve, par grandeur d'âme ou parce qu'on en attend quelque avantage ?

Apaisant renchérit :

— Vous vous plaignez de la cupidité de vos subordonnés, mais vous serviraient-ils s'ils étaient des petits saints ? Quel fils pieux arpenterait l'Empire, collé à vos basques, au lieu de servir ses vieux parents ? Quel homme intègre accepterait de mentir et d'intriguer comme nous le faisons ? Quel sujet loyal vous aiderait à accaparer des biens qui ne vous appartiennent pas ? Ne voyez-vous pas que c'est la vénalité des hommes qui en fait vos meilleurs serviteurs !

— Utiliseriez-vous dans vos armées un parangon de loyauté et de piété filiale qui n'aurait aucun talent de général ? Vous n'êtes pas dans une position si brillante que vous puissiez vous passer du concours de votre meilleur chef de guerre ; et d'ailleurs, que pouvez-vous faire contre lui ? Mieux vaut paraître accéder de bonne grâce à sa requête ; si le Ts'i lui appartient, il n'en mettra que plus d'ardeur à le conserver, autrement, il se retournera contre vous. Souvenez-vous de la troisième ligne du vingt-troisième hexagramme : « *Il évite le malheur en se dépouillant.* » Car ainsi on se gagne l'appui de ses sujets.

Lorsqu'il sut que Tchang le Bon s'était rendu au Ts'i remettre les sceaux royaux et transmettre les félicitations de Taillefer à Confiance, le visage de Compréhension s'éclaira. Son sourire s'épanouit encore davantage quand on annonça la venue d'un ambassadeur du Tch'ou. Confiance tenait entre ses mains le destin de l'Empire.

Sitôt l'envoyé de Plumet parti, Compréhension demanda une audience au palais ; ce qui lui fut immédiatement accordé.

— Plumet vous a fait des ouvertures ?

— Vous l'avez deviné ?

— Qu'est-ce qu'il vous a dit ?

— Que le roi de Han était un être insatiable qui ne pensait qu'à dépouiller les princes pour avaler tout l'Empire, et que je ne devais d'être encore de ce monde qu'à la crainte que lui inspirait Plumet, mais dès que celui-ci aurait été éliminé il se débarrasserait de moi pour me reprendre le Ts'i. Il m'a proposé de conclure une alliance et de nous partager l'Empire.

— Et qu'avez-vous répondu ?

— J'ai refusé.

Le sage fit un signe au roi de Ts'i en direction de l'assistance :

— Ne pourrions-nous pas avoir un peu plus de solitude ? Confiance congédia sa suite.

— Pourquoi n'avez-vous pas accepté ?

— Je n'ai pas réellement refusé. J'ai demandé à réfléchir.

— J'ai reçu d'un maître le secret des physionomies. Je sais percer le destin des êtres d'après leur ossature, leur teint, leur silhouette...

— Eh bien, que vous dit mon apparence ?

— De face je ne vois qu'un marquisat qui ne vous vaudra que des tourments, mais si vous tournez le dos, je devine une gloire et une élévation dont personne n'a idée !

— Expliquez-vous !

— Au début de la révolte, des hommes remarquables se sont levés par milliers, ne pensant qu'à secouer le joug. On sympathisait, on s'assemblait comme les nuages, on se pressait comme les écailles du poisson ; des bandes de valeureux compagnons allaient et venaient à travers l'Empire telle une violente bourrasque. Le Ts'in se disloqua ; des terres étaient à prendre ; elles firent naître des convoitises ; les chefs se dressèrent les uns contre les autres pour se repaître des dépouilles de l'Empire. Plumet et Taillefer ont émergé du lot. Leur lutte partisane abreuve la poussière du sang des braves sans qu'aucun des deux n'arrive à prendre l'avantage. Taillefer a perdu toutes les batailles qu'il a livrées ; il a été piteusement battu à Yong-yang et à Tch'eng-kao. Frileusement replié derrière le Fleuve, il n'a plus ni courage ni ressort. Quant à Plumet, avec toute sa force et son prestige, il ne sait pas choisir ses généraux, de sorte qu'il a essuyé lui aussi des revers sanglants et, incapable de pousser son avantage, il s'est cassé les dents sur les passes fortifiées. Après trois ans de combats continuels, il se trouve à bout de forces. Son peuple est épuisé et ses greniers sont vides. Aucun de ces deux hommes n'a l'étoffe d'une véritable souverain. Ni l'un ni l'autre ne disposent d'un pouvoir suffisant pour mettre un terme à la guerre. A l'heure présente leur destin repose entre vos mains et entre vos mains seules. Penchez-vous en faveur de Taillefer, et l'Empire lui appartient, rangez-vous du côté de Plumet, et il arrache toutes ses possessions à Taillefer ! Mais que vous restiez neutre, vous les obligez à vous céder une part du gibier. L'Empire sera stable comme un chaudron reposant sur ses trois pieds. Aucun des deux, de crainte d'une alliance, n'osera vous attaquer le premier. Disposant d'une puissante base territoriale, d'armées nombreuses, gouvernant avec sagesse, vous régenterez le Tchao et le Yen et tout l'Empire se tournera vers vous.

— C'est une décision périlleuse, qui peut m'exposer à la vindicte de Taillefer, sans aucune garantie du Tch'ou. Je préfère temporiser. Laissons la situation se décanter.

— Prenez garde, car le Ciel châtie celui qui ne saisit pas

ce qu'il lui offre et le malheur s'abat sur l'imbécile qui ne profite pas des circonstances. Ne différez pas trop longtemps votre décision !

Le rhéteur prit congé et sortit du palais à grandes enjambées. Il était fort déçu et fort irrité. A la porte, une femme, vêtue de la robe et du tablier des jours de fête des paysannes de la Houai, avait une altercation avec les gardes qui lui en interdisaient l'entrée. Ses mains rouges et gonflées de ménagère arrêtèrent un instant le regard de Compréhension, qui continua son chemin sans remarquer, lui dont l'œil était ordinairement si aigu, la broche octogonale à scintillations vertes et blanches accrochée au revers de son vêtement.

Confiance, s'étant ravisé, s'élançait à la suite du conseiller, quand il fut attiré par le bruit de la dispute ; il s'apprêtait déjà à crier à ses sentinelles de chasser à coups de hallebarde l'intruse quand il reconnut dans le trublion la lavandière de Houai-yin. Vivement, il fit signe à ses gardes de la laisser passer et l'accompagna jusqu'à la salle d'audience. La femme extirpa de sa manche une bourse pleine d'or et la jeta aux pieds du roi en lançant d'une voix courroucée :

— Croyez-vous vous acquitter de votre dette en m'envoyant cet or ? Ne vous ai-je pas déjà dit que je n'attendais nulle rétribution pour ce que j'ai fait pour vous ! Ou plutôt si, si réellement vous vouliez manifester votre gratitude, faites-moi une grâce. Ne trompez pas la confiance que j'ai eue en vous en commettant des actes contraires à la vertu ou à la morale ; servez avec loyauté notre prince, Taillefer, l'espoir du peuple de l'Empire.

Et, ayant ainsi rendu la bourse et vidé son sac, elle tourna les talons et s'en fut.

Le lendemain, Compréhension revint à la charge.

— A quoi sert une brillante intelligence si on n'a pas assez de volonté pour s'engager sur la voie qu'elle vous a indiquée ? Le tigre qui hésite ne vaut pas la guêpe qui pique ; le pur-sang qui folâtre est moins sûr que la rosse qui sent l'écurie. Tout est dans l'action. Savoir saisir sa proie. Dépouillez les autres avant qu'ils vous dépouillent !

Mais il se heurta cette fois-ci à un refus catégorique :

— J'ai servi Plumet et il n'a pas été capable de me donner un poste plus élevé que capitaine de la Garde Royale. Mon rôle se bornait à tenir une hallebarde! Il n'a jamais écouté mes conseils, encore moins apliqué mes plans. C'est la raison pour laquelle j'ai abandonné le Tch'ou pour Taillefer. Celui-ci m'a octroyé, sans même me mettre à l'épreuve, le sceau de général en chef de toutes ses armées. J'ai porté ses vêtements, mangé sa nourriture; c'est grâce à lui que je suis là où je suis. Si je trahis celui qui m'a manifesté bonté et amitié, j'attirerai sur moi le châtiment du Ciel. Non, dussé-je être dépossédé de mon fief et perdre la vie, je ne puis renier mon allégeance!

— Fariboles! lâcha le conseiller en le scrutant d'un œil sévère.

— Je dois trop au roi de Han, expliqua le roi de Ts'i d'un ton embarrassé, comme s'il était un peu honteux de sa propre droiture, un proverbe dit que «celui dont on a partagé le char et la nourriture, on doit en partager les travaux et les peines». Je ne peux, par simple goût du profit, tourner le dos à tous les principes!

— Vous croyez sans doute qu'en vous montrant loyal vous vous attirerez la sympathie de votre maître et assurerez la sécurité de vos descendants. Quelle erreur! Était-il meilleurs amis que Rogaton et Oreille avant qu'ils ne fussent devenus de grands personnages? C'étaient des liens à la vie et à la mort. Mais sitôt que le vertige de la gloire les saisit, il a suffi d'une simple peccadille pour les dresser l'un contre l'autre. Ils se livrèrent une guerre sans merci jusqu'à ce que la tête de l'un d'eux fût séparée du tronc. N'est-ce pas comique? Et pourquoi tout cela? Parce que les hommes sont dévorés d'ambition et que bien peu d'affections sont à l'épreuve des trônes. Méditez sur l'exemple tragique du grand officier Tchong qui fut assassiné par son maître dès que celui-ci fut parvenu à ses fins. Comme l'on dit, « quand il n'y a plus de gibier on fait cuire ses chiens ». Le sujet qui se fait craindre de son seigneur met ses jours en péril. Vous vous tournez vers le Tch'ou, il se défiera de vous; vous restez fidèle au Han, il aura peur. Vous avez trop de puissance et trop de gloire pour rester à votre place. La dernière ligne de l'hexagramme Dépouillement dit : « *Il ne mord pas dans le beau fruit ; si c'est un prince il roulera carrosse, si c'est un manant, il perdra son toit.* » Cela pour montrer qu'on ne peut recevoir en donnant que lorsqu'on a déjà.

— J'ai scrupule à trahir un bienfaiteur. Je ne puis m'y résoudre de but en blanc.

— Ah, me serais-je trompé du tout au tout sur votre compte ! Votre lâcheté devant le boucher de Houai-yin ne signifiait rien d'autre que ce qu'elle était : le mouvement d'un lâche ! Vraiment ! ce n'est pas votre dignité présente qui peut la racheter, bien au contraire. Si vous aviez refusé tout honneur, toute publicité et toute élévation, on eût pu y voir l'une des formes les plus hautes et les plus accomplies de l'estime que l'on se doit à soi-même, la foi hautaine et péremptoire en sa valeur, qui ne se laisse ébranler ni par les échecs ni par le mépris des autres ni même par ses propres vilenies. Dans ce cas-là, vous eussiez été l'un de ces hommes dédaigneux et superbes qui se croient et qui sont supérieurs à l'univers. Si l'Empire dans son entier avait été encore trop exigu pour contenir votre ambition, si non content d'être grand vous aviez voulu vous égaler au Ciel en devenant immense comme le firmament, brillant et solitaire comme le soleil, alors oui, votre geste aurait pris un autre sens. Car une ambition démesurée, de même qu'un orgueil exacerbé, soustrait les actes de celui qui la nourrit au jugement de ses semblables. Mais là, peuh ! en vous contentant d'un pauvre royaume vous montrez que vous ne cherchez les honneurs que pour vous gagner le respect des lavandières et des tueurs de chiens ! Quelle misère ! Quelle pitié ! Il se déconsidère celui qui a besoin de la considération d'autrui !

— Je me déconsidérerai beaucoup plus en prenant à celui qui m'a donné !

— Parole d'homme de peu ! Parole de pleutre sans envergure. Vous perdrez votre dignité si laborieusement conquise en vous laissant spolier de votre misérable royaume par Taillefer et périrez au milieu des rires de mépris de tout l'Empire !

Compréhension salua sèchement et sortit, laissant

Confiance trop interloqué pour qu'il fît immédiatement signe à ses sbires de se saisir de l'impertinent et de le mettre à mort. Sitôt qu'il eut franchi la porte du palais, le rhéteur s'engouffra dans une ruelle, ôta son bonnet, se dépouilla de ses vêtements, retira ses sandales, épandit ses cheveux, se couvrit le corps et le visage de boue, et à demi-nu, se mit à déambuler sur le marché en proférant des mots sans suite.

Lorsque les gardes du roi de Ts'i se mirent à sa recherche, Compréhension avait disparu.

RETOUR

Succès. On peut sans crainte entretenir des relations,
la visite des amis n'aura pas de conséquences fâcheuses.
Il rebrousse chemin,
car sept jours marquent toujours un retour.
Il est avantageux d'avoir un but.
Tonnerre dans le sein de la Terre :
les anciens rois fermaient les passes au solstice d'hiver ;
on n'entreprenait pas de voyages
et le souverain n'inspectait pas les provinces.

Il s'était produit un changement dans la balance des forces, sans qu'aucun événement particulier, ni même la conjonction de plusieurs facteurs, eût pu l'expliquer. Tout simplement la nouvelle configuration prêtait à tout ce qui advenait une signification légèrement menaçante pour Plumet. Comme toujours, les faits étaient des signes et non des causes.

P'eng Yue avait repris ses razzias dans le Wei et désorganisait les lignes de communication. A l'instigation de Confiance, Bienheureux cherchait à fonder un nouveau royaume autonome dans le sud du Ts'i et sur la Houai avec le concours des notables. Ses anciens partisans, qui considéraient cette alliance comme une trahison, s'agitaient ; ces foyers de troubles n'étaient pas sans gêner la collecte des surplus nécessaires à l'effort de guerre.

Plumet, qui faisait face à Taillefer devant Tch'eng-kao, finit par s'en inquiéter. Il confia la garde de la citadelle à ses deux généraux, les anciens directeurs des Affaires criminclles de Yo-yang et de Ti qui l'avaient autrefois aidé, en leur recommandant de refuser le combat et de se contenter de tenir leurs positions, le temps qu'il vienne à bout de P'eng Yue et pacifie tout le territoire du Leang — il ne lui faudrait pas une semaine pour être de retour.

Pendant que Plumet se tournait contre les villes de Tch'en-lieou, de Wai-houang et de Souei-yang, Taillefer provoquait les troupes du Tch'ou. Les deux officiers de Plumet supportèrent sans broncher quelques jours durant les quolibets dont les abreuvaient leurs adversaires puis, n'y tenant plus, ils sortirent de la ville pour en découdre, essuyèrent une sanglante défaite, et, de honte, se tranchèrent la gorge. Taillefer envahit la ville, s'empara des richesses que le roi du Tch'ou y avait entassées, et encercla le général Tchong-li Mo aux abords de Yong-yang.

C'était un sérieux revers pour Plumet; mais il en avait connu d'autres : sa capitale n'avait-elle pas été mise à sac, l'Est ravagé à plusieurs reprises, le Wei conquis ? Tout au plus contraignit-il Plumet à revenir vers l'ouest avant d'avoir eu raison de P'eng Yue. A l'image de la troisième ligne : « *Il fronce les sourcils et s'en retourne : danger mais pas malheur* », on n'eut pas plutôt signalé son approche que Taillefer se réfugiait dans les collines, sans plus oser bouger, et chacun retrouvait ses positions.

Sans doute ces échecs sanctionnaient-ils un manque cruel de talents dans le camp de Plumet; mais ils traduisaient tout aussi bien leur surabondance chez son chef, qui à lui seul suffisait à tout : « *Marchant au milieu des autres, il s'en retourne seul.* »

Le véritable retournement venait plutôt de l'immobilisme même dans lequel se trouvaient les deux protagonistes. Ils piétinaient, leurs manœuvres, après un court trajet, les ramenaient invariablement à la même place. Tout semblait pris dans les glaces hivernales du onzième mois qui « *emprisonne le tonnerre dans le sein de la Terre* ». Cette immobilité ne signifiait nullement une provisoire suspension du mouvement mais, bien au contraire, le moment de plus forte concentration de l'action. Des transformations se préparaient dans l'abri souterrain, froid et noir des sources secrètes où se lovent les dragons ; de même que l'avènement du printemps s'élabore au cœur de l'hiver, dans la nuit du solstice. Et, préparant ce grand revirement, s'effectuaient à chaque instant des allées et venues dont la multiplication annonçait le retour de balancier de l'Histoire.

Les combats n'en continuaient pas moins, avec leur cortège de massacres et leur moisson de morts. Les corps faisaient retour à la terre, au contact de laquelle ils se dissolvaient en poussière. Les chairs se décomposaient et le sang s'infiltrait dans l'humus, traversait les couches jaunes et noires, granuleuses ou pulvérulentes, atteignait les sources vertes, brunes ou rouges qui se cachent dans son sein et donnent leur teinte à la végétation, avant de se dissoudre dans ses veines.

Les chamans appelés par les familles des disparus montaient sur les toits et criaient : « Âme, reviens ! Âme, reviens ! » Le cri résonnait dans l'air pur et stérile de l'hiver, dans l'air gelé, que ne zébrait plus la chaude et vivante palpitation de l'éclair. Mais les âmes étaient parties pour un voyage sans retour. Elles disparaissaient, englouties, happées par les bouches béantes et cruelles des monstres qui peuplent les confins, ou s'enlisaient dans les sables de la nuit éternelle. Et les sorciers, les prêtres et les familles avaient beau s'époumoner dans l'air froid, les âmes ne revenaient pas, « *égarées sur la route du retour* », se pliant à la configuration hexagrammatique de la dernière ligne, que ponctuent « *des signes calamiteux annonciateurs de la défaite finale des armées et d'un grand malheur pour le prince...* ». Des signes inquiétants se produisaient à foison. C'étaient des arcs-en-ciel géants entourés de halos pourpres ou violacés ; des étoiles monstrueuses qui clignaient sur la portion ouest, des corps célestes qui s'abîmaient sur la terre du Tch'ou. On avait vu des licornes s'enfuir vers le ponant. La prédiction pouvait s'appliquer à tous les chefs de guerre, mais elle visait particulièrement Plumet, dont l'autorité s'exerçait sur l'Empirc ct qui faisait figure de principal responsable des massacres. Aussi, plus qu'aucun autre, son destin avait-il subi une altération qui pour être imperceptible n'en était pas moins décisive. Elle se traduisait par une sourde inquiétude, par une lassitude à accomplir ce qui était pourtant sa raison d'être : tuer.

Il y avait désormais dans les mouvements répétitifs, qui ramenaient éternellement les deux protagonistes à leur point de départ, une routine qui lui pesait. Dans la guerre il aimait l'inattendu. Elle lui donnait le sentiment de pouvoir dérober à l'inéluctable un carré de temps vierge sur lequel il imprimait sa marque.

Ce désintérêt se marquait encore dans la crainte qui le hantait que quelque chose n'arrivât à Joie en son absence. Il ne la sentait en sécurité qu'auprès de lui ; la concubine ne le quittait plus ; elle l'accompagnait dans toutes ses campagnes ; elle comblait le vide laissé par sa désaffection pour les opérations militaires.

Un autre trait manifesta de manière encore plus patente la révolution qui s'était opérée en lui. Il signifiait une altération d'autant plus grave qu'elle se travestissait du prétexte de l'habileté politique.

La ville de Wai-houang lui résista plusieurs jours avant de se soumettre. Cette opposition insolite le rendit furieux. Lorsque enfin la ville capitula, il voulut passer par les armes toute la population âgée de plus de quinze ans. Le fils du préfet, un adolescent, au moment où on le séparait de son père pour le placer dans la file de ceux qui seraient épargnés, réussit à attirer son attention et à lui parler. Il lui représenta que la ville ne s'était soumise à P'eng Yue que parce que ce dernier lui avait fait violence. Si le roi de Tch'ou, qu'elle attendait comme un libérateur, devenait son bourreau, aucune des places qui s'étaient ralliées au général de Taillefer ne voudrait retourner dans son giron. C'était le vieil argument des rhéteurs. Mais venant d'une bouche aussi jeune, il impressionna Plumet. Néanmoins, il objecta pour la forme : « Je passerais pour un faible si je revenais sur ma décision. » L'enfant sourit, s'inclina et dit : « Parlant de son disciple favori Confucius a dit : " Il atteint presque la perfection. Il sait toujours quand il commet une erreur et le sachant, il s'empresse de revenir dessus. Le *Livre des Mutations* contient ce jugement : *Il revient à temps ; pas de regret, hautement favorable.* " » La citation eut raison de ses dernières réticences. Pour la première fois de sa carrière, Plumet ne massacra pas la population d'une place qu'il avait dû combattre. Les autres villes se rendirent à l'envi. Son entourage se réjouit, trouvant qu'il avait agi avec sagesse. Il avait tort. Cette magnanimité était de mauvais aloi. Un homme qui triomphe par la violence ne peut sans danger recourir à la bonté ; c'était un aveu d'impuissance. En se plaçant sur le terrain de son rival, il se mettait en état d'infériorité. Pis, ce geste montrait à quel point il était sourdement miné par l'aspiration d'un retour à la paix. On pouvait dire que Taillefer avait triomphé en s'emparant de son âme sinon de son royaume.

De cet imperceptible et décisif revirement de la fortune, il était d'autres symptômes, impalpables, évanescents. Ils tenaient plus de la rumeur que de l'ordre des faits et, pour cette raison même, en fournissaient des preuves autrement capitales. Leur ténuité même en faisait la force démonstrative. C'était comme le souffle d'une saison : toutes les choses se tournent vers le yang au solstice d'hiver sans qu'aucune contrainte ne s'exerce sur elles ; telle est la puissance de la configuration du moment qu'elle « convoque sans appeler et révoque sans congédier. Confuse et sombre, nul ne sait d'où elle émane et pourtant par elle tout s'accomplit ». Et le Retour du Fort, dont la bonté fournit dans la sphère humaine l'expression mensongère, était inéluctable parce qu'il obéissait aux lois cosmiques : « *Le retour suit le cycle céleste* », pour parler comme le commentaire du *Livre des Mutations*.

Des actions insidieuses s'employaient à le promouvoir, conformément à sa composition hexagrammatique : tonnerre qui est mouvement, au-dessous de la terre qui est retenue. Des ombres étaient souterrainement à l'œuvre. On parlait d'une recrudescence d'activité de la secte des devins. Il se répandait comme une odeur de conciliabules secrets. Un chuchotis permanent émanait des ruelles. Toutefois, sitôt qu'une oreille se tendait, tout se taisait. Dès que le regard suivait ces formes vagues, celles-ci se dissolvaient dans le gris de l'hiver.

On eût pu croire à des chimères favorisées par l'angoisse que provoquait l'immobilité apparente de la situation si l'une de ces immondes cabanes de boue qui s'accrochent comme une lèpre aux murailles de la capitale de Ts'i n'avait été le théâtre d'une étrange réunion, regroupant les plus vénérables devins, physiognomonistes, géomans et astrologues de l'Empire. Un esprit averti des mouvements secrets qui préparent le futur eût reconnu parmi cette docte assemblée, assise pêle-mêle au milieu des tessons de poterie, des épluchures de choux et des arêtes de poisson salé, Colline Vagabonde, l'ancien condisciple de Bleu du Ciel, nommé par Taillefer ministre du Tchao (il était versé dans les arcanes divinatoires et scrutait les alternances cycliques des éléments). Maîtres Extension, Millet et Clarté, tous de la secte du Grand Faîte — cénacle dont faisaient partie aussi Lieou Randonnée, frère cadet de Taillefer, Pourquoi, interrogateur passionné de l'achillée et glosateur du *Livre des Mutations* —, étaient aussi du nombre. On y remarquait encore Achèvement, qui avait servi le Ts'in ; il avait pour assistant un bossu — l'ancien bouffon de Barbare que le maître d'escrime Kiu avait recommandé au mage. Dans le coin nord-ouest de la pièce, s'esquissait, à demi dans la pénombre, une figure étonnante, longue, maigre, au front exagérément haut et protubérant, qui évoquait, avec sa peau parcheminée, le sommet jaune d'une montagne : Maître Pierre Jaune. Toutefois il se confondait si bien avec le crépi qu'on aurait pu douter qu'il fût autre chose qu'une illusion créée par les craquelures du mur, n'eussent été les légers hochements qui l'agitaient (mais pouvait-on jurer qu'il ne s'agissait pas d'une impression suscitée par les vibrations de la lumière jouant sur la paroi). Quoi qu'il en soit, la figure réelle ou imaginaire avait les yeux fixés narquoisement sur un autre personnage dont les propos lui faisait branler le chef d'un air dubitatif. Il s'agissait d'un pauvre diseur de bonne aventure ; il portait une robe de sorcier sale et rapiécée, et la couche de crasse qui recouvrait son visage brouillait ses traits. Pourtant, si l'on s'était donné la peine de les examiner attentivement, on eût reconnu, sous le badigeon de boue, ceux de Compréhension, revenu à sa profession première.

Il avait compris que Confiance n'aurait pas le courage de se retourner contre Taillefer et que l'alternative du Trois au Un n'existerait jamais que comme virtualité étouffée de l'Histoire. Il avait dû s'avouer que les sorts étaient déjà fixés. Il avait quitté la cour du Ts'i et rendait des oracles sur les places des marchés. Certains le disaient fou, d'autres le prenaient pour un saint. Et comme l'heure favorisait les contacts ainsi qu'en témoigne la troisième ligne de la figure qui la régissait — « *On peut sans crainte entretenir des relations, la visite des amis n'aura pas de conséquences fâcheuses* » —, il renoua avec les devins et organisa une grande réunion dans son repaire.

Il était impossible de saisir ce qui se disait dans la cabane, tous parlaient en même temps, sans se soucier d'être entendus de leur voisin, et le caquètement des poules qui couraient en liberté dans la pièce, les hurlements des nourrissons affamés, les éclats de voix venues des masures voisines couvraient les monologues du bruit rassurant et familier de la misère. Mais on pouvait surprendre de temps à autre une phrase dont le mystère se colorait d'une menace :

— Le chaudron a perdu l'un de ses pieds...

— Le mouvement s'accomplissant en six, le sept est à nouveau le premier.

— Le septième à partir du plus long est encore le plus court qui contient le plus long.

Ces absurdes formules avaient une application pratique. Une ouïe particulièrement aiguë aurait pu discerner, recouverts par des formules hexagrammatiques, que dominait à son tour le tintamarre de la rue, des jugements définitifs sur les protagonistes de l'Histoire.

— Le piétinement n'est pas le fait de Taillefer, mais de Plumet...

— Il cherche à éterniser une situation de conflit car la victoire lui serait aussi fatale que la défaite : elle signifierait la fin de la guerre et c'est ce qu'il redoute, car elle est sa vie même...

— C'est vrai, sa position est des plus inconfortables : il lui faut remporter des succès mais jamais la décision...

— Ce qui explique pourquoi il a toujours laissé échapper Taillefer !

— En sorte que le cerf de l'Empire doit lui revenir en dépit, ou plutôt en raison de ses échecs...

— Le monde a besoin d'un homme de paix. Les six dragons ont enfin pris parti...

— Les signes auspicieux commencent à nouveau à se manifester.

— Le monstre ne fera pas éternellement mentir les sorts !

— Sapons son moral et son assurance par la propagation de sombres prédictions !

LA FRANCHISE

La franchise est une noble, grande et profitable qualité,
mais employée à tort elle provoque l'apparition de signes néfastes ;
on ne peut alors rien entreprendre d'avantageux.

Emmuré entre les parois des collines, le défilé de Vaste-Guerre s'ouvrait sur le ciel pâle par une fente étroite, ourlée du noir des fortifications de Plumet et de Taillefer qui hérissaient leurs créneaux, leurs forêts de piques et de bannières, leurs mâchicoulis sur ses lèvres ouest et est. Les renflements des éminences rocheuses qui surmontaient la ravine interceptaient les rayons du soleil et y faisaient régner un demi-jour blafard même en plein midi. Parfois on pouvait voir, du fond de l'abîme dont les versants avaient l'inclinaison abrupte et nue d'une vulve de hyène, cligner à la lisière de cette entaille ouverte dans la chair grasse et molle de la terre, telles deux prunelles maléfiques, les étoiles du Loup et de l'Arbalète.

Aujourd'hui, la gorge s'avivait de deux taches rouges, l'une vermeille comme du sang, l'autre orangée comme une flamme ; mobiles, elles descendaient lentement depuis le sommet, la vermeille par la pente est, l'orangée par la pente ouest, dans un éclaboussement de couleurs et dans un crissement d'étoffes. Elles s'immobilisèrent avec leur traîne bigarrée de part et d'autre du torrent qui occupait le fond du gouffre et Taillefer sautait à bas de son alezan à poils frisés sur la rive droite, tandis que Plumet descendait de Vif-

Argent, son fier étalon blanc à crinière noire. D'un geste de la main, chacun fit signe à sa suite de se reculer et les cortèges froufroutants et chamarrés des porte-enseignes et des Officiers-Tigres se disposèrent en arc de cercle sur les pentes. Alors les deux ennemis s'avancèrent à la rencontre l'un de l'autre et se saluèrent de chaque côté du ruisseau. Ils se dévisagèrent un instant, pensifs, se remémorant peut-être leur première rencontre lorsque, simples chefs de bandes, ils s'étaient pris de sympathie et avaient combattu botte contre botte. Six ans s'étaient écoulés, six ans qui avaient suffi à jeter sur leurs épaules la tunique rouge des rois et à dresser entre eux un fossé autrement plus profond que la sombre déchirure qui séparait leurs bivouacs. Le temps avait accompli son œuvre en affectant leurs positions et leurs rapports, mais aussi en imprimant dans leur chair la marque de son passage ; les hanches et la taille de Taillefer avaient encore épaissi et c'était un personnage massif, presque ventripotent, chargé d'ans et de notabilité qui se dressait en face de Plumet, dont les joues autrefois roses avaient pris une teinte cramoisie, comme maculées du sang qu'il avait fait couler. Ces altérations physiques que chacun décelait chez l'autre leur fournissaient à chacun d'eux le sentiment du temps qui passe, de même que le sillage tracé par les jonques sur les eaux du Grand Fleuve témoigne de leur mouvement.

Plumet rompit le silence le premier. Il parlait avec émotion. Soit que cette vallée resserrée comme une crypte mortuaire emplît son âme d'un effroi secret, soit que le babil du cours d'eau roulant ses flots troubles le rendît conscient de la fuite des ans, soit qu'il recelât un fond caché de sentimentalisme, il s'ouvrit avec sincérité et chaleur à Taillefer. Il lui rappela leur amitié ancienne, quand sous ses ordres, ils mettaient l'est de l'Empire à feu et à sang. Pourquoi fallait-il maintenant qu'ils s'opposassent quand ils avaient partagé les mêmes peines et les mêmes joies ? Leur querelle succédant à leur amitié ne les ravalait-elle pas au rang des Oreille et des Rogaton ? Et à se disputer ainsi de misérables portions de territoires tels des chacals, ils risquaient de devenir la risée de l'Empire après en avoir été les bourreaux. Il était temps de mettre un terme à ce conflit stupide, car la terre était assez grande, après tout, pour eux deux. Il était prêt à lui pardonner et même à lui céder toutes les provinces à l'ouest de la fosse de Vaste-Guerre si Taillefer acceptait sa suzeraineté. Autrement, qu'un combat singulier les départage, afin que leur rivalité n'importune plus le peuple.

Dans cette proposition de duel, il y avait, de la part du bouillant général qu'était Plumet, plus une offre de réconciliation et une marque d'estime qu'une manifestation d'hostilité. Pour lui, la paix se confondait avec des jeux guerriers. Son rival — était-ce peur ou calcul ? — s'y méprit. La mine sévère il rabroua son interlocuteur : le véritable Grand Homme ne luttait pas par la force mais par l'intelligence ; un roi digne de ce nom usait des bras de ses sujets et non des siens propres. Il n'y avait là que propos de soudard ou de bravache.

Le sang afflua au visage de Plumet. C'était Taillefer qui avait demandé cette entrevue pour négocier un compromis, il avait eu la bonté d'accepter — il est vrai aussi que la situation l'y contraignait : ses troupes étaient harassées par des campagnes ininterrompues, les coups de main et les razzias des généraux adverses au centre même de son territoire menaçaient ses approvisionnements —, mais il n'en était pas réduit à accepter sans broncher les rebuffades de son solliciteur ! La rancune qui s'était accumulée en lui à la suite de leur différend submergea l'élan nostalgique pour l'ancien compagnon. Le cou et les mâchoires de Plumet se gonflèrent et il jeta à Taillefer ses quatre vérités.

Non content d'avoir bénéficié d'un titre de roi sans avoir rien accompli, il s'était arrogé le territoire du Ts'in sous le prétexte qu'il avait le premier franchi les passes, mais aurait-il pu seulement avancer d'un pouce s'il n'avait pas, lui, Plumet, triomphé des hordes de Tchang Han. Plusieurs fois il avait tenu son existence entre ses mains, et à chaque fois il lui avait fait grâce. Qu'il se souvienne du banquet de la Porte des Grues et du siège de Yong-yang !

— Pour toi, homme ambitieux et vil, il n'existe ni

reconnaissance ni parole donnée. Loin d'éprouver de la gratitude pour mes marques de bonté, tu n'as eu de cesse de m'arracher mes possessions pour t'agrandir, trahissant tes devoirs d'ami et de sujet. Mauvais vassal, tu es aussi un père dénaturé et un fils indigne. Tu étais prêt à sacrifier ta progéniture dans un moment de panique et tu n'aurais pas hésité à te repaître de la chair de ton père si cela avait pu te gagner l'Empire. Tu joues les hommes vertueux non par inclination, mais par calcul. Il n'y a pas si longtemps, tu massacrais les habitants des villes conquises, violais les femmes, incendiais les récoltes, pillais et rançonnais comme un brigand de grand chemin que tu es. Aujourd'hui, il t'est venu du goût pour les lettrés, mais hier encore tu conchiais leur bonnet ! Ah, ce sont là des simagrées de vieux singe qui veut s'emparer des marrons que d'autres ont tirés pour lui. Forban vicieux et cupide, général de troisième ordre, quelle leçon ai-je à recevoir de toi !

Taillefer rajusta sa tunique, prit un air digne et solennel et, pointant sur son interlocuteur un index doctoral et accusateur, y alla à son tour de sa diatribe :

— Pauvre tête brûlée, tu ramèneras donc toujours tout à de misérables questions personnelles ; le Ciel t'avait investi du mandat et tu n'as su qu'en faire ! Ignorerais-tu que « *le Ciel ôte son appui à l'homme dépourvu de droiture et lui envoie des signes calamiteux* » ? Car elle est longue la liste de tes crimes et de tes forfaits ! si longue, à la vérité, que si je devais les énumérer au complet, ce torrent que tu vois là à tes pieds aura été pris trois fois par les glaces avant que j'en arrive au bout !

« Toi qui as mis à mort ignominieusement, sous prétexte qu'il trahissait, le commandant des armées du Tch'ou, Song le Juste, pour s'emparer de son commandement, toi qui t'es précipité à l'intérieur des passes pour me ravir mon bien, toi qui veux faire main basse sur l'Empire sans rien laisser aux autres et qui taxes de cupidité tous ceux qui ne font que défendre leur possession légitime, tu es plus vorace et plus malfaisant qu'un loup !

« Partout où tu passes, tu sèmes la mort et la désolation.

Tu ne sais que piller, rançonner, brûler et massacrer ; oui, vraiment, tu ferais presque regretter le temps du Grand Empereur et de Barbare, car tu as une âme de brigand !

« Boucher sanguinaire couvert de sang des pieds jusqu'à la tête ! Après avoir assassiné Song le Juste tu ne t'es pas arrêté en si bon chemin, tu as lâchement massacré les deux cent mille soldats du Ts'in qui s'étaient rendus, surpassant en férocité le général Paix des Armes de sinistre mémoire ! Tu as perfidement empoisonné le roi du Han avant de chasser de son royaume l'Empereur Esprit et de le faire exécuter par tes séides, félon et régicide !

« Chien avide ! après avoir dépossédé ton suzerain, tu n'as eu de cesse de faire main basse sur les anciens royaumes, gardant tout pour toi et ne donnant rien aux autres. Brute cupide et bornée, tu t'es, par tes monstrueux agissements, aliéné l'Empire, qui m'a choisi pour le défendre contre ta rapacité. C'est ainsi que répondant à l'appel des dieux et des hommes, j'ai levé des armées et compte bien t'infliger un juste châtiment. Mais comment peux-tu comprendre, soudard, que des actes puissent être dictés par le respect du bien public et non par l'ambition personnelle !

Taillefer était un de ces hommes qui possèdent cette admirable qualité d'adhérer toujours pleinement à ce qu'ils disent et à ce qu'ils font, aussi ce qui ne devait être qu'un simple préambule rhétorique devint-il, à peine proféré, le fond même de sa pensée ; comme si, au fur et à mesure qu'il parlait, il se laissait de plus en plus intimement persuader, par son propre discours, de la noirceur de son rival. Il en vint à dresser un véritable réquisitoire, et s'exaltant de plus en plus, se grisant de son déballage, il en fut bientôt à insulter celui avec qui il voulait composer.

Plumet rendit injure pour injure :

— Corbeau paré des plumes du phénix !

— Tortue molle affublée des écailles du dragon !

— Pet foireux d'une cardeuse de chanvre !

— Déjection de général en déroute !

Les deux négociateurs s'invectivèrent de la sorte un certain temps depuis la berge, rouges et le cou tendu, faisant claquer leurs larges manches de soie roide, tels deux coqs de combat qui, montés sur leurs ergots, ébouriffent leurs plumes et agitent leurs ailes, jusqu'à ce que Plumet, perdant patience, n'avise une grosse pierre, ne s'en saisisse et ne la jette, dans un geste de folle exaspération, contre Taillefer. Celui-ci, atteint en pleine poitrine, s'écroula. Plumet remonta en selle, rejoignit son escorte et regagna son camp, tandis que la Garde adverse s'empressait autour de son chef, qui gisait allongé sur le dos...

Devant les yeux de Taillefer, qui, la face tournée vers le ciel, aurait dû contempler une mince bande bleu pâle, dansaient une myriade de points lumineux piquetant une nuit d'un noir opaque. Peu à peu les ténèbres se dissipèrent ; dans un demi-jour blanchâtre palpitèrent deux grosses étoiles, une douleur fulgurante lui traversa le thorax, comme si on l'avait transpercé d'une flèche — la flèche de l'Arbalète, songea-t-il, l'étoile maléfique qui avec le Loup scintillait au-dessus du gouffre. Puis il aperçut, penchée au-dessus de lui, une face blanche dans laquelle brillaient deux yeux sévères ; il l'entendit murmurer la formule de la dernière ligne de l'hexagramme la Franchise : « *Trop de sincérité nuit.* » Tchang le Bon l'observait d'un air perplexe et désapprobateur. Le ministre prévint le cri de souffrance de son roi en lui mettant la main sur la bouche et lui susurra dans le creux de l'oreille :

— Ne laissez pas deviner la gravité de votre blessure. Cela aurait un effet déplorable sur le moral de vos troupes !

Et cédant à cette objurgation dans un mouvement quasi instinctif, le roi cria :

— Aïe ! ma cheville ! je crois qu'elle est cassée !

— Ah ! fort heureusement Sa Majesté n'a presque rien, déclara joyeusement Tchang le Bon à l'intention de l'escorte, la surprise plus que le choc l'a fait trébucher. Elle s'est tordu le pied en voulant se rattraper et elle est tombée à la renverse ; la chute l'a un peu étourdie.

Et tout en se répandant en propos rassurants, il empoigna son roi, l'aida à se relever et le hissa en selle.

Le trajet jusqu'au camp fut une torture. Taillefer se cramponnait à la crinière du cheval. Secoué et meurtri sur le chemin escarpé et caillouteux que sa monture gravissait laborieusement, c'est à grand-peine que, le visage agité de grimaces et le front inondé de sueur, il retenait des hurlements de douleur.

Sitôt arrivé dans ses retranchements, il regagna sa tente pour s'aliter ; mais Tchang le Bon le poursuivit jusqu'à sa chambre à coucher, le houspillant :

— Un peu de courage et de dignité ! Debout, il faut passer vos hommes en revue pour les rassurer pleinement !

— Vous voulez ma mort !

— Et moi, je croyais que vous vouliez l'Empire !

— Vous n'avez donc aucune pitié pour me harceler ainsi, je suis au plus mal ! j'ai craché du sang ! se lamenta le roi d'un ton plaintif.

— Voulez-vous que votre ennemi mette à profit la confusion que provoquera dans vos rangs la nouvelle de la gravité de votre état ?

— Laissez-moi tranquille ! J'ai besoin de repos. Ce n'est pas vous qui souffrez ! Vous n'avez donc ni cœur ni entrailles ! Savez-vous seulement ce que c'est que de vivre, vous qui n'avez jamais aimé personne en dehors de votre Maître Pierre Jaune — il est vrai qu'entre cailloux...

Un sourire indéfinissable tordit la bouche du ministre ; ses lèvres s'entrouvrirent puis se refermèrent comme pour rattraper quelque lourd secret dont elles auraient été gardiennes ; elles ne laissèrent échapper qu'un soupir, expiration fugace d'une énigme dérobée aux mots, qui flotta un instant comme un parfum d'absence, avant qu'il se résorbe dans une voix sèche :

— Permettez-moi d'être franc ; pourquoi croyez-vous que je vous sers ? Pour ce que vous valez ? Brute obtuse et paillarde, ambitieux sans talent et sans envergure, auriez-vous la suffisance de croire que c'est votre vertu qui vous a rallié les suffrages d'hommes supérieurs ? Non ! il se trouve qu'en dépit — à moins que ce ne soit en raison — de votre médiocrité j'ai cru que vous étiez l'instrument choisi par le destin pour accomplir son œuvre ; ce que j'ai admiré en vous, ce n'était point vous-même mais la mission dont vous étiez investi et qui tout en vous annihilant comme personne vous sublimait comme Grand Homme. Mais il ne sera pas dit que la nullité de celui que le Ciel a élu fasse obstacle à la réalisation de ses desseins !

Et mettant son visage tout contre le sien il murmura :

— Poule mouillée qui veut jouer les coqs de combat, penses-tu qu'un Empire ne se gagne pas sans un peu de sueur et de larmes ! Allons, debout gros lard ! ou faut-il que je fasse remonter sur sa selle ton postérieur royal à grands coups de botte !

Tirant et poussant, il traîna dehors son prince abruti de douleur et de mortification, le remit sur son cheval, qu'il cravacha ; la bête partit au galop à travers le camp, et Taillefer, blême et vociférant, passa et repassa en trombe devant ses troupes auxquelles ses glapissements terribles arrachèrent des hourras enthousiastes.

Pendant que Taillefer, bringuebalé par son cheval, galvanisait ses hommes avec ses cris de verrat que l'on châtre, Plumet suscitait l'inquiétude de ses généraux en s'alitant à son retour de l'entrevue de la fosse de Grandeur Militaire. Les traits tirés, la mine mélancolique, il refusait toute nourriture, et même la musique et les chants de Joie ne parvenaient pas à le dérider. Il était en proie à cette affection que seul le temps peut guérir — et qu'évoque la cinquième ligne de l'hexagramme Franchise — parce qu'elle est blessure d'amour-propre. Taillefer l'avait, par ses propos, atteint plus gravement — dans son âme — qu'il ne l'avait été dans sa chair par la pierre lancée par son ennemi.

Et pendant que le guerrier sensible refusait de paraître, des bruits étranges se répandaient de par l'Empire. Ils gagnèrent bientôt ses armées ; la majorité des soldats et des officiers y prêtèrent foi, car l'étrange retraite de leur général semblait les corroborer. Bien que ce fussent les partisans de Taillefer qui auraient dû craindre le désastre, eux dont le chef, véritablement meurtri, se tordait sur sa couche, le thorax défoncé, c'était dans le camp de Plumet que flottaient des relents de déroute, comme si, à l'image de la formule de la dernière ligne de l'hexagramme auquel ce moment du cycle était soumis, « *son franc-parler lui avait attiré la guigne* ».

Dans toutes les provinces courait la fable que Plumet avait cherché à assassiner le roi Taillefer lors d'une rencontre pacifique au val de Vaste-Guerre, en lui décochant une flèche avec une arbalète qu'il tenait dissimulée sous sa cuirasse, mais un rayon lumineux lancé par l'étoile du Loup l'avait déviée, tandis qu'un dard mystique parti de l'Arbalète céleste transperçait le traître. Les astrologues avaient vu ces astres s'entourer d'un halo la nuit précédant l'événement. Des doctes et des devins rappelaient les antiques prédictions émanant, disait-on, du cercle des Trigrammes ou de Confucius lui-même : « Le ciel est en bas, la terre en haut ; des étoiles apparaissent en plein jour ; la Flèche sinueuse glisse vers l'ouest ; l'œil du Loup se met à briller, l'Arbalète à comploter. » On avait déjà rapporté la prédiction à la chute des Ts'in, mais elle valait tout autant pour la lutte qui opposait les deux prétendants à la terre sous le ciel. Lorsque Plumet, volant au secours de Grand Cerf depuis l'est, avait défait les armées de Tchang Han, une étoile filante, dont la tête pointue et la partie terminale de la queue empanachée rappelaient une flèche, avait traversé d'un feston la voûte céleste en se déplaçant vers l'ouest ; c'était une de ces comètes appelées « flèches sinueuses », annonciatrice de ruine pour le pays vers lequel elle est pointée, mais manifestant aussi dans sa marche zigzagante — alors que la flèche va ordinairement droit au but — le manque de droiture de celui qui infligerait le châtiment. De fait, Plumet avait détruit les armées du Ts'in et était entré dans Double-Lumière en semant derrière lui la ruine et la désolation ; et le coup tordu qu'il avait décoché à son adversaire répondait bien à la marche torse du corps céleste. Bien qu'il fût la concrétion du feu, Taillefer était astrologiquement symbolisé par les constellations du quart ouest du ciel, en tant que souverain des terres occidentales de l'Empire. Il bénéficiait donc de la connivence des étoiles de l'Arbalète et du Loup régissant le royaume de Ts'in. Le rayonnement insolite de ces deux corps célestes manifestait par anticipation la protection qu'il allait en recevoir. D'autres symptômes venaient le confirmer : lors de son entrée dans le pays de Ts'in, les Cinq Planètes s'étaient trouvées regroupées dans la constellation du Puits, l'un des repères astronomiques de cette contrée ; les calculs avaient montré que les planètes s'étaient retrouvées dans la même mansion après avoir suivi les mouvements de Jupiter. Le prince du pays au-dessus duquel les Cinq Planètes se regroupaient à la suite de Jupiter attirait à lui tous les seigneurs de l'Empire par sa rectitude... Et qui d'autre était le légitime roi de Ts'in sinon Taillefer, si l'on s'en tenait aux termes de la convention signée entre tous les princes ? Les étoiles ne mentaient pas ; les signes étaient limpides, tout annonçait l'avènement de Taillefer.

Si les étoiles tracent infailliblement dans leur course lumineuse le devenir des nations, l'avenir s'énonce aussi par la bouche des enfants, eux qui par leur innocence et leur franchise sont les porte-parole privilégiés du destin. Or les garçonnets à tête rase, les fillettes aux cheveux noués en cornes s'étaient mis à chanter des comptines en sautant à cloche-pied sur les places des marchés. De leurs voix grêles et perçantes ils se réjouissaient de la déroute prochaine du méchant Tch'ou.

GRANDES ACCUMULATIONS

Il est bénéfique de s'abstenir des repas familiaux.
Traverser un grand fleuve apporte des avantages.

L'hexagramme de la Franchise engendre celui des Grandes Accumulations par simple retournement. Mais bien que les figures se génèrent par inversion du haut et du bas, les situations auxquelles elles renvoient, tout en étant soumises à la même loi du renversement, se succèdent suivant un cours auquel le foisonnement de la vie et la multiplicité des causes prêtent un caractère chaotique. Et pourtant, derrière l'arbitraire et l'incohérence dont le voile des faits travestit le réel, ce sont encore les mêmes principes inexorables qui œuvrent.

Déjà les cris de goret qu'avait poussés Taillefer en guise de cris de guerre, cependant que son adversaire s'était alité, en proie « *à une de ces affections qui ne se guérissent pas par des médecines* », modulaient une manière de prélude à la configuration suivante dont la cinquième ligne s'interprète ainsi : « *Le verrat châtré est dans l'enclos* » et la quatrième : « *Les cornes du jeune taureau sont boulées.* » A vrai dire, Taillefer n'était plus tout jeune et méritait plutôt le qualificatif de vieux singe, mais plus que la jeunesse de l'animal, la formule évoque une immobilisation provisoire, bénéfique tant pour celui qui en est l'objet que pour les autres. Le cochon prisonnier dans sa cage se remettra de la blessure qui le rendait fou furieux et bien gavé, deviendra un gros porc qu'on égorgera pour une de ces ripailles du nouvel an ou pour quelque sacrifice saisonnier ; de même que l'entrave qu'il porte sur les cornes protégera autant le taurillon que ses gardiens de ses mouvements irréfléchis de jeune animal folâtre, jusqu'à ce qu'il soit devenu un bœuf sage et placide qui tirera la charrue, contribuant ainsi à l'acculumation des surplus.

Sa blessure fut une bénédiction pour Taillefer : elle le contraignit à abandonner provisoirement la lutte pour chercher un abri à l'ouest des passes où il put se rétablir sans avoir à craindre une offensive ou un coup de main de son ennemi. Mais toute formulation divinatoire étant par nature à double entente, le verrat ou le taureau désignait tout aussi bien l'infortuné Plumet, que la mélancolie, coupant ses moyens, tenait enfermé dans sa tente, derrière les palissades de ses fortifications, gardant ainsi Taillefer de ses charges de taureau.

Cependant, l'extraordinaire gain qu'allait accomplir Taillefer, à la suite de la tentative de paix avortée du fossé de Vaste-Guerre, ne résulta pas uniquement d'un échange de vérités bien senties, il fut aussi le produit d'un énorme entassement.

On peut lire dans le Grand Commentaire, compilé à partir des leçons du Maître sur le *Livre des Mutations* : « La grande vertu du Ciel et de la Terre s'appelle la Vie, le grand joyau du saint s'appelle la Position ; les hommes sont ce qui lui permet de la conserver et les richesses ce qui attire les hommes. » De fait, c'est en thésaurisant des biens que les rois ont pu réunir des partisans autour d'eux pour s'élever. Et assurant ainsi la subsistance et la survie de leurs sujets, ils se conforment à l'action de l'univers qui est d'entretenir la Vie.

Siao Portefaix, pour avoir été un fonctionnaire modèle dans ce modèle d'organisation étatique qu'était le Ts'in, demeurait intimement convaincu que le destin des monarques reposait sur la constitution de réserves de grains. Au cours de ses discussions avec les officiers militaires et les maîtres de stratégie qui assistaient Taillefer dans ses campagnes, il avait coutume de s'exclamer : « Pourvu qu'on ait du grain il n'est pas d'entreprise qu'on ne mènera à bien ! On emportera toutes les places qu'on attaque, défendra victorieusement toutes les citadelles qu'on occupe, défera toutes les armées au combat. On pourra gagner le cœur des soldats ennemis et attirer à soi les étrangers ! »

Lorsque Li Yi-k'i, que pourtant il n'aimait pas, avait donné le conseil d'attaquer les greniers de Ngao plutôt que de se replier frileusement au débouché du Ts'in, il avait approuvé en disant :

— Votre destin est entre les mains du peuple ; celui-ci ne songe qu'à bâfrer, rendez-vous maître de sa panse et vous contrôlerez l'Empire. Toutes les réserves de grain sont entreposées aux greniers de Ngao ; emparez-vous-en, puis retranchez-vous derrière le fleuve Jaune et tout l'Empire viendra vous manger dans la main.

Apaisant, Tchang le Bon opiniaient du chef : la victoire s'obtenait dans la paix. En moissonnant les lourds épis dans les rizières dorées par l'été plutôt que les têtes sur les champs noirs des batailles. Et Portefaix stimulait l'activité fondamentale. Les hommes frustes et butés du Ts'in, penchés sur leur charrue que tiraient des bœufs gras et forts, faisaient rendre à la terre ses richesses qui, convoyées par bateau, par charrettes ou à dos d'homme, s'entassaient dans les greniers publics. Proprement empilés dans les silos, ils formaient d'abord des tas, puis les « tas » s'ajoutant les uns aux autres devenaient des « amas », dix « amas » constituaient un « monceau », pourvu d'une porte à cadenas ; il fallait dix monceaux pour remplir un silo. Les silos étaient placés dans une enceinte, à quelque distance des résidences administratives, et gardés par des sentinelles armées. Dans chaque accumulation n'entrait jamais qu'une seule et même variété de céréale dont le nom était inscrit en caractères bien visibles sur les portes, facilitant ainsi le décompte des quantités de chaque sorte qui entraient et sortaient...

Bien que l'impôt eût été réduit d'un dixième par rapport à celui perçu par les Ts'in, les surplus affluaient en masse ; la loi du Ts'in avait fait du travail de la terre chez cette population bornée et frugale une seconde nature ; on y semait, binait, sarclait, récoltait et engrangeait comme l'on respire, se nourrit ou dort. Abrutis par les travaux des champs, les hommes se laissaient enrôler dans les armées tels de grands ruminants paisibles. Et les montagnes de grains qui, débordant des portes des silos, se répandaient dans les cours pour monter à l'assaut des palissades, en une blonde vague nourricière, assuraient la subsistance des flots humains qui, après les avoir récoltés et engrangés, se déversaient sur l'Est pour y être fauchés par la lame blanche des combats. Il y avait eu trois campagnes agricoles et trois levées de conscrits. De ces trois armées pas un soldat n'avait survécu, en revanche les greniers croulaient sous les réserves et les troupes fraîches ne cessaient d'affluer. Il semblait que les uns et les autres s'agrégeassent puis disparussent au même rythme ; comme si le grain n'avait été produit que pour s'engloutir dans les ventres de ceux qu'on destinait à une rapide disparition. En sorte que c'était sur des tombereaux de cadavres que s'accumulaient les *vivres,* qui par un déni de leur dénomination et de leur fonction se voyaient chargés d'entretenir la mort et non la vie.

La vue de ces immenses accumulations de céréales aurait engagé un Han Fei, voire un Li Sseu, à méditer sur la dureté d'un siècle où le bonheur et la paix se réduisent à l'alternance monotone des campagnes agricoles et guerrières et où la production ne vise qu'à la destruction. Sans doute après avoir soupiré sur le triste destin des humbles, condamnés à vivre dans un monde qui bien que fait par eux n'était pas fait pour eux, eussent-ils haussé les épaules avec cynisme en se disant que l'Ordre recèle en lui-même sa propre justification, et qu'un système qui l'assure a la grandiose et inhumaine beauté de la nature. Et puis qu'importait ! eux, ils en jouissaient, de ce monde, non pas tellement dans la possession des richesses et des produits tirés des flancs avares de la terre, mais dans la délectation de la maîtrise qu'ils détenaient sur lui.

Portefaix ne songeait à rien de tel en inspectant l'alignement des portes de bambou tressé, gonflées à en éclater sous la pression des céréales — on y trouvait là le millet à panicule, le riz long et rond, le riz glutineux du bassin du Sseu-tch'ouan, le riz vert pour les bières, les diverses espèces de froment et une infinie variété de haricots ; il y avait aussi les fenils où s'entreposait le fourrage pour les bêtes. Il s'adonnait à l'émerveillement toujours renouvelé que lui procuraient toutes les manifestations tangibles, toutes les massives évidences de l'efficacité de l'administration ; ce pouvaient être aussi bien des bordereaux soigneusement classés, des registres de conscription, des fiches de police ou le cahier de service d'un fonctionnaire tenus à jour, que les rayonnages de la bibliothèque impériale de Double-Lumière, les magasins de sous-préfecture dont le rangement témoignait d'une sage et compétente gestion. Elles lui procuraient une sorte de ravissement, un peu à la manière d'un artisan qui se délecte du travail bien fait.

Portefaix avait organisé une visite des greniers de Ngao, les plus vastes réserves de grains de tout l'Empire, pour remonter le moral de son maître mis à mal par ses défaites répétées et la blessure que lui avait infligée Plumet. Et tout en passant en revue les différents silos et magasins, il tentait de communiquer son enthousiasme à Taillefer et à Tchang le Bon. Pour lui, la guerre n'était qu'une suite de problèmes d'approvisionnement, de lignes de communication, d'intendance. Ceux-ci étaient autant de défis tout à la fois terrifiants et exaltants lancés à ses services. Et ces immenses entrepôts protégés par leurs toits de chaume suscitaient dans son esprit des images de répartition de levées, d'échange de circulaires entre l'état-major et les préfectures ; il lui semblait entendre les grincements de roues des convois chargés de distribuer aux hommes affamés et fourbus la manne nourricière.

Il s'exaltait :

— Regardez ! tout ce grain, tout ce grain ! Avec de telles réserves, impossible de perdre la guerre !

Le monarque n'arrivait pas à partager tout à fait l'enthousiasme de son ministre. Il songeait aux armées entières qu'il avait menées au carnage ; naturellement, il avait toujours pu réunir de nouvelles troupes, amasser de nouveaux surplus. A peine anéanties, ses forces étaient immédiatement reconstituées. De sorte que, bien qu'il eût toujours été vaincu, son potentiel demeurait intact. Taillefer trouvait toutefois un piètre réconfort dans un succès qui ne rendait que plus patents ses propres échecs. Il lui semblait jouer le rôle ingrat de faire-valoir, comme s'il n'eût été là que pour donner l'occasion à ses subordonnés de déployer tout leur savoir-faire en réparant les pots cassés ! Il fallait leur rabattre leur caquet.

— De belles réserves en effet, qui ne resteront pas longtemps intactes ; je compte me mettre incessamment en campagne. Eh oui, si vous amassez, moi je dilapide. C'est pourquoi moi je suis roi et vous vous êtes ministre...

Portefaix eut un hoquet de surprise :

— Prendre le commandement d'une armée ! Y pensez-vous ? Vous n'êtes même pas encore rétabli. D'ailleurs nous avons tout intérêt à temporiser. Plus nous attendrons, plus nos richesses s'accroîtront et celles de Plumet diminueront. De solides défenses naturelles protègent nos arrières tandis que P'eng Yue et Face Tatouée ravagent continuellement les provinces adverses. Lorsque notre économie sera au plus haut et celle de l'adversaire au plus bas, il vous suffira d'une simple promenade militaire en dehors des passes pour conquérir l'Est ; l'Empire tombera dans vos mains comme un fruit mûr...

— La belle affaire ! N'importe qui pourra m'en disputer la possession, puisque je l'aurai gagné sans avoir rien accompli !

Hâve et fiévreux — les remèdes n'avaient pas encore réussi à juguler l'inflammation de la plèvre consécutive à l'enfoncement du sternum —, Taillefer s'agitait sur sa litière de repos. Un mouvement du bras lui arracha une grimace de douleur.

— Vous voyez, s'exclama Portefaix avec un sourire triomphant, vous souffrez au moindre geste... Jamais vous ne pourrez endurer les fatigues d'une campagne. Et puis, savoir son chef invalide démoralise l'armée...

Quêtant un appui, il se tourna vers Tchang le Bon, qu'il savait très écouté de Taillefer. Celui-ci était pâle comme la mort ; non que l'offusquât le rapport ainsi complaisamment dévoilé de l'agriculture et de la guerre — le sang succédant à la sueur — mais pour un odorat déshabitué des céréales, leurs remugles douceâtres soulevaient le cœur ; c'était comme s'il s'était trouvé au milieu d'un immense charnier ;

266

l'insidieux parfum, s'infiltrant à travers la muqueuse nasale, infectait tout son corps, du cerveau aux cinq viscères, d'une exhalaison putride ; ses esprits vitaux s'agitaient ; il entendait grincer et ricaner les Trois Cadavres, ces immondes parasites des Champs de Cinabre ; son organisme se révulsait ; des spasmes agitaient les Trois Cuiseurs ; la veine médullaire, contractée, ne laissait plus passer le Souffle Primordial ; et remontant de la part périssable et terrestre qu'il n'avait pu encore éliminer de son moi, tels des reflux d'eaux usées, des visions effrayantes étendaient leurs ombres monstrueuses et morbides devant ses yeux. Il eut comme un rêve éveillé : il gravissait les versants caillouteux d'une haute montagne, et au moment où il croyait en atteindre la cime, accédant ainsi à l'immortalité, il s'aperçut que celle-ci avait la forme d'une tête de femme — et Liu la Faisanne, l'image qui invariablement troublait ses méditations, ricana, sa face se décomposa ; elle ne fut bientôt plus qu'un crâne à demi rongé par les vers, tandis qu'il sentait les pentes s'effondrer ou plutôt glisser sous lui, comme des grains de sable ou... de céréales. C'étaient des céréales, une montagne de blé et de riz qui se déversait sur lui, l'étouffait, et à mesure que les particules brunes l'ensevelissaient, elles se muaient à leur tour en autant de têtes de mort.

Sa répulsion fut si violente qu'elle s'étendit aux activités que l'engrangement favorisait. Il eut horreur de la guerre car il y vit pour une fois la même face hideuse de la mort. A demi pâmé, l'air hagard, il haleta :

— La paix ! il faut faire la paix ! il y a assez de morts, assez de sang !

La véhémence du ton impressionna Taillefer. Tout en jetant un regard torve à son conseiller, il se rencogna sur la banquette et ne dit mot. Son thorax le faisait souffrir et il n'était plus si sûr d'avoir envie de combattre.

Dans le camp du Tch'ou, le repas familial qui réunissait tous les membres du clan des Hsiang se déroulait dans une atmosphère tendue. Plumet était d'humeur exécrable : l'Est n'était plus qu'un champ de ruines, qu'un vaste entassement de décombres fumants ; P'eng Yue, Face Tatouée et leurs bandes de pillards ravageaient les provinces les plus prospères de l'Est, brûlant les récoltes, terrorisant la population, coupant les communications et faisant main basse sur les approvisionnements. Et aucun de ses cousins, frères, neveux et oncles qu'il avait largement pourvus en fiefs, prébendes, émoluments et grades n'avait été capable de les mater.

Cependant que son regard, où l'affection (c'étaient les siens) le disputait à l'exaspération (une fameuse bande d'incapables qu'il traînait derrière lui), courait de l'une à l'autre de ces trognes aux traits massifs, il trouvait un dérivatif au mépris que leur appartenance à un même sang lui interdisait de ressentir de façon explicite, dans les menaces qu'il proférait à l'encontre des membres du clan de son rival. Il parlait à nouveau de les faire bouillir dans un chaudron pour s'en repaître. Et les Sans-Peur, les Renommée, les Bonnet, les Fort éructaient à l'évocation des sévices qu'ils allaient infliger à leurs ennemis. Ils poussaient leur parent à se montrer ferme, à se débarrasser de ses scrupules. Qu'il tue cette engeance ! Qu'il lève une armée et livre un combat décisif avec toutes ses troupes à son seul véritable adversaire ; les autres n'étaient que piqûres de taon. Une fois Taillefer écrasé, tout rentrerait dans l'ordre.

Peut-être n'avaient-ils pas tort avec leurs idées de brutes simplistes — car la guerre est une activité simple et brutale. Et si à ce moment-là Plumet avait attaqué, affrontant une armée privée de son chef, avant que les surplus dont elle disposait aient pu peser dans la balance, il aurait mis toutes les chances de son côté.

Une de ces lueurs rusées qui s'allument dans l'œil des sots quand ils vont proférer une énormité brilla dans la prunelle du premier ministre Hsiang le Superbe. Il voulut étayer par une argumentation logique les déblatérations de ses parents :

— Vous vous souvenez de la réponse que vous fit Taillefer la dernière fois que vous le menaçâtes de faire bouillir son père ? Il s'est vanté qu'il serait ravi d'en goûter une tasse de bouillon ! Prenez-le au mot et profitez de ce que son geste lui aura aliéné la sympathie des sages et des preux pour l'attaquer et le détruire. Le *Livre des Mutations* ne dit-il pas : « *Il est propice de s'abstenir de repas familiaux* » ?

Oncle Hsiang, la seule tête politique de la famille avec Plumet, était resté jusqu'alors silencieux. Cette absurdité le fit sortir de sa réserve :

— *Repas familial, triple buse, ça veut dire manger en* famille et non pas manger *sa* famille. D'ailleurs, même si la formule avait le sens que tu lui donnes, elle serait contredite par la majorité des exemples historiques. Et manger en famille, figure-toi, âne bâté, cela ne signifie pas partager la même table, mais distribuer des fiefs et des émoluments uniquement à ses proches. Un monarque avisé récompense d'abord la vertu et le mérite ; il pourvoit à l'entretien des sages avant de nourrir les siens ; attirant à sa cour les hommes de talent par la promesse de récompenses et de dignités, il accroît en retour sa puissance et sa richesse. Mais vous qu'on voit s'empiffrer à la table de notre prince, vous qui jouissez de ses largesses et de ses émoluments, quels hauts faits avez-vous accomplis pour le mériter ! Aucun ! Toi Hsiang le Superbe, rejeton d'une famille de généraux depuis dix générations, n'as-tu pas été écrasé à trois reprises par un drapier !

Et jetant un regard circulaire sur les autres convives :

— Pas la peine de ricaner, Bonnet ! Tu t'es fait étriller par Fou le Large devant les greniers de Ngao et par Kouan Ying à Solidité-du-Pot-de-Terre, et vous autres, Renommée et Sans-Peur, vous n'avez guère été plus brillants !

Puis il se tourna vers Plumet et prévint son objection :

— Je sais, ce sont les aléas de la guerre et il ne faut pas tenir rigueur à un général de ses défaites ! Mais tout de même ! Le résultat de tout ça, c'est que les greniers sont vides et les soldats harassés. Nous avons besoin d'une trêve pour refaire nos forces. Nous profiterons de ce répit pour attirer les hommes capables en leur offrant des charges et je ne donne pas un an pour que tout l'Empire soit soumis.

Soit que ses rodomontades cachassent un repentir secret pour un geste irréfléchi qui lui donnait le vilain rôle, soit

269

qu'emporté par sa passion il ne voulût plus distraire un seul instant de la compagnie de Joie, soit encore qu'il craignît d'exposer Oncle Hsiang par un désaveu à la vindicte de ses neveux et cousins, que celui-ci venait d'offenser gravement, Plumet se montra tout disposé à approuver ces suggestions. Il soupira :

— Mais voudra-t-il seulement traiter ? Il doit être furieux après la pierre que je lui ai lancée...

— Il ne souffrirait que d'une blessure au pied. Rien de grave. Et il est trop profond politique pour refuser une offre de paix assortie de conditions avantageuses...

— Une petite blessure au pied ! Et moi qui croyais lui avoir enfoncé trois côtes pour le moins. Je baisse, je baisse... Eh bien, puisque c'est ainsi, traitons.

Oncle Hsiang fut chargé d'entamer des pourparlers avec l'ennemi, Tchang le Bon persuada son maître de laisser un lettré mener les tractations à sa place, afin d'éviter que ne se reproduisît un incident semblable à celui de Vaste-Guerre. Le rhéteur de Taillefer se montra habile, il réussit à arracher à la partie adverse un traité aux termes duquel toutes les provinces situées à l'ouest de Grand-Pont revenaient à son maître. En sus, tous les membres de sa famille détenus en otages lui seraient rendus.

Lorsqu'il lut le texte de la convention, Taillefer sentit ses yeux se mouiller de larmes. La moitié de l'Empire lui appartenait. Il repensa à ses timides débuts et à tout le chemin parcouru. Il se dit qu'en s'élevant le Grand Homme passe des petits gains aux grandes accumulations. Toutefois, lorsqu'il se retrouva à souper avec sa femme et son père pour fêter leurs retrouvailles, et qu'il essuya les jérémiades de son père, qui trouvait que tout allait de travers depuis son absence, et les récriminations de la Faisanne, dont le cœur était gonflé de jalousie et de crainte à la pensée de l'ascendant que Dame K'i avait dû prendre sur le roi en profitant de sa captivité, il put méditer tout à loisir la justesse de la maxime du *Livre des Mutations : « Il est bénéfique de s'abstenir de repas familiaux. »*

VENTRES PLEINS

Droiture toujours récompensée.
Plutôt que de regarder dans le ventre d'autrui
pense à emplir le tien.
Ciel et terre emplissent le ventre de tous les êtres.
Le saint nourrit les sages
et atteint ainsi le peuple tout entier.
Fondamentale, l'activité de remplir les ventres !
Au pied de la montagne, le tonnerre.
Ainsi le sage surveille les paroles et règle la nourriture.

Les ors, les hermines, les sinoples et les gueules des étendards frappés des emblèmes éponymes des orients se détachaient sur la campagne en une savante formation. Au centre, sous le dais safrané du char de commandement, le chef suprême des armées se haussait sur la pointe de ses chaussures à breloques. Une main appuyée sur la barre transversale, l'autre placée en visière dans le prolongement des franges de son bonnet royal à douze pendeloques, il regardait au loin la ligne d'horizon désespérément vide. De temps à autre, un frisson d'espoir lui agitait les épaules, lorsqu'il voyait s'élever tout au fond de la plaine un nuage de poussière ; mais ce n'était que le vent du nord-ouest qui soulevait la terre sèche.

— Que peuvent donc bien faire ces cochons ! Perdent rien pour attendre ! j' te les secouerai drôlement quand ils ramèneront leurs têtes d'enfoirés ! j' leur pèlerai la peau, je les pendrai par les couilles jusqu'à ce que mort s'ensuive ! je leur ferai bouffer leurs propres entrailles... Quand il s'agit de réclamer des fiefs, sont tous là à s' bousculer devant ma

271

porte. Mais faut rien leur demander; quand on a besoin d'eux, y a plus personne. Ah, pour s'empiffrer c'est à qui sera le premier, et dès qu'il faut exposer un peu sa couenne, histoire de manifester un brin de reconnaissance à son bienfaiteur, on peut pas dire qu'ils se poussent!

La déconvenue, la peur et la rage avaient fait craquer le vernis de solennité dont Taillefer enrobait ses propos depuis son accession au trône, pour se conformer à ce qu'il croyait être le modèle du saint roi. Et c'était avec l'accent grasseyant et canaille du pilier de cabaret, de l'habitué des tripots du Tch'ou qu'il se répandait en propos orduriers sur ses alliés, Confiance, Face Tatouée et P'eng Yue, qui n'étaient pas là pour opérer la jonction avec lui. Son armée avait suivi de loin Plumet qui opérait son repli, la paix signée, vers le fleuve Bleu, pour l'attaquer à revers, en un point convenu, avec les trois autres; leur retard le mettait en fort mauvaise posture.

Cependant que le roi laissait ainsi libre cours à son ressentiment, de très loin s'élevèrent trois colonnes de poussière dans lesquels les rayons du soleil déclinant jetaient comme de la poudre d'or.

— Ah, s'exclama Taillefer qui, juché sur son char, tout écumant, venait de les apercevoir, c'est pas trop tôt!

Et, s'adressant d'une voix tonnante à son entourage :

— N'empêche, j' me réserve de faire passer un mauvais quart d'heure au dernier arrivé!

Il y eut à ce moment un galop d'éclaireurs; minuscules points gris au bout de la plaine, ils ne tardèrent pas à prendre du volume et des contours, piquetant la campagne de couleurs vives. On vit claquer des drapeaux d'alarme. Derrière eux, les trois panaches d'or s'assombrirent; ils s'approchaient des armées de Taillefer à la vitesse d'un ouragan. Bientôt on put distinguer une masse noire, luisante et serrée, soulevant, au contact du sol, des colonnes poudreuses à la manière des bateaux-dragons du cinquième mois dont les proues métalliques chauffées à blanc font fuser la vapeur sur le fleuve Bleu.

Les trois cohortes d'où émanait maintenant un souffle mortel se déployèrent, dans un mouvement tourbillonnant, en formation de combat. Comme une tornade déversant sur la terre ses trombes d'eau, du sein de ce noyau que nimbait une poussière jaune s'abattit une pluie de flèches. Le peloton d'éclaireurs fut décimé. Plumet et ses deux généraux, Ki Pou et Seigneur Ting, profitaient de ce que l'adversaire se fût ainsi exposé en état d'infériorité numérique pour revenir sur leurs pas et l'attaquer.

La belle formation en huit corps ondoya, ses carrés se disloquèrent, laissant son centre ouvert aux coups de l'ennemi. Ting fut le premier à s'y engouffrer. Sa colonne encercla la Garde Royale. Il y eut un furieux corps à corps. Alors que les deux troupes combattaient à l'arme courte, Taillefer et Seigneur Ting se trouvèrent face à face. Taillefer le regarda fixement dans les yeux et soupira :

— Ah, est-il possible que deux hommes de bien conspirent ainsi à se nuire !

Ting baissa son épée et murmura :

— Oui, il vaudrait mieux qu'ils s'entraident. Toutefois, comme dit le *Livre des Mutations* : « *Le tigre regarde férocement ; il s'apprête à bondir sur sa proie : on a toujours intérêt à ce qu'il ait le ventre plein.* »

— Citation pour citation, je vous répondrai par la deuxième ligne : « *Il se remplit le ventre au détriment de ses sujets.* » Cela ne vous rappelle-t-il pas quelqu'un qui garde tout pour lui et ne donne rien aux autres ? Et il chuchota :

— Moi, « *je sais remplir le ventre de ceux qui m'ont aidé dans l'adversité* » ! Je vous ferai don d'un royaume si vous me laissez partir !

Ting fit battre la retraite et Taillefer put se dégager de l'étau.

— Vous conspireriez ma perte que vous n'agiriez pas autrement ! D'abord vous me conseillez de négocier, puis la paix faite vous me poussez à la rompre et à attaquer Plumet, et tout cela pour un beau gâchis : mes alliés n'étaient pas au rendez-vous, j'ai failli y laisser ma peau et c'en est fait de mon crédit !

Le roi Taillefer, gris de poussière et vert de rage, dardait sur ses deux stratèges, Tchang le Bon et Apaisant, un regard meurtrier tout en les accablant de reproches. Il se fût abandonné à ses excès de langage et eût peut-être même accompli un acte irréparable, n'eût été l'air à la fois détaché et souffrant de Tchang le Bon, qui malgré tout lui en imposait et l'obligeait à se contraindre, et le besoin qu'il avait de leurs conseils pour le sortir de la passe difficile où — ironie — leurs calculs l'avaient entraîné. Et, bien qu'il les houspillât, il demeurait toujours dans les bornes de la colère permise à un maître qui a eu à pâtir de la négligence de ses subordonnés.

D'une voix faible et traînante, car il se relevait à peine d'une crise particulièrement terrible, Tchang le Bon entreprit de se justifier. Il lui avait conseillé de traiter parce que, à ce moment-là, la paix était plus avantageuse que la guerre et elle avait en outre toutes les chances d'être acceptée par Plumet. Maintenant la conclusion du traité modifiait la situation du tout au tout et rendait le recours aux armes profitable. En acceptant de négocier, Plumet avait fait un double aveu, dont il convenait de tirer parti au plus tôt : il avait besoin de refaire ses forces et il acceptait comme un fait accompli la prétention de son adversaire à s'immiscer dans les affaires de l'Empire. Ainsi, bien qu'il n'eût perdu aucune campagne militaire, Plumet apparaissait comme le grand vaincu de ces négociations. Toutefois, pour gagner la paix il fallait faire la guerre. C'est pourquoi il lui avait donné le conseil de se mettre en campagne et de demander le secours des autres généraux, qui ne manqueraient pas de l'appuyer aujourd'hui qu'il faisait figure de vainqueur. Qu'il agisse vite et ne pas laisser échapper l'occasion offerte par le Ciel, ce qui serait, comme on dit, s'attirer le malheur en nourrissant un tigre...

Taillefer l'interrompit :

— A propos de tigre, à cause de vos belles machinations il a fallu que j'en nourrisse un avec la promesse d'un fief pour qu'il ne me dévore pas !

— Qui est-ce ?

— L'oncle maternel de Ki Pou, Seigneur Ting !

— Ah, ce n'est pas un tigre mais une hyène, une hyène édentée, même. Un tigre ne vous aurait pas lâché ! Rendez grâce au Ciel qu'il vous ait fait tomber sur l'oncle plutôt que sur le neveu, un vrai preux celui-là.

— Eh, par les démons, j'en sais quelque chose, pour avoir été traqué par lui lors de la déroute de P'eng-tch'eng !

— Vous n'auriez pas eu à jeter une terre en pâture à un charognard si vous vous étiez employé à satisfaire les bêtes de proie qui ne demandent qu'à vous venir en aide pourvu que vous leur permettiez de se remplir la gueule !

— Que voulez-vous dire ?

— Permettez-moi une question : qu'avez-vous fait dire à P'eng Yue, à Confiance et à Face Tatouée ?

— Mais tout simplement de se trouver à la date fixée à Mont-Fort pour lancer une attaque coordonnée contre Plumet, une fois que je les y aurai rejoints depuis Yang-hsia, où nous avons établi notre camp principal ! D'ailleurs pourquoi revenir là-dessus, vous le savez aussi bien que moi puisque nous avons projeté les détails de l'opération ensemble.

— Hélas, nous avions omis, croyant que cela coulait de source, de vous préciser qu'il fallait assortir votre requête de la promesse d'une province si vous vouliez que vos alliés fussent présents au rendez-vous, intervint Apaisant, ne nous sommes-nous pas longuement expliqués là-dessus à propos des prétentions de Confiance ?

— Mais, gémit Taillefer, ils ont déjà tous un royaume, que veulent-ils de plus ?

— C'est précisément parce qu'ils ont déjà un royaume qu'il leur faut plus !

— Qu'ai-je à leur donner ?

— Les dépouilles du Tch'ou. Que Confiance hérite de toute la bande de terre comprise entre Tch'en jusqu'à la mer, et P'eng Yue des provinces qui s'étendent depuis le nord de Souei-yang jusqu'à Ville-aux-Grains ; que Face Tatouée devienne roi de Houai-nan et reçoive tous les territoires du sud de la Houai, que vous débauchiez les dignitaires de

275

Plumet, mécontents de leurs fiefs, par la promesse de nouveaux apanages, et je ne donne pas un mois pour que votre adversaire soit définitivement terrassé. Car chacun d'eux combattra dans son propre intérêt. C'est ce qu'on appelle le principe de conformité : utiliser les hommes de façon qu'ils aient l'impression de travailler plus pour eux-mêmes que pour autrui. Et permettez-moi de vous rappeler la véritable signification de la dernière ligne de l'hexa-gramme des Ventres Pleins : « *Il se retire la nourriture de la bouche en sorte que ses épreuves connaissent un dénouement heureux.* »

— Bien, vous avez raison comme toujours, fit le roi avec un soupir malheureux.

Des émissaires furent dépêchés auprès de Face Tatouée, de P'eng Yue, de Confiance et de Tcheou Ying, le ministre de la Guerre de Plumet qui stationnait avec des troupes dans la région de Neuf-Fleuves. Les ambassadeurs furent somptueu-sement reçus par ceux auprès desquels ils avaient été mandatés. On fêta les offres de terres et de prébendes par de joyeuses ripailles où tous s'empiffrèrent et se soûlèrent.

La nuit du départ de ses envoyés, Taillefer, qui mangeait énormément et rêvait peu, rêva qu'il n'avait plus d'entrailles ; toute la nourriture qu'il ingurgitait ressortait par un trou béant et était happée par la horde de monstres piaillants et faméliques qui l'entourait. Tchang le Bon, qui ne mangeait rien et était habité par les songes, rêva, quant à lui, qu'il était gavé de céréales au moyen d'un entonnoir par deux divinités en qui il reconnut sans aucun doute possible le roi Taillefer et sa femme Liu la Faisanne.

LOURDE ERREUR

La poutre faîtière ploie : il y a intérêt à se déplacer,
les choses peuvent alors s'arranger.

Les feux des bivouacs montaient hauts et droits dans la nuit. Les hommes, harassés, s'y réchauffaient, mangeant à croupetons. Abattus, le visage hâve, ils ingurgitaient en silence un brouet de mil torréfié. Leur chef avait beau circuler d'un groupe à l'autre, goûter la soupe, plaisanter, évoquer les exploits de chacun et distribuer de larges tapes dans les dos, les rires étaient rares et contraints. L'abattement de ses troupes inquiétait Plumet plus que la défaite. Le revers qu'il venait d'essuyer à Kai-hsia n'avait rien d'irrémédiable ; il le considérait même comme un demi-succès. Ses adversaires, quatre fois supérieurs en nombre, n'avaient pu briser ses rangs. Le Tch'ou avait certes dû céder du terrain, mais il avait effectué son repli en bon ordre sur des positions préparées à l'avance. Et tandis qu'il se réchauffait à la flamme en compagnie des hommes dont il essayait de réchauffer le cœur, il repassait en pensée les phases de la bataille de la matinée et imaginait le déroulement des opérations des prochains jours. Confiance avait beau exceller dans les manœuvres indirectes, il lui était inférieur dans l'affrontement de face. Il suffisait de le contraindre à se battre sur son propre terrain. Il fallait pour cela que ses troupes aient du mordant. Et il revenait à ces visages aux traits tirés.

Alentour, des milliers de lumières trouaient l'obscurité tels des yeux aux aguets : les feux de l'ennemi l'enserraient sur trois côtés d'un triple cordon de troupes. De loin en loin, des bruits de voix avinées, des chants, des rires lui parvenaient des lignes adverses. Les soldats de Taillefer faisaient bombance ; ils fêtaient leur victoire. La viande et le riz ne semblaient pas leur manquer, à eux. Plumet haussa les épaules : les outres pleines ne font pas de bons soldats ! Il se dirigea vers sa tente.

Il soulevait le rideau de toile de la porte quand des accents familiers lui tintèrent à l'oreille. Ils venaient de l'autre côté. Les voix étaient confuses et faibles ; elles se mêlaient à d'autres bruits, à d'autres chants. Il crut à un tour de son imagination. Le refrain prit de l'ampleur, d'autres gosiers se joignirent aux premiers. Et le chant monta, sonore et triomphant dans la nuit.

Plumet réunit son état-major, lui intima de faire silence et de tendre l'oreille. Ses capitaines en convinrent : c'était bien un hymne sur le mode du *Chant du coq*, typique des provinces du Sud. Le roi était blême et la sueur, en dépit du froid coupant de l'hiver, ruisselait sur son visage. Il s'exclama : « Mais pour que tant de bouches entonnent cet air, il faut que Taillefer se soit assuré de toutes mes provinces méridionales ! »

En réalité, il n'y avait de soldats du Tch'ou dans les rangs de son rival que les seuls régiments de Neuf-Fleuves, soulevés par le ministre de la Guerre Tcheou Ying. Ils chantaient les chansons de leur pays, et les autres, qui venaient dans leur majorité de l'intérieur des passes, se contentaient de reprendre en chœur, en manière de fraternité et de jeu, le refrain de ces airs étranges dont les inflexions les étonnaient.

S'il avait été en possession de toutes ses facultés, Plumet ne se fût pas ainsi affolé, il eût envoyé un espion ou un éclaireur prendre des renseignements ; l'adversité eût galvanisé son énergie. Mais, de même qu'une poutre faîtière minée à ses deux extrémités finit par ployer, de même, amolli par sa passion, sapé par les rumeurs insidieuses que la secte des Trigrammes faisait courir sur sa défaite inéluctable, le courage de Plumet fléchissait. Le roi de Tch'ou prit peur. Il crut que tout était perdu.

S'il avait eu auprès de lui un homme de sens, un conseiller avisé, auquel il eût voué sa confiance, tel Accroisseur, sans doute n'aurait-il pas commis cette méprise. Mais ne figuraient plus dans sa suite que des hommes médiocres — parents ou vieux compagnons, qui avaient su gagner ses faveurs en flattant ses manies —, et les rares partisans probes et loyaux de son entourage n'avaient ni l'étoffe ni l'autorité suffisante pour lui imposer leurs vues, lorsqu'elles allaient à l'encontre de ses propres opinions.

Nul n'eut la force morale de révoquer en doute le bien-fondé des alarmes d'un homme qui les subjuguait par son sang-froid. Et à le voir ainsi troublé, lui si ferme et si fort dans la mêlée, par un simple chant de soldats, ses lieutenants tinrent pour avéré ce qui n'était qu'une conjecture erronée. Il ne fut donc à aucun moment question, dans les rangs de l'état-major, de vérifier la réalité de la perte du Tch'ou, dont le seul indice résidait dans ces accents venus des bivouacs d'en face. On se borna à discuter des mesures les mieux appropriées pour répondre à une situation qui n'était que le fruit illusoire de l'incertitude instillée par la propagande insidieuse des devins dans le cœur de Plumet.

Même ainsi, tout n'était pas perdu. Il eût suffi qu'il adoptât le plan proposé par ses généraux loyaux au lieu de suivre le conseil d'un traître et de commettre de cette façon l'unique et fatale lâcheté de son existence, car quels que fussent les prétextes dont elle se couvrît, on ne pouvait qualifier autrement la conduite qui fut sienne.

Seigneur Ting n'avait pas oublié la promesse arrachée à Taillefer quand il le pressait. Désireux de voir triompher celui qui lui assurait désormais le plus de profit, il suggéra à son maître le plus mauvais parti : la fuite.

Ses hommes étaient à bout de forces et de vivres ; ils n'avaient ni entrain ni mordant. Un combat à découvert se conclurait inévitablement par une défaite ; et puisque sa base arrière était passée entièrement sous contrôle ennemi, Plumet ne pouvait pas non plus se borner à tenir solidement ses lignes de défense sans risquer d'être pris à revers. La seule solution raisonnable consistait à abandonner son armée en tentant une percée avec un corps de cavaliers d'élite, à revenir sur le fleuve Bleu, à y lever des troupes, puis à bouter hors de la province les éléments ennemis. Ayant récupéré son territoire et disposant de nouveaux contingents, il effectuerait une campagne de reconquête triomphale vers le nord. Seigneur Ting était prêt, en signe de loyauté et de gratitude, à tenir le camp avec ses cent mille hommes et à combattre jusqu'à son dernier souffle. Son sacrifice laisserait à son seigneur suffisamment de temps pour rassembler des troupes.

Cette proposition souleva les protestations indignées du brave Ki Pou, son neveu : si Plumet abandonnait son armée, celle-ci, loin de combattre jusqu'à la mort, se disperserait à la première charge ennemie comme une volée de moineaux ; il vouait ainsi à la destruction cent mille de ses fidèles et valeureux soldats, des vétérans qui l'avaient suivi dans toutes ses campagnes. Et si les États du Sud étaient déjà conquis, comment pourrait-il y lever des conscrits ? Non, démuni de troupes, ayant livré toute sa puissance militaire aux mains de l'ennemi, il ne serait plus qu'un fugitif. On le traquerait à travers l'Empire et il connaîtrait une fin ignominieuse.

Il disposait encore d'une force considérable et ce n'était pas la supériorité numérique de l'adversaire qui devait lui faire peur. N'avait-il pas défait les cinq cent mille soldats des seigneurs coalisés avec seulement quarante mille combattants à P'eng-tch'eng ? Et même s'il n'emportait pas l'avantage, était-il plus belle mort, pour un guerrier, que de périr au combat à la tête de ses armées ?

Seigneur Ting fit valoir que c'étaient là des aspirations de bravache ; le véritable Grand Homme savait faire taire son orgueil et se conduire en lâche pour réaliser ses vastes desseins, car la fin et elle seule sublime les moyens...

Tous les familiers de Plumet à l'exception de Ki Pou et de son frère cadet Ki Hsin furent de l'avis de Ting, lequel avait le pas sur ses neveux par l'âge, le rang et l'expérience militaire. Toutefois Ki Pou et Ki Hsin n'étaient pas les premiers venus ; Ki Pou avait su attirer autour de lui par son autorité et sa droiture tous les preux de la province. Dès l'âge de dix ans Ki Hsin abattait un homme d'un coup de poing ; plus tard il s'était acquis une réputation d'homme remarquable par sa courtoisie, sa bienfaisance et son courage : il avait été le lieutenant du célèbre chef de bande Yuan la Soie. Le roi du Tch'ou les tenait en grande estime, de sorte qu'ébranlé par leur opposition farouche à la suggestion de leur oncle, il demeurait irrésolu, ne sachant quel parti prendre. Il décida d'avoir recours à la divination : il tomba sur l'hexagramme Grave Erreur, dont le jugement annexé était : « *La poutre faîtière ploie ; il y a intérêt à se déplacer, les choses peuvent alors s'arranger.* » Tous y virent une claire incitation à abandonner son camp dont les défenses menaçaient de céder. Hélas, nul ne s'inquiéta du symbolisme : « *Bois sous l'Étang.* »

Plumet hésitait encore ; Joie était avec lui, il lui répugnait de la quitter. Si Taillefer enlevait ses positions, ne deviendrait-elle pas la propriété du vainqueur ? Cette seule pensée lui était insupportable. Mais comment l'emmener avec lui ? Il ne pouvait être question de s'encombrer d'un palanquin ou d'un char pour une sortie brusquée. Et une jeune femme frêle et délicate saurait-elle tenir sur un cheval galopant à bride abattue à travers bois et marais, une meute de poursuivants à ses trousses ? N'était-il pas criminel d'exposer ainsi ses jours ? Elle pouvait être blessée ou tuée dans une échauffourée, toujours à craindre dans ce genre d'entreprise, ou bien se rompre les os en faisant une mauvaise chute.

Ayant donné ses instructions pour préparer sa fuite au plus profond de la nuit, le roi du Tch'ou regagna sa tente. Il fit part à sa concubine de sa résolution et se reput une fois encore de ses traits, de ses gestes et de sa voix.

Il pleura ; Joie aussi pleura ; ils trempèrent leurs lèvres dans la même coupe de vin doux en signe d'indéfectible fidélité et cherchèrent à apaiser leur chagrin par l'ivresse et le chant. Plumet composa une ballade en s'accompagnant du luth. Il glorifia le temps de ses succès quand, plein de fougue et d'énergie, il ployait l'Empire sous sa volonté ; il déplora le sort contraire qui allait les séparer.

Joie reprit le refrain et leurs voix se mêlèrent, modulant chacune sa propre composition, tandis que leurs larmes coulaient, confondues, sur le sol :

> *Le roi Taillefer a conquis le Tch'ou,*
> *dont les chansons montent de partout.*
> *Si le roi a perdu courage,*
> *où sa servante trouvera refuge ?*

Plumet improvisa en réponse :

> *La belle n'a rien à craindre ;*
> *elle fera son repaire*
> *du cœur de Taillefer ;*
> *Dame K'i est bien à plaindre.*

Sa voix se brisa dans les sanglots ; et Joie lui déclara d'une voix entrecoupée de hoquets et de suffocations :

— Un sujet loyal ne suit pas deux maîtres, une épouse fidèle n'a pas deux maris. Vous ayant appartenu, jamais je ne serai à un autre !

— Ah, Joie, je le sais bien, et crois-tu que je pourrais supporter de te savoir aux mains de Taillefer !

Et il chanta :

> *Peu propice est le moment.*
> *Mon cheval prend le mors aux dents ;*
> *Si Vif-Argent refuse de courir,*
> *Joie, qu'allons-nous devenir ?*

Joie devina le sens caché du poème ; la honte et le remords la submergèrent ; au lieu d'être une aide, un appui, son amour avait fait le malheur de son prince. N'était-ce pas cette passion exclusive qui avait réduit un roi puissant et orgueilleux à la condition de fugitif ? Et maintenant, au lieu de penser à sa sauvegarde et à celle de son royaume, ce formidable guerrier allait s'encombrer d'une femme, compromettant ainsi toute l'entreprise. Joie avait l'esprit étroit mais ne manquait pas de sentiment ; elle voulut accomplir un geste de dévouement en libérant Plumet du fardeau de sa personne.

C'est ainsi que, en cette sinistre nuit, de méprises en erreurs de jugement, le destin de Plumet finit par reposer sur la décision d'une grande âme ; rien n'est plus funeste au Grand Homme que la grandeur d'âme. Si Joie avait eu la farouche ambition de la Faisanne, ou la futilité de Dame K'i, Plumet aurait peut-être été sauvé ; que ce soit par calcul ou par égoïsme, l'une ou l'autre l'eût contraint à rester auprès d'elle dans le camp. Mais Joie n'était ni la Faisanne ni Dame K'i. L'esquif déjà ballotté de Plumet s'engloutit donc dans les marécages de la bonne volonté, à l'instar du « *bois recouvert par les eaux* ». Peut-on toutefois reprocher à cette malheureuse son acte d'abnégation ? La dernière ligne de l'hexagramme Lourde Faute est formelle : « *En traversant le gué, l'eau lui submerge la tête : très néfaste, nul cependant n'est à blâmer.* » Dans tout cela la fatalité seule doit être incriminée.

Plumet sortit donner de nouveaux ordres. Des images de dévouements sublimes défilaient dans son cerveau. Il chevauchait Vif-Argent, portant en croupe Joie, dont la chevelure défaite par la cavalcade mêlait ses sombres torsades aux crins noirs du coursier. Lui, à demi dressé sur ses étriers, brandissait un grand sabre sur lequel la lumière de la lune, glissant entre deux nuages, jetait des étincelles argentées. Des ennemis cherchaient à les arrêter, mais tel un grand éléphant frayant sa route parmi les joncs, il les renversait par rangs entiers. Ou bien traqué, son cheval abattu, il courait à travers les bois et la campagne en la serrant dans ses bras forts, défaillante de fatigue, de peur et d'amour. Il traversait, Joie toujours pressée contre sa poitrine, des fleuves et des lacs, gravissait des cols, escaladait des montagnes. Il rencontrait des tigres et des animaux féroces dont il savait la défendre ; il mettait en déroute, en poussant de grands cris de guerre, les crocodiles à large gueule, les buffles au dos puissant et les rhinocéros à la corne acérée. Il s'enfonçait toujours plus loin vers le sud, loin du bruit des armées, des fatigues de la guerre et des intrigues de la politique, pour aboutir dans un pays enchanteur où l'air, plein du parfum des fleurs, était agité du frais zéphyr que levaient les ailes de millions d'oiseaux multicolores. Des sources fraîches y jaillissaient entre des rives plantées d'orangers, de pêchers et de toutes sortes d'essences rares. La population en était accueillante, il devenait leur roi, réunissait une armée et reconquérait l'Empire.

Tout en marchant il marmottait avec des gestes fous : « Je ne te laisserai pas, Joie, je t'emmène avec moi, dussé-je te porter dans mes bras nuit et jour durant des milliers de lieues. Tu es ma Joie, ma vie, ma couronne, etc. »

Ses dispositions prises, il regagnait, plus calme, ses appartements. Joie, les yeux révulsés, le teint crayeux, la langue sortie, s'y balançait, pendue par une longue ceinture de soie, à l'armature de la tente. Ses cheveux, dénoués par les soubresauts de l'agonie, tombaient jusqu'à terre. Un râle s'exhalait encore de ses lèvres bleues. Il y pressait sa bouche comme pour recueillir son âme ; mais ce fut la sienne qu'il sentit s'échapper de son corps, happée par le cadavre. Il n'eut plus qu'à sauter en selle et à galoper dans la nuit noire à la tête de ses huit cents cavaliers.

LA FOSSE

On attache le prisonnier et on l'immole :
une expédition apportera une récompense.

Au matin, le roi Taillefer apprit d'un émissaire de Seigneur Ting que Plumet, abandonnant ses lignes, s'était enfui en direction de la Houai. Il dépêcha à sa poursuite le commandant de cavalerie Kouan Ying, l'ancien marchand de soie, avec un corps de cinq mille hommes, tandis que lui-même donnait l'assaut contre les positions du Tch'ou. Seigneur Ting et les régiments qu'il avait directement sous ses ordres déposèrent les armes ; les autres, troublés par l'absence de Plumet et démoralisés par la trahison du général Ting, se débandèrent dans toutes les directions après avoir opposé une vive mais brève résistance. Les troupes de Confiance, de P'eng Yue, de Face Tatouée les pourchassèrent et les massacrèrent. Il y eut quatre-vingt mille morts. Néanmoins, la plupart des généraux de Plumet réussirent à s'échapper avec une poignée de partisans ; leur tête fut mise à prix et un détachement de chevaux rapides se lança à leur recherche.

Après la victoire, Seigneur Ting se présenta devant le roi, sûr de toucher le salaire de sa félonie. Taillefer fit signe à ses gardes de s'en saisir et de le mettre à mort, afin, expliqua-t-il, de ne pas donner une prime à la déloyauté et pour que tous sachent, dans l'Empire, le sort qu'il réservait à la traîtrise.

Se tournant vers la victime, il lui souffla à la face :

— Je t'avais promis un fief ! eh bien, vois, je tiens parole ; je te nomme roi du Leao-tong et gouverneur de Lang-ya. Tu n'auras qu'à présenter les sceaux de ma part au Gouverneur des Enfers. En attendant, sache que ton sang servira ici-bas à apaiser par un sacrifice les mânes courroucés des milliers de nobles soldats qui sont morts par ta faute !

On lui ouvrit la gorge ; le sang se répandit sur le sol par la plaie béante, tandis qu'un invocateur récitait une prière pour le repos de l'âme des guerriers tués au combat. Son cadavre fut réduit en hachis dont on fit des boulettes. On les plaça sur des autels au milieu d'autres mets et les esprits irrités purent assouvir leur vengeance en se repaissant de sa chair.

Plumet, pendant ce temps, galopait à la tête de ses huit cents gardes montés. A voir ainsi cette troupe filer silencieusement à travers la campagne — les bêtes étaient muselées et leurs sabots entourés de paille —, on eût pu croire à une horde de revenants projetant sur les ténèbres de la nuit l'ombre plus froide et plus noire de l'au-delà.

Plumet courait à perdre haleine, sans se soucier de rien ni de personne ; il fuyait vers le sud-est, comme un fauve blessé regagne sa tanière pour y mourir. Vif-Argent avalait les obstacles, franchissait monts et vallées, sautait par-dessus les canaux et les diguettes, tache blanche et immatérielle, survolant le sol tel un spectre. Derrière, les autres cavaliers avaient peine à le suivre ; des montures s'abattaient exténuées, des hommes faisaient des chutes ou se perdaient dans les halliers et les futaies. Ils n'étaient plus que six cents en atteignant la Houai et seule une centaine réussit à traverser. Plumet n'en avait cure, il courait droit devant lui tel un fou, sans jamais se retourner. Au matin, ils parvinrent à Sombre-Mont. Il y avait du brouillard, ils s'égarèrent. Après avoir longtemps erré, ils tombèrent sur un paysan, un vieil homme à barbe blanche, dont la pauvreté de la mise ne parvenait pas à masquer la noblesse du maintien. Un observateur un peu attentif n'eût pas manqué de remarquer l'étrange pierre à veinures blanches et vertes qui pendait à sa ceinture ; mais Plumet ne daignait rien voir. Il demanda son chemin.

— A gauche, fit l'homme.

Ils prirent la direction indiquée et s'enfoncèrent dans une

dépression couverte de joncs et de roseaux. De lourdes vapeurs les enveloppèrent, hachées çà et là par les formes noires des arbres, dont les membres grêles et décharnés se détachaient comme d'un halo, fantomatiques. Ils errèrent à travers les marécages ; de temps à autre un homme et sa monture disparaissaient, engloutis par une fondrière ; bientôt ils furent entourés de marais et de sables mouvants. Ils ne pouvaient plus ni avancer ni reculer ni obliquer d'un côté ou de l'autre sans tomber dans un trou d'eau. Plumet fit mettre pied à terre à la troupe, dont les effectifs avaient encore fondu, en attendant que le brouillard se lève ; on enverrait alors des hommes en éclaireurs trouver un passage.

A la pénultième étape du processus qui conduit de Ciel à Feu, il y a nécessairement la Fosse : « *Eau devant et Eau derrière.* » Il fallait pour que le destin s'accomplît qu'il y eût nécessairement passage par un trou — précisément ces marécages où se trouvait immobilisé Plumet, à l'image de la quatrième ligne de l'avant-dernière figure du cycle du monde : « *Là où il s'est aventuré ce ne sont que gouffres resserrés et profonds, s'il entre dans la fosse il sera précipité au fond de l'abîme. Il ne doit pas bouger.* »

Lorsque enfin, le brouillard s'étant levé, les fugitifs trouvèrent un passage, ils avaient perdu la plus grande partie de leur avance sur leurs poursuivants et les cinq mille cavaliers du roi Taillefer les talonnaient. Pris à revers par le sud, ils durent infléchir leur course vers la côte et furent acculés sur une colline de Ville-d'Est. Kouan Ying jubilait, se croyant déjà investi d'un titre de roi en récompense de son exploit, et ses lieutenants affûtaient leurs longues épées, afin de rapporter à leur maître la tête de Plumet, qui avait été mise à prix. Ils ne savaient point, les malheureux, qu'il restait à Plumet encore assez d'ardeur et d'obstination pour se frayer un profond et sanglant chemin dans leurs rangs, à l'image de l'eau impétueuse qui coule au travers des gorges et des défilés resserrés, sans qu'aucune barrière si escarpée soit-elle ne puisse l'arrêter. Entouré de mille et mille soldats qui s'avançaient lentement vers lui en une marche oblique, telle une meute de dogues menaçants et apeurés, il cria aux

287

vingt-huit fidèles compagnons qui se pressaient autour de lui :

— En huit ans de guerre, je n'ai jamais perdu un seul combat, j'ai exterminé toutes les armées qui m'ont été opposées. Si j'en suis réduit à cette extrémité, cela ne tient nullement à une faute de stratégie de ma part, mais à la volonté du Ciel ! Et je vais vous le prouver, en infligeant une cuisante défaite à cette bande de rats.

Répartis en quatre groupes, se réunissant puis se scindant, virevoltant comme un essaim de guêpes, les cavaliers dévalèrent la pente ; l'ennemi, surpris, se dispersa. Plumet taillait et massacrait ; les bras, les jambes, les oreilles et les têtes volaient autour de lui, telles des feuilles mortes emportées par le tranchant de l'implacable hiver ; et des torrents de sang coulaient dans son sillage. Par trois fois il chargea ainsi la fine fleur de la cavalerie de Taillefer, semant la destruction et la terreur dans ses rangs. Quand ses hommes se réunirent à nouveau autour de lui, plus de trois cents ennemis gisaient dans la poussière et Plumet brandissait en trophée deux têtes de généraux et l'étendard du commandant de la cavalerie dont il avait terrorisé la monture par son seul cri ; la bête s'était abattue de frayeur et son cavalier avait fui à toutes jambes, abandonnant ses insignes. Ses compagnons, enthousiasmés, se prosternèrent à ses pieds et s'écrièrent :

— C'est comme vous le dites, mon prince, nous vous suivrons où que vous alliez !

Plumet reprit sa course vers l'est, jusqu'à la rivière Wou, un affluent de la Houai large et profond. Sur la rive un homme l'y attendait avec une péniche et quelques gardes armés :

— Montez vite ! fit-il ; je suis le chef de poste de ce district et je viens à votre aide : c'est la seule embarcation qu'il y ait sur le fleuve à des lieues à la ronde. Vos poursuivants ne pourront pas traverser et vous rejoindre. Le pays du fleuve Bleu est suffisamment vaste pour y fonder un royaume et lever une armée de plusieurs centaines de milliers d'hommes !

La configuration du moment ménageait une fois encore

une échappatoire au rival de Taillefer, conformément au double symbolisme de la figure qui en est l'expression : « *Tout passage difficile et resserré est à la fois menace et protection.* » En cet instant, grâce à cette aide providentielle, le roi du Tch'ou pouvait transformer le danger en défense, ainsi qu'il le lui fit valoir en des termes qui n'étaient pas sans rappeler — était-ce simple coïncidence — le commentaire du Maître à l'Arc, Kan Pi (disciple à la seconde génération de la tradition de Confucius du *Livre des Mutations*), glosant la formule hexagrammatique de la Fosse : « *Montagnes, fleuves et autres accidents du relief constituent les passages difficiles de la terre, dont s'inspirèrent les anciens rois pour établir la protection de leurs territoires.* »

Mais l'homme était-il véritablement un secours ? et n'avait-il pas été placé précisément là, sur le passage du roi fugitif, par la fatalité retorse pour ouvrir en son âme la fosse où il allait s'engloutir en lui offrant un moyen de franchir le cap difficile : « *trappe dans la trappe, au fond de laquelle s'écrase celui qui y pénètre* » pour reprendre la formule de la première ligne du signe alors dominant ?

Plumet dévisagea l'homme un bon moment, fronça les sourcils, puis s'exclama :

— N'aurais-tu pas été chef de police d'arrondissement à Basse-Campagne ? Oui, je te reconnais ; je t'ai vu chez mon oncle, que tu fréquentais assidûment ; tu as aidé un brave, mais tu n'as pas su aller jusqu'au bout. Qui me dit que tu ne vas pas te raviser au milieu de l'eau et m'égorger pour remettre ma tête à Taillefer, comme tu t'es lassé de Confiance ?

— Je me suis trompé sur Confiance, il est vrai, mais suis-je le seul ?

— Je ne te reproche pas de t'être trompé — moi non plus je n'ai pas vu son talent — mais d'avoir manqué de persévérance.

— Mon nom sera-t-il maudit pour un moment d'impatience ! Je suis venu au-devant de vous pour me racheter. Peut-être ceci vous fournira un gage de ma résolution.

Il sortit de sa manche un chiffon sanglant, le déroula,

découvrant une tête de femme. Le chef de police de district la saisit par son épais chignon et la lança aux pieds de Plumet :

— C'est à cause d'elle que j'ai négligé un brave. Je l'ai tuée. Est-ce une preuve suffisante ?

Plumet baissa la tête. Il pensa à Joie et un immense découragement le saisit. Lui n'aurait jamais eu le cœur de la tuer, même pour se gagner l'amitié d'un preux. Il branla le chef :

— A quoi bon rentrer au pays ? Pour avoir chaque jour de ma vie honte et remords d'être parti avec huit mille jeunes gens pleins d'espoir et d'ardeur et de n'en point ramener un seul. Le Ciel s'est juré ma perte et je n'irai pas contre sa volonté. Ne croyez pas, toutefois, que ce refus soit dicté par la défiance ; pour vous prouver l'admiration que j'ai de votre geste, voici mon cheval ; je le monte depuis cinq ans et il n'est nul coursier au monde qui puisse l'égaler : il peut parcourir mille lieues en un jour ; ses sabots effleurent à peine le sol ; je ne veux pas qu'il revienne à mon vainqueur, mais je n'ai pas le cœur de le tuer. Je vous en fais présent.

Le chef de police de district s'inclina, prit le cheval par la bride, le fit monter dans la barque et s'éloigna de la rive. Arrivé au milieu du fleuve, il saisit son couteau, trancha la gorge de Vif-Argent et se jeta dans les flots où il se noya.

De la rive Plumet avait assisté à la scène. Il essuya les larmes qui coulaient en pluie sur sa cuirasse et soupira :

— Ah, Vif-Argent, je ne me suis pas trompé ; c'était tout de même un preux !

Il ordonna à la poignée de fidèles qui lui restait de mettre pied à terre et de combattre à l'arme courte contre la colonne de Kouan Ying qui revenait à la charge. Il s'ensuivit une effroyable mêlée ; Plumet massacra une centaine d'assaillants et fut criblé de dizaines de blessures. Apercevant dans la meute qui le pressait de toutes parts les figures familières de quelques-uns de ses anciens compagnons qui l'avaient abandonné pour son rival, il les apostropha :

— Hé! vieilles fripouilles, en souvenir de vos bons et loyaux services, je tiens à vous faire un cadeau. Voici ma tête; vous pourrez en toucher le prix sans avoir à payer de votre personne! Elle est au premier qui l'attrape!

Et il leva sa lourde épée et se la passa en travers de la gorge. Le grand corps ne s'abattit pas; il restait debout, adossé contre un arbre; un flot de sang vermeil coulait de la plaie béante; la tête, dont les yeux écarquillés gardaient une expression furieuse et étonnée, découvrait les dents. Les soldats, apeurés, faisaient cercle sans oser approcher; mais Wang Yi fendit les rangs et de sa lame courbe acheva l'œuvre que Plumet lui-même avait si bien commencée.

La tête roula par terre; tous s'en écartèrent comme si elle pouvait encore mordre. Mais les lèvres se refermèrent et les yeux se révulsèrent, ne les fixant plus que de leur blanc. Ce fut la ruée; des centaines d'hommes se piétinèrent; on s'entre-tua pour s'emparer de cette pauvre chose morte.

Un jeune lieutenant parvint à s'en saisir. Pas pour longtemps: alors que, tenant serré contre sa poitrine le précieux trophée, il courait de-ci de-là, cherchant à le soustraire à ses compagnons qui se ruaient sur lui pour le lui prendre, un coup d'épée traîtreusement asséné dans son dos l'étendit dans la poussière. La tête s'échappa de ses bras et rebondit sur le sol. Des dizaines de mains se tendirent, et déjà l'agrippaient, mais une botte magistrale l'arracha de leurs doigts. La tête fut projetée très haut dans le ciel et l'auteur du coup de pied, le général adjoint de la cavalerie légère, marquis de Haut-Caillou, se précipita pour la saisir au vol. Comme il avait le nez en l'air pour la suivre, il ne fut pas assez prompt pour éviter le croc-en-jambe de son ami le commandant de demi-corps des chevau-légers de la Garde, Respiration, et s'étala de tout son long; Respiration ne put profiter de son mauvais procédé; déséquilibré par son croche-pied il manqua la réception de la tête. Celle-ci tomba au milieu d'un groupe de simples soldats qui ne surent que décocher des coups de pied au hasard afin de la dégager le plus loin possible du voisin susceptible de s'en emparer.

Lancé dans les airs, porté dans les bras, roulé dans la

boue, poussé de la main et du pied, le chef royal finit par dégringoler la pente qui aboutissait à la rivière, poursuivi par une myriade de guerriers se tirant, se bousculant, s'effondrant les uns sur les autres. La boule de chair allait de plus en plus vite, avançant à grands rebonds, comme mue par un mouvement propre. Après un dernier saut elle s'éleva dans le vide, décrivit un arc de cercle au-dessus des arbres et piqua droit dans l'eau. Les hommes fermèrent les yeux et retinrent leur souffle. C'en était fini de la récompense! Mais il n'y eut aucun bruit d'éclaboussement. Seulement le silence. La tête, dont le chignon étroitement tenu par le bonnet s'était dénoué, se balançait, pendue par les cheveux à l'extrémité d'un rameau de saule au-dessus du courant. L'arbre ne tarda pas à être entièrement recouvert de grappes humaines qui, accrochées aux branches, tentaient d'enfiler la tête sur leur pique ou sur leur épée. On eût dit une bande de macaques cherchant à s'emparer d'un fruit juteux difficile à atteindre; mais les soldats n'avaient ni l'agilité des singes ni leur queue; quand les branches cédèrent sous leur poids, incapables de s'agripper, ils s'abîmèrent dans le fleuve et s'y noyèrent. Finalement, un officier petit et léger réussit à s'avancer assez loin sur la branche pour enrouler les cheveux autour de sa pique et, la tirant vers lui d'un geste preste, ramener la tête à portée de main et s'en saisir. Ses efforts profitèrent à un autre. Alors qu'il descendait, tenant triomphalement sa prise, la tête retroussa ses babines et les yeux roulèrent dans les orbites. De terreur le soldat lâcha prise et la tête tomba entre les mains du général Wang Yi, à qui personne n'osa plus la disputer.

Pendant ce temps, le corps faisait l'objet d'une lutte non moins âpre. Saisi par les extrémités, il se déchira en quatre; la possession de chacun des morceaux donna encore lieu à un carnage, à l'issue duquel le général de cavalerie Liu le Palefrenier, l'officier de la cavalerie impériale Yang le Satisfait et les gardes du palais Liu le Victorieux et Yang le Guerrier en restèrent maîtres.

Le récit des combats acharnés qui s'étaient déroulés pour la possession des dépouilles de Plumet amusa fort Taillefer ·

— Ha ha, voici un excellent exercice pour nos soldats ! Ne dit-on pas d'ailleurs que l'Empereur Jaune, pour fêter sa victoire sur le monstre Tch'e-yeou qui lui avait disputé l'Empire, laissa ses hommes jouer au ballon avec sa tête.

Et Tchang le Bon soupira :

— N'est-ce point une belle fin pour un guerrier que son cadavre serve à l'entraînement des troupes ! Tch'e-yeou fut dieu de la guerre, et Plumet ne lui cédait en rien pour la valeur militaire !

— Utilisez donc ses dépouilles pour effrayer l'Empire et élevez-lui un monument qui rappellera à tous que vous avez su réduire le plus grand général de tous les temps ! ajouta Apaisant.

— Bien, fit le souverain.

On recomposa le corps démembré, on l'enterra dans son apanage de Lou et on édifia un tumulus sur sa tombe. Les cinq hommes qui avaient conquis de haute lutte une portion de Plumet se partagèrent le territoire promis en récompense. Taillefer parcourut les provinces rebelles, portant la tête du guerrier fichée sur un pique afin qu'elle servît d'exemple.

LE FEU

*Lumière qui frappe deux fois : tel est le flamboiement du Rite.
C'est de la même façon que le Grand Homme,
par son rayonnement constant, illumine les quatre orients.*

Le roi victorieux fut contraint à une incursion dans l'État de Lou, la patrie de Confucius, dont curieusement Plumet avait fait son fief, pour pacifier la population restée loyale à son maître et rassurer les lettrés. Il arpentait la campagne, montrant aux chefs de villages la tête de Plumet et les régalant d'un banquet dans la grande salle des écoles de canton. Il les sermonnait en parlant de mansuétude, de justice, de pardon, et encore de l'étroite union qui lie le prince et les sujets, les supérieurs et les inférieurs.

Puis il se rendit à Solidité-du-Pot-de-Terre où ses féaux, les chefs de villages et les anciens, unanimes, le supplièrent de se proclamer empereur ; cédant finalement à leurs objurgations, il accomplit la cérémonie du sacre et quitta cette ville trop exiguë pour contenir sa nouvelle dignité et s'installa à Lo-yang hérissée des palais et des tours des antiques dynasties, à l'intérieur de sa vaste enceinte.

Le rituel trop pesant et trop contraignant du Ts'in avait été aboli, de sorte qu'il n'existait dans la Cité Interdite plus aucune règle de préséance, plus aucune forme de politesse ni de courtoisie. Les assemblées et les banquets tournaient le plus souvent au pugilat. Si déjà le souverain ne brillait pas par ses manières, la plupart de ses généraux et de ses ministres se comportaient en véritables brutes. C'étaient d'incessantes querelles sur les préséances que devaient leur valoir leurs mérites respectifs, et, dès qu'ils avaient bu, ils se prenaient à la gorge ; les coupes d'argent étaient bosselées à force d'avoir été lancées à travers la grande salle d'apparat ; les colonnes portaient de larges entailles faites par les coups de sabre que les dignitaires échangeaient sous les hauts plafonds ouvragés.

Ces rixes continuelles inquiétaient Taillefer ; il se demandait comment il pourrait faire régner l'ordre dans l'Empire et maintenir sa domination s'il n'était pas capable de l'imposer à son entourage.

Totalité comprit que son heure était venue. Il avait fui la cour de Barbare, dont il avait pourtant su s'attirer les faveurs par ses flagorneries, au moment où les rebelles de Saute-le-Pas marchaient sur Double-Lumière, pour se réfugier dans sa ville natale de Sie. Quand celle-ci était tombée aux mains de Poutre, il s'était mis à son service. Après le désastre que son protecteur avait essuyé devant les armées du Ts'in il avait suivi l'Empereur Juste, mais l'avait abandonné à son exil et s'était rangé aux côtés de Plumet. Lors du sac de P'eng-tch'eng il s'était soumis à Taillefer et l'avait accompagné dans sa retraite à l'ouest des passes. Là, il avait troqué la longue robe des lettrés contre le vêtement court à manches étroites des bretteurs du Tch'ou, s'abstenant de parler de rite et de morale et recommandant à Taillefer les brigands, les spadassins, les seigneurs de guerre — tous gens de sac et de corde mais jamais ses disciples.

La paix revenue, il sentit que les confucéens allaient retrouver un emploi. Il sortit donc de ses coffres ses anciens habits de Docteur et, coiffé du haut bonnet des clercs, se présenta devant son maître et lui exposa ses vues :

— On conquiert le trône par le glaive, on le conserve par les rites. Tout souverain qui tient à régner durablement doit en parer son autorité, eux seuls donnent à l'exercice du pouvoir beauté et, partant, légitimité : « *double éclat de lumière qui embellit la droiture, perfectionnant et civilisant l'Empire* », comme dit si bien le *Livre des Mutations*.

Taillefer était tout disposé à l'écouter. Lui qui avait

tellement haï et méprisé les confucéens qu'il ne pouvait voir se profiler un bonnet de soie lustrée sans éructer, maintenant que l'heure était à la paix, il se découvrait un vif intérêt pour les questions rituelles et une certaine indulgence pour les Docteurs. Il chargea donc Totalité d'établir un nouveau cérémonial avec l'aide de ses disciples et des lettrés de Lou. Totalité et cent vingt ritualistes s'exercèrent aux génuflexions de cour dans une aire aménagée à proximité du palais.

Bleu du Ciel, qui avait été historiographe et astrologue impérial sous les Ts'in, reçut la responsabilité du calendrier. Il décida de ne rien changer aux règles existantes : il avait soufflé dans les tuyaux sonores, observé les vents et la course du soleil et découvert que les sons, le mouvement des planètes et les émanations répondaient toujours à l'élément de l'eau, comme sous les Ts'in, bien que Taillefer fût la cristallisation du feu. Le début de l'année fut maintenu au dixième mois, lorsque commencent à s'appliquer les châtiments, le nombre six demeura la norme et le métal resta à l'honneur, mais le rouge supplanta le noir, relégué sur les doublures.

Au bout d'un mois, quand tout sembla au point, l'Empereur répéta le déroulement du nouveau cérémonial avec sa suite.

Un peu émus, les ministres de Taillefer avaient pris place dans la grande salle du trône ; c'était leur première audience solennelle où ils se conformaient au nouveau protocole. Les généraux méritants, les princes feudataires et tous les cadres militaires s'étaient disposés en rang du côté ouest du trône, répondant à leur fonction guerrière ; les ministres, les grands dignitaires, les précepteurs — tous les hauts fonctionnaires de l'administration civile — leur faisaient face à l'est, direction qui régit les affaires pacifiques. Dans la cour d'honneur, en dehors de la salle, se déployaient les régiments de la Garde, groupés suivant les armes : les chars à droite, la cavalerie à gauche ; au centre l'infanterie, composée de colosses de huit pieds de haut, portant les bannières et les longues guisarmes à glands d'or. Soudain un cri monta :

« Gare! Gare! le char du dragon!» Au passage du palaquin jaune les nuques ployèrent, courbées par le grand vent de l'Autorité. La chaise lui fit gravir, par la travée centrale à lui seul réservée, l'estrade où était disposée sa natte et Taillefer embrassa d'un regard satisfait l'ordonnance parfaite de ses ministres et de ses barons. Les robes d'apparat composaient une marqueterie de couleurs vives, ondoyant au gré des prosternations.

Il prit place sur son trône, dans ses vêtements qui étincelaient comme le soleil, et s'assit, offrant ainsi aux regards de l'assistance, qu'il dominait, des pieds, non plus nus et trempant dans une bassine, mais habillés de chaussures à retroussis léonin, dont les incrustations de métal précieux et de perles scintillaient comme des étoiles.

Soit que l'éclat de ces deux pieds arborés avec orgueil au-dessus d'elle inspirât à l'assistance la crainte respectueuse que provoque un attribut divin, soit qu'elle se conformât avec sagesse à la recommandation de la première ligne de l'hexagramme Feu qui est aussi Flamboiement du rite : « *En vénérant l'homme aux chaussures d'or, tu écarteras de toi le malheur* », on pouvait entendre les genoux des subalternes s'entrechoquer et les dents claquer de terreur.

A l'instant où Taillefer s'abandonnait à l'ivresse que procure le spectacle de sa propre puissance, un brouhaha retentit dans la cour d'honneur; la Garde reflua à l'intérieur de la salle et bouscula les dignitaires. La belle disposition se rompit et la confusion s'instaura dans les rangs. Il y eut des cris, des gesticulations, et même un début de panique...

Des bandes de gueux, menées par Bienheureux, après avoir fait irruption dans la ville, avaient envahi le palais. Renversant les sentinelles qui tentaient de leur en interdire l'accès, ils débouchaient par les portes et sautaient par-dessus les murailles.

La nouvelle du triomphe définitif de Taillefer avait soulevé un enthousiasme inouï. Une ferveur religieuse s'était emparée du littoral, stimulée par les prêches de

Bienheureux qui se rendait d'un village à l'autre pour colporter l'événement et communiquer à tous l'annonce d'une ère de félicité :

Taillefer avait gagné et sa bonté se répandait déjà sur le monde, fécondant les plantes, les herbes, les bêtes et les hommes comme une rosée douce. Enfin s'ouvrait l'ère de la Grande Paix : plus de distinction entre le tien et le mien, dans un monde redevenu une grande famille sans querelles ni luttes tous jouissaient également des fruits de la terre et des dons du ciel, etc.

Concurremment aux thèmes de la Grande Paix, d'autres croyances, semées par Li Harmonie dans le but de donner à ses théories une caution transcendante, avaient germé sur le terreau fertile de l'âme des humbles et en s'épanouissant s'étaient si intimement enchevêtrées à l'espoir de la Grande Paix qu'elles en étaient devenues la substance même.

Li Harmonie se disait habité par un dieu — non pas un vulgaire démon mais une entité transcendante, Sapin Rouge, matérialisation ignée de Lao-tseu qui, répondant au cycle du feu, avait cristalisé ses souffles incandescents sous une forme humaine afin d'instruire l'Empereur Rouge. Puis, son œuvre accomplie, Sapin Rouge avait ingéré la drogue d'immortalité, s'était consumé en une flamme ardente et avait gagné les paradis de la Reine Mère d'Occident avec laquelle il avait fusionné en un seul et même être, car celle-ci n'était que la forme féminine de Lao-tseu, par laquelle il s'était donné naissance.

Il arrivait souvent à Harmonie au cours de ses prêches de s'étendre longuement sur la vie de délices et de béatitude qui régnait au pays de la Reine Mère d'Occident, de sorte que l'évocation de l'âge d'or appelait irrésistiblement l'image de la déesse et de sa montagne des félicités infinies. Par la suite, Bienheureux avait annoncé l'avènement prochain du rouge et du gouvernement du Ciel grâce au triomphe de Taillefer. Le roi avait été associé à la déesse.

La Reine Mère d'Occident allait bientôt descendre de ses terres enchantées, apporter l'immortalité à ses adeptes et malheur et mort au reste de l'humanité pécheresse. Pour compter au nombre des élus il fallait porter autour du cou des amulettes à son image, lui vouer des sacrifices et chanter des hymnes à sa gloire. Taillefer n'était qu'une des manifestations du Duc d'Orient, l'époux et le pendant de la déesse ; une époque de bonheur s'ouvrirait quand au septième jour du septième mois de la première année de son avènement il s'unirait mystiquement avec la Reine d'Occident.

D'aucuns chuchotaient même que la Faisanne n'était autre que son incarnation.

Les discours de Bienheureux avaient fait leur œuvre. L'Est attendait en Taillefer le bon roi qui apporteraient le règne du Ciel sur Terre ; et les humbles, les déshérités avaient pris leurs maux en patience, sûrs de connaître d'ici peu le bonheur ; ils avaient fait alliance avec les potentats locaux — leurs oppresseurs —, se soumettant à nouveau sans broncher aux taxes, corvées et réquisitions afin de soutenir l'effort de guerre du saint monarque : ne fallait-il pas hâter de toutes les façons possibles la victoire de celui qui apporterait l'âge d'or ?

Ainsi, à l'annonce de la victoire, ils s'étaient mis en marche, formant des nuées compactes à travers les campagnes. La plupart cheminaient à pied, sans chaussures, mais quelques-uns, plus aisés, allaient à cheval ou en charrette. Ils allaient les cheveux dénoués, pour marquer le retour à la simplicité, tenaient à la main des gerbes de riz ou de blé en signe de prospérité et arboraient des amulettes en bois de pêcher. Ils sautaient par-dessus les murs de clôture — manifestation de l'appropriation de la terre —, brisaient les portes des octrois qui empêchaient la circulation des biens et des influx bénéfiques, et pendaient les chiens, ces gardiens trop zélés des biens privés. Ils renversaient aussi le vin vendu dans les débits de boissons et confisquaient les affreuses pièces de métal. Ils distribuaient des talismans qui protégeaient contre toutes les affections, charmaient l'eau contre les fièvres, faisaient se confesser les malades, les riches et les voleurs, récitaient des hymnes à la gloire du roi, agitaient le livre saint formé de toutes les pensées sublimes des pauvres gens et brandissaient des portraits de la Reine Mère d'Occident descendue de ses paradis pour répandre le bonheur et la joie universels sur le monde.

Lorsque la procession menée par Bienheureux arriva à Lou, le souverain qu'elle chérissait avait déjà quitté la province pour Solidité-du-Pot-de-Terre où il s'était proclamé empereur.

Grossie de nouveaux adeptes, auxquels on distribuait des gerbes de céréales, des effigies de la déesse et toutes sortes de talismans, la foule reprit sa marche vers l'ouest pour rencontrer son sauveur. Mais une fois encore elle arriva trop tard. L'Empereur Lieou avait quitté cette ville pour fixer sa capitale provisoire à Lo-yang.

Les adorateurs de la Reine Mère d'Occident ne se découragèrent pas. Ils continuèrent leur marche, couchant à la belle étoile, se désaltérant aux sources, aspirant la rosée, se nourrissant d'aumônes ou de pillages, et arrivèrent à la capitale, au solennel instant où se déroulait au palais l'audience impériale.

On crut à une émeute. Des soldats furent envoyés en renfort. Le sang aurait coulé si Bienheureux n'avait réussi à refréner l'ardeur de la foule. Il persuada le gros de ses partisans de se retirer de l'enceinte de la Cité Interdite tandis que lui-même et une délégation d'anciens remettraient le livre des suggestions merveilleuses à Taillefer.

L'Empereur fit signe à sa suite, qui avait reformé ses rangs, de les admettre en sa présence.

En apercevant les effigies de la Reine Mère d'Occident et du Duc d'Orient s'encadrer dans les gerbes d'épis portées par cette troupe loqueteuse, Tchang le Bon se sentit défaillir. Il reconnut, en dépit de la facture naïve et conventionnelle avec laquelle on les avait représentés, la Faisanne et Taillefer tels qu'ils lui apparaissaient dans ses rêves ; et pour la première fois, lui en fut clairement dévoilée la signification, qu'il avait jusqu'à présent refusé de comprendre et d'admettre, bien qu'il la connût depuis toujours.

Ses esprits vitaux n'étaient pas troublés par son inclination pour la Faisanne, contrairement à ce dont il avait longtemps cherché à se persuader — il n'aurait alors été hanté que par une seule image —, mais par le sentiment de sa propre bassesse. Il s'était mis au service de Taillefer non parce qu'il le croyait vertueux ou désigné par le Ciel, mais parce qu'il éprouvait une attirance secrète pour l'oppression. Son geste contre le Premier Empereur, loin d'être dicté par la haine de la tyrannie, n'était qu'un mouvement de révolte contre ses propres penchants. À travers un despote qui manifestait le pouvoir sous sa forme la plus crue, il avait cherché à se détruire lui-même ou tout au moins la part de lui-même qui en subissait l'ascendant, comme on brise un miroir dans un mouvement de dégoût pour l'image sans complaisance qu'il renvoie. Son ascèse était irrémédiablement condamnée car jamais il ne pourrait se dépouiller de ce qui constituait le fond même de son être. Son dévouement pour Taillefer, de même que sa relation avec la Faisanne, était un asservissement, et il aimait être asservi, tristement semblable en cela à cette troupe de culs-terreux qui en cet instant se prosternaient devant celui qui allait les enchaîner pour des siècles et qu'ils avaient choisi d'adorer, non parce qu'il serait leur libérateur, mais au contraire parce qu'il allait les plier sous le dur joug de l'Autorité, et c'était cela que, secrètement, ils aimaient.

Les Trigrammes l'avaient judicieusement désigné comme le plus apte à élire celui qui saurait restaurer l'ordre, et à parer cet ordre terrible de dehors aimables, car il chérissait trop le pouvoir pour le laisser voir à nu. Il comprenait enfin la phrase énigmatique de Maître Pierre Jaune : « C'est parce que tu le reconnaîtras qu'il sera roi. » Il s'en rendait compte maintenant, le grimoire des trigrammes ne donnait aucune recette de stratégie, aucun principe de gouvernement — là ne résidait nullement la clef de la victoire de Taillefer —, il pouvait se l'avouer à présent, c'était juste un ramassis de formules vagues et de maximes générales qui lui avaient plus servi à ses exercices gymniques qu'à élaborer des stratagèmes à long terme, lesquels avaient tous abouti à des échecs retentissants. C'était d'ailleurs sans importance ; le seul fait *qu'il l'ait choisi* désignait *déjà* Taillefer comme vainqueur. Il n'avait été en somme que le chien qui avait débusqué sa proie à l'Histoire.

Et de même qu'il avait exécré le Premier Empereur, il abomina cette foule qui lui renvoyait son reflet grimaçant et déformé — et pourtant cruellement vrai — comme s'il se réfléchissait dans les flancs polis d'une lourde chaudière de bronze. Pâle et défait, il couina d'une voix blanche :

— Voici qui est intolérable ! Qu'on les tue tous...

Taillefer n'avait nullement eu besoin de l'encouragement de son ministre pour agir. Outré par cette intrusion qui avait troublé la pompe cérémonieuse de l'audience, il avait crié à Bienheureux qui, décontenancé et troublé par cet étalage de puissance et de luxe, se tenait prosterné au bas des degrés, tremblant de la tête aux pieds :

— Ah, tu voulais ruiner le prestige impérial, rebelle ! Tu vas voir de quel bois je me chauffe ! Sache que le crime de lèse-majesté est puni de mort et que l'exécution suit immédiatement la sentence sans appel ni pardon ! Ton cadavre sera brûlé et tes cendres dispersées au vent !

Tandis que les gardes le traînaient hors de la salle, le condamné surprit des bribes de la harangue que l'Empereur adressait maintenant aux anciens et des louanges que ses ministres lui adressaient pour sa fermeté et sa modération :

— J'ose croire, dans ma mansuétude... Par égard pour votre grand âge... à la condition que vous dispersiez cette foule et remettiez aux autorités les noms des principaux meneurs...

— Le sage souverain n'en châtie qu'un seul...

— Et tous sont frappés de crainte...

— Il a suffi à Confucius de faire écarteler le seul Juge Mao pour rétablir l'ordre à Lou...

— O grand empereur ! n'êtes-vous pas comme Yu qui à son avènement réprima les princes pervers et débauchés de Miao et obtint la Grande Paix pour des siècles !

— Ils bénissent la main qui les punit, car ils savent la sanction méritée...

Bienheureux saisit en un éclair qu'il s'était totalement fourvoyé. Ce n'était pas là le souverain bon et compatissant qui assurerait sur Terre le gouvernement du Ciel, mais bel et bien un tyran qui imposerait le gouvernement du mépris en le travestissant sous de belles paroles et de pieux discours! Un hypocrite, voilà ce qu'était Taillefer, un renégat à double visage. Ne portait-il pas le mensonge inscrit dans son nom même : Lieou, qu'on pouvait lire de deux manières : Orient Taille-Fer ou Fer-Taille Orient! et lui, crétin, il avait choisi la mauvaise. Car Lieou ne pouvait être la douceur du printemps qui met fin au dur règne du métal — comment le briser, sinon par la force des armes —, il était le fer qui élague et qui tranche pour renforcer le tronc de l'Autorité ainsi que cela doit être, que cela a toujours été et sera toujours...

L'amère reconnaissance de l'infrangibilité du monde, loin d'entraîner sa résignation, provoqua chez lui un mouvement de révolte venu du fond de son âme. Si rien ne pouvait être changé à l'ordre existant, du moins pouvait-on en exploiter les failles qui laissaient de vertes pâtures à la liberté — encore ne fallait-il pas se tromper de camp. Et au moment où le lourd tranchant du métal s'abattait sur sa nuque, il hurla : « A bas Lieou, Fer-Taille, vive Plumet, souverain du feu et du sang... »

LE TAO

Il n'y eut plus qu'un flamboiement rouge, et sur ce fond sanglant se tordaient des zébrures, tantôt pleines, tantôt brisées. Puis les contours se précisèrent ; six têtes chenues et pensives se découpèrent dans l'encadrement d'une fenêtre, baignée par les feux du couchant. Derrière elles la voix de Ciel chevrota railleusement la troisième ligne du Feu :

— « *Ah, quand vient l'incandescence du crépuscule, tapez sur une jarre de terre et chantez, plutôt que de vous plaindre de la vieillesse.* » Eh oui, messieurs, conformons-nous à cette sage maxime et buvons, chantons, car nous arrivons au terme de cette réunion et, qui sait, peut-être de notre existence !

— Pas si vite ! s'exclama vivement Terre, ils n'en ont pas encore fini ! Vous ne venez de dérouler que la première moitié du cycle. Il y a encore trente-quatre figures...

— Bien moins, bien moins, ma chère, car tu sais aussi bien que moi que les signes se lisent dans les deux sens : de haut en bas ou de bas en haut.

— Oui, mais alors selon ce principe il devrait y en avoir trente-six en tout.

— Pas facile à tromper, la fine mouche ! Alors je te rétorquerai que seules les figures du livre premier des mutations nous concernent, elles qui ont trait à l'Empire ; les autres se rapportent aux affaires de famille dont nous n'avons rien à savoir...

— Je vous demande pardon, elles importent aussi car les

relations entre hommes et femmes déterminent le destin de l'Empire.

Et avant que Ciel ait eu le temps de rétorquer, Terre criait à l'adresse des six autres :

— Faux devins ! vrais masques qui jouez à être des hommes, signes hâtivement tracés avec du sang et de la chair sur la soie pâle de l'existence, vous qui y chanterez votre partie sans même vous en rendre compte et sans que nul ne le sache, regardez et prenez-en de la graine, car ce que vous allez apprendre pourra un jour vous être utile !

Elle souleva sa robe. Les six agents des puissances, ainsi interpellés, tournèrent la tête. Le ventre de la Jument faisait comme un immense miroir de bronze, mais bombé, ou plutôt c'était un de ces puits profonds et noirs au-dessus desquels on crie pour rappeler les âmes égarées ; les images s'y formaient sous la surface, comme prises dans la masse de matière, à la fois très nettes et très distantes, tels des cailloux ou des poissons qui brillent dans le sein d'un gouffre à l'eau cristalline. Les scènes se succédaient, hachées et rapides. C'était un long chapelet de meurtres et d'infamies perpétrés par Taillefer et la Faisanne, ensemble ou séparément.

Ciel secoua la tête avec agacement et s'écria :

— Ignorerais-tu, sotte, que le second cycle des mutations n'est rien d'autre que le *vécu* du premier, c'est pourquoi l'appendice au *Livre des Mutations* sur l'ordre de succession des figures dit que l'un concerne le Ciel et la Terre, et l'autre les rapports entre l'homme et la femme, ce qui signifie tout simplement que les trente premiers donnent les linéaments tels qu'ils se déploient dans le monde du virtuel et que peuvent dévoiler les rêves ou les prédictions, tandis que les trente-quatre derniers n'en sont que l'actualisation dans la sphère du réel. Si ces messieurs sont curieux d'avoir le fin mot de tout ceci, eh bien, il leur faudra l'éprouver dans leur chair, mais là, c'est une autre histoire !

Et sa voix prit des intonations menaçantes :

— Le jeu touche à sa fin, on ne peut tromper impunément le destin en se faisant passer pour ce qu'on n'est pas !

306

Vous serez exactement ce que vous vouliez paraître, mais en ne le sachant pas.

Ciel fit claquer ses doigts. Le miroir redevint une peau blanche et tendue sur laquelle la robe se rabattit. Il émit alors un curieux sifflement, traça dans l'air d'étranges signes. Son corps se rétracta en une boule informe. Un à un, Étang, Tonnerre, Vent, Montagne, Feu et Terre vinrent se fixer sur elle, formant les cinq doigts, la paume et le dos d'une main gigantesque. Celle-ci se mit à battre comme un papillon de nuit, voleta maladroitement dans la pièce, se cognant aux murs et à la vaisselle, avant de s'envoler par la fenêtre dans un battement dissymétrique. Elle prit son essor dans le jour finissant, grandit, grandit, au point de couvrir tout le ciel, puis disparut dans l'éther.

Au moment où la femme à la nuque un peu grasse qui habitait la maison en face de la taverne de Tchong-yang sortait de l'assoupissement où l'avait plongée son bain de pieds, une membrane veloutée et lumineuse — comme recouverte de la poudre colorée et soyeuse qui donne son éclat aux ailes des papillons et à nos rêves —, et cependant diaphane, obstrua entièrement la fenêtre. Les bigarrures rouge, noir et or faisaient comme un octogone emprisonnant huit séries de lignes continues ou brisées, mais en même temps elle crut, dans un état de demi-sommeil, voir s'inscrire dans la portion d'espace délimitée par le cadre de la croisée, le mot SONGE.

Plus tard, des vieux qui chauffaient leurs os perclus au pâle soleil du crépuscule racontèrent que ce soir-là, ils avaient aperçu une ombre gigantesque portant en lettres de cinabre le mot MENSONGE.

Principaux personnages

Barbare (Hou-hai) : Second Empereur, fils du fondateur des Ts'in
Tchao le Haut (Tchao Kao) : eunuque, précepteur de Barbare
Tseu-ying : successeur de Barbare
Tchang Han : général du Ts'in

Taillefer (Lieou Pang) : fondateur des Han
Liu la Faisanne (Liu Tche) : femme de Taillefer
K'i : concubine de Taillefer

Cordon (Kouan Ying)
Examinateur (Ts'ao Ts'an)
Portefaix (Siao Ho)   } partisans ou amis de Taillefer
Tchang le Bon (Tchang Leang)
Apaisant (Tch'en P'ing)

Barrière des Dents (Yong-tch'e) : ennemi de Taillefer

Plumet (Hsiang Yu) : rival de Taillefer
Poutre (Hsiang Leang) : oncle de Plumet
Joie (Yu) : concubine de Plumet
Accroisseur (Fan Ts'ang) : conseiller de Plumet

Saute-le-Pas (Tch'en Tch'e)
Confiance (Han Hsin)
Face Tatouée (King Pou)   } chefs rebelles devenus rois
P'eng Yue
Oreille (Tchang Eul)
Rogaton (Tch'en Yu)

Li Harmonie
Bienheureux
Fulguration-du-pur-sang (King Kiu) } chefs des turbans verts
Ts'in le Fructueux (Ts'in Kia)

Li Yi-k'i
K'ong le Brème (K'ong Fou) } lettrés et rhéteurs
Compréhension (K'ouai T'ong)

Postface

La société instaurée en Chine au iiie siècle avant notre ère par l'empereur Ts'ing Che-houang-ti a la netteté d'une épure. La froide lumière d'une raison consciente de l'inhumanité de ses actes en accuse les contours, lui prête une fermeté de dessin et une aridité de lignes qui ne se voient qu'à certains paysages d'hiver, quand, nulle humidité ne s'interposant entre l'œil et l'objet pour donner du flou, du gras, du moelleux, les êtres et les choses se découpent, dans la transparence minérale de l'air, avec une précision agressive. Ordre et transparence — c'est bien cela que cherchent à imposer à la terre sous le ciel le despote et ses conseillers philosophes, et c'est ce processus d'épuration, de raréfaction de l'atmosphère que cherchait à rendre mon précédent livre *Le Grand Empereur et ses automates*.

L'ordre et l'organisation sont si parfaits vus des cimes qu'ils semblent inaltérables. Ce n'est là qu'une illusion ; la peinture de la société à travers la perception que s'en font les centres d'autorité et de décision pouvait créer l'impression d'un univers à la *1984*, alors que ce monde se rapproche (ou la perception que j'en ai) de celui de *Nous autres* de Zamiatine. Les aléas du devenir, pas plus que la mort, n'ont été vaincus. Preuve que l'Histoire continuait bel et bien : la dynastie des Ts'in sombra dans le soulèvement de toutes les provinces de l'est de l'Empire. Il était tentant de nuancer cette vision trop tranchée par la narration de l'écroulement de cet ordre, constituant comme le second volet d'un diptyque. *Le Rêve de Confucius* est né de ce souci d'équilibre. Il a pour thème central la rébellion qui secoue l'Empire en 209 avant notre ère et la lutte pour le pouvoir qui oppose les deux principaux chefs de la rébellion, Taillefer (Lieou Pang) et Plumet (Hsiang Yu) après la chute des Ts'in. A l'issue des six ans de guerre, Taillefer finit par l'emporter et fonde la dynastie des Han en − 202, qui durera quatre siècles.

Tout autant que d'une suite, il s'agit d'un changement de perspective. *Le Grand Empereur* décrit l'ordre et le pouvoir, *Le Rêve de Confucius* met en scène le désordre et le peuple. Il dévoile, en suivant la carrière de Taillefer depuis sa naissance, bien avant que n'éclate la révolte et que ne sombre l'État des Ts'in, les fissures qui traversent cet ordre monolithique et intangible à première vue. Le chaos est le point d'aboutissement d'un processus profond, ancien, dont les effets commencent avec l'instauration même de l'organisation totalitaire. Ces lézardes qui, courant à travers ses soubassements, minent l'État dans ses œuvres vives ne sont pas de simples vices de construction, elles font partie intégrante de l'ordre, à la fois mortelles et nécessaires.

La bureaucratie est une entité, un corps compact, replié sur lui-même, vivant et se reproduisant de façon autonome, qui serait coupé totalement de la société s'il ne disposait d'extrémités terminales qui, telles des synapses, s'ajustent à elle : ce sont les petits fonctionnaires chargés de la surveillance et du maintien de l'ordre. Ils représentent une frange charnière et critique, par laquelle passe la ligne de fracture entre les deux mondes ; à la fois d'un côté et de l'autre, ils n'appartiennent ni tout à fait à l'un ni tout à fait à l'autre. Dans la Chine ancienne et classique (il suffit de lire *Au bord de l'eau*), les hors-la-loi se recrutent avant tout parmi ceux qui sont chargés de l'application des lois, petits magistrats, directeurs de prison et policiers de canton. Ils ne sont déjà plus tout à fait la bureaucratie — dont le dynamisme ne parvient jusqu'à eux que très affaibli, médiatisé par les relais innombrables de la hiérarchie —, sans appartenir aux couches populaires. Ils sont là pour surveiller et contrôler, mais doivent ménager les puissances locales, les hobereaux auxquels les attachent des relations de connivence et d'intérêt. Ainsi donc, sur le pourtour de cette zone de contact, dans cet entre-deux des marges de la bureaucratie et de la société s'étendent de petits pacages de liberté, des jachères que ne quadrillent pas les mailles du réseau de surveillance et qui fournissent comme une soupape de sûreté aux éléments les plus turbulents, dans un territoire qui reste contrôlé, circonscrit, délimité. Nécessaires, indispensables même à la survie du système, comme peuvent l'être la corruption, le travail au noir ou le terrorisme dans les sociétés modernes, ces espaces n'en représentent pas moins une menace, un foyer de subversion qui explose à la moindre manifestation de faiblesse de l'autorité centrale. La carrière de Taillefer, simple chef de police de canton, devenu empereur après un long intermède comme chef de brigands, est exemplaire de ces forces de destruction qui sapent la société totalitaire dans son principe constitutif, et la frappent dès sa naissance du sceau de la finitude.

Responsables de l'écroulement de l'ordre qu'ils sont censés préserver, ces petits cadres sont aussi les éléments les plus actifs de sa restauration, cependant ils n'en ont pas conscience ; ne connaissant que ce modèle d'organisation, ils le reproduisent en croyant le changer ; leur double appartenance à la société réelle et à l'appareil d'État les prive de la perception cynique et désabusée des hauts dirigeants, sans leur donner la vision critique (même si elle est passive) des couches populaires qui se situent en dehors de l'exercice de l'autorité. La confusion inhérente à l'écroulement de l'ordre se double de la confusion apportée par l'inadéquation entre ce qui est dit et ce qui est fait. Ils mentent parce qu'ils s'abusent eux-mêmes. Les mouvements, déjà chaotiques, des acteurs s'estompent dans les brumes de la fausse conscience.

Loin de produire des individualités, la liquéfaction de l'ordre ne produit que des ombres, de vagues silhouettes. Masqués par le nuage des justifications idéologiques qui les dérobent aux autres et à eux-mêmes, les protagonistes perdent tout trait distinctif, se confondent les uns avec les autres, telles des formes entr'aperçues dans le brouillard.

La chronique de cette fin de règne, fournie par l'historien Ssema Ts'ien, est une suite confuse de batailles, d'alliances et de brouilles, une liste de noms sans visage qui décourage toute tentative d'organisation. L'ombre d'une interrogation enténèbre encore davantage ce magma. Pourquoi Taillefer a-t-il gagné ? ne cessent de se demander ses conseillers ; pourquoi a-t-il gagné ? s'indignent ses rivaux ; pourquoi ai-je gagné ? n'en finit pas de s'émerveiller le principal intéressé lui-même. Eh oui, pourquoi a-t-il gagné, lui plutôt qu'un de ses rivaux ? s'interroge en écho l'historien. Il perd toutes les batailles qu'il livre ; il n'est ni bon ni généreux, sans être vraiment cynique ; il ne possède aucun talent, aucun signe distinctif, si ce n'est une formidable grossièreté. Et pourtant, lui qui est vaincu dans tous les combats, il triomphe, lui le plus parfait des rustres, il impose le rituel confucéen. Que pouvait-on faire avec une histoire embrouillée que le caractère immérité et fortuit de son dénouement entachait d'arbitraire ?

C'est justement le caractère désespérément inexplicable de cette victoire qui a constitué un de ces « germes », pour reprendre l'expression de Henry James, une de ces particules subtiles à partir desquelles l'histoire, se précipitant en fable, comme en présence d'un catalyseur, pouvait être ordonnée, recevoir une forme qui n'en trahirait pas la substance.

S'il n'y avait aucun facteur objectif permettant d'expliquer le succès d'un protagoniste plutôt que d'un autre, je me trouvais renvoyé à un pouvoir occulte, à l'action d'une volonté agissant à l'insu des individus. Quelque chose comme une société secrète, une société secrète qui ne serait que l'expression anthropomorphique du destin.

Qui, en Chine, dit destin dit *Livre des Mutations*. Il m'est venu l'idée de substituer à la trame historique la succession des figures divinatoires, les hexagrammes, brisant le fil linéaire de l'intrigue et établissant des liens plus secrets et plus subtils que ceux de la causalité ou de la consécution. Ces représentations scandent le récit, le découpant en instantanés emblématiques. Si les hexagrammes sont des images dynamiques, des représentations de la tendance dominante des phases du temps, les trigrammes dont ils sont issus par dédoublement constituent des éléments simples, des entités autonomes — les trigrammes étant aux hexagrammes ce que les personnages sont aux épisodes. Ils me fournissaient l'instrument rêvé de cette conversion d'un devenir cosmique et céleste en péripéties humaines. Qu'on les présente comme les chefs d'une puissante organisation occulte déguisés en figures divinatoires, ou qu'au contraire on en fasse les exécuteurs transcendants du destin s'incarnant en individus, avec eux vacille la notion de personnage et d'autonomie des acteurs du drame historique. La

314

trame discursive rompue, la question du pourquoi s'évanouit dans l'expression tautologique dans laquelle se réduisent, au fond, toutes les explications historiques : « Taillefer était le plus apte à conquérir l'Empire puisqu'il l'a conquis » — renversement matérialiste et empirique de la preuve ontologique, opérée par une démarche qui confond les faits avec le réel. Les événements, cessant de s'organiser selon une trame historique qui les rendait confus et absurdes, s'épurent, s'organisent en un dessin qui a valeur tout à la fois de fable politique et de réflexion sur l'Histoire.

Mais, dira-t-on, n'est-ce pas un procédé artificiel que de se servir d'un manuel de divination et d'y plaquer des événements historiques donnés ? Moins qu'il n'y paraît, parce que l'idéologie du *Livre des Mutations* est exactement celle dont les Han se servirent pour asseoir leur légitimité. C'est sous cette dynastie que surgit, de façon massive, une littérature ésotérique et prophétique afin de justifier par l'intervention de la Volonté Céleste (laquelle se déchiffre à travers les signes et les symboles du langage divinatoire) l'ascension d'un simple chef de police de district à la position suprême de Fils du Ciel. Il faut dire qu'elle seule permettait d'expliquer le succès de Lieou Pang. Et puis j'éprouvais un malin plaisir à accommoder ce personnage que je n'aimais pas à sa propre sauce idéologique, en agitant la grande machinerie du destin se cachant, sous le haut patronage de Confucius, derrière les masques grimaçants des trigrammes.

La matière des chroniques de cette période est très pauvre dans son foisonnement anarchique et répétitif de figures météoriques, de mêlées troubles et de luttes sordides, quand elle ne se confond pas avec un catalogue de noms de lieux et de noms de personnes. Non seulement elle est pauvre, mais elle est contradictoire dès qu'il existe deux versions d'un même événement. Les *Mémoires historiques* de Sse-ma Ts'ien constituent notre seule source documentaire sur les événements qui se déroulent entre la chute des Ts'in et l'avènement des Han. Les principaux faits sont consignés selon l'ordre chronologique, année par année, dans les « Annales » des règnes du Second Empereur, de Hsiang Yu et de Han Kaotsou (Taillefer), et disposés sous forme de schémas dans les « Tableaux ». Des détails supplémentaires, livrés à la section des « Biographies », étoffent ces renseignements. Souvent les annales

315

et les biographies donnent des versions différentes du même événement, quand elles ne sont pas en parfaite opposition. Souvent les faits paraissent rocambolesques ou la présentation en est si elliptique qu'il est impossible de comprendre comment les choses se sont passées. Je n'en veux pour preuve que la façon dont est racontée la prise de la préfecture de P'ei par Taillefer : pressenti par le préfet, qui finalement se rétracte, pour persuader la population de se révolter à ses côtés, Taillefer la soulève en lançant une proclamation par-dessus les murailles à l'aide d'une sagette. Puis il conquiert quelques places avant de « regagner Fong » où il se retranche. Il est étonnant que la flèche n'ait pas été interceptée — à moins qu'il n'ait bombardé la population de tracts, mais alors le préfet eût été sur ses gardes — à moins que Taillefer n'ait lancé sa flèche à un complice... on en est réduit aux conjectures. Sse-ma Ts'ien ne mentionne à aucun moment l'investissement de Fong, et pourtant il faut bien que cette place — qui joue un rôle important — ait été prise pour que Lieou Pang s'y replie et la défende. Quand, comment ? Mystère. Alors pourquoi ne pas inventer une autre version plus satisfaisante, non pas sur le plan de la vraisemblance — la réalité, tout comme la fiction, en dépit des proclamations de cette dernière, est tissue d'événements incroyables — mais de son message allégorique ? Après tout, les *Mémoires historiques*, unique témoignage sur la période, écrits cent vingt ans après les événements, ne sont pas la réalité (bien qu'ils prétendent se substituer à elle) mais sa représentation, c'est-à-dire qu'ils ressortissent à la fiction.

Alors qu'y a-t-il d'historique, quelle est la part du « réel » et de l'imagination dans ce roman ? Pour satisfaire les lecteurs qui aiment savoir s'ils posent le pied sur les sables mouvants de l'invention ou le tuf résistant de la réalité, disons que les personnages pour la plupart sont historiques en ce qu'ils sont attestés par la chronique, mais ce qui leur arrive est invention, dans la mesure où de simples noms se voient affublés d'un caractère, d'une vie. Parfois c'est un détail, mentionné en passant, qui est à l'origine d'un caractère : j'ai construit le personnage de Tchang le Bon (Tchang Leang) à partir de la remarque par laquelle l'historien clôt sa biographie : « J'ai toujours considéré que c'était un homme remarquable par ses stratagèmes, aussi quelle n'a pas été ma surprise en voyant son portrait : il était comme une femme, une belle jeune fille. » Cette exclamation, mise en relation avec ses maladies bizarres, son régime, sa gymnastique (dont parlent aussi les *Mémoires historiques*) et ses rapports ambigus avec Liu la Faisanne, la femme de Lieou Pang permettaient de façonner un type humain moins conventionnel que le surhomme sans état d'âme dans lequel se complaisent les genres littéraires traditionnels chinois, théâtre ou nouvelles.

Si la trame générale des événements est en gros respectée — il y eut bien une révolte d'un paysan qui déclencha une insurrection générale contre les Ts'in dont des hobereaux, des féodaux et des chefs de brigands prirent la tête —, la révolte des humbles et les théories de Bienheureux, comme le personnage lui-même et ses acolytes, sont une invention. Elle ont néanmoins un point de départ historique : les *Mémoires* de Sse-ma Ts'ien, aux « Annales » du règne de Plumet, signalent « une bande de jeunes gens qui, s'étant affublés de turbans verts, fomentèrent une insurrection particulière ». Les commentateurs, qui ne savent pas très bien à quoi il est fait allusion, rapprochent à la fois les turbans verts des milices paramilitaires du Wei et de mouvements de rébellion de type millénariste, tels les Sourcils rouges (au Ier siècle) ou les Turbans jaunes (au IIe siècle). Le vert est la couleur du printemps, de la douceur et du foisonnement des richesses.

De ces visions idylliques suggérées par cette couleur verte, une immense littérature d'apocryphes, de grimoires prophétiques et de livres utopiques donnent des descriptions extrêmement élaborées et détaillées. Ces œuvres, bien qu'écrites sensiblement après le triomphe des Han, n'en sont pas moins très représentatives des courants les plus profonds qui travaillaient la société des Han. Ainsi, la notation de Sse-ma Ts'ien était une aubaine ; de toute façon, historiquement attesté ou non, il me fallait, d'un point de vue purement formel, quelque chose de doux, de pacifique, de désintéressé et en même temps d'un peu passif pour faire contraste avec l'ambition, la frénésie guerrière et les sordides collusions d'intérêt des chefs de guerre. Le mouvement de révolte se fractionne en plusieurs strates : pour les meneurs, le soulèvement est un moyen d'élévation, pour la masse, elle lui permet d'affirmer ses aspirations généreuses, sa foi dans un monde d'harmonie, d'égalité et de paix.

La libération de tous les possibles exacerbe les convoitises et les appétits ; le chaos se révèle aussi meurtrier et terrifiant que l'ordre ; il a toutefois sur ce dernier l'insigne avantage de permettre de rêver, rêve de grandeur et d'élévation chez les chefs, utopie de la Grande Paix chez les humbles. Ces songes seront flétris par la lourde main de la réalité, à l'exception de ceux de Taillefer qui se réaliseront sous la forme dévoyée et tenace du mensonge. C'est une des explications du premier mot du titre. Quant au second mot, suivant le sage conseil d'Umberto Eco, pour qui un titre doit égarer et non révéler, nous laisserons au lecteur le soin d'en trouver lui-même la raison. Ajoutons seulement, pour le mettre sur la voie, à moins que ce ne soit pour brouiller les pistes, que dans le livre, Confucius fait un rêve.

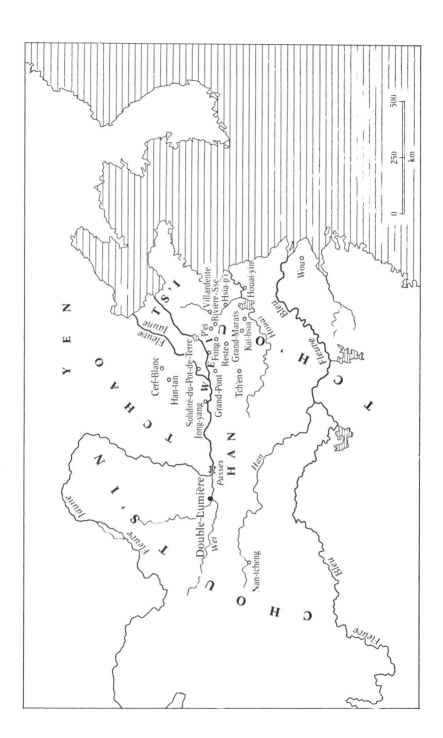

La composition de ce livre
a été effectuée par Bussière à Saint-Amand,
l'impression et le brochage ont été effectués
sur presse CAMERON
dans les ateliers de la S.E.P.C. à Saint-Amand-Montrond (Cher)
pour les Éditions Albin Michel

Achevé d'imprimer en juillet 1989
N° d'édition : 10568. N° d'impression : 8381-1015.
Dépôt légal : août 1989.